T3-BOD-093

Développement et modernisation du Québec

Kenneth McRoberts
Dale Posgate

Développement et modernisation du Québec

Boréal Express

Cet ouvrage a été publié grâce à une subvention de la Fédération canadienne des sciences sociales, dont les fonds proviennent du Conseil de recherches en sciences humaines du Canada.

Photocomposition, montage, maquette intérieure:
Les Ateliers Le Polygraphe

Diffusion exclusive:
Dimédia, 539, boul. Lebeau
Ville Saint-Laurent,
Québec H4N 1S2

Distribution en France:
Distique, 9 rue Édouard-Jacques
75014 Paris

Titre original:
Quebec: Social Change and Political Crisis

ISBN 2-89052-063-3
Dépôt légal: 1er trimestre 1983
Bibliothèque nationale du Québec

Préface

Il y a de ces livres qui sans tambour et dans le silence des trompettes s'accaparent tranquillement d'une niche bien à eux dans l'univers de la connaissance. Ils le font avec tellement d'efficacité qu'on finit par les prendre pour acquis. Ils deviennent par la suite des sortes de dictionnaires dont on ne peut se passer, question de vérifier une date ou de compléter une référence. C'est le genre de livre qui demeure en permanence sur le coin du bureau et qu'on relit au hasard des chapitres, y découvrant des détails qui nous avaient échappé et des faits dont on avait oublié jusqu'à l'existence. Ces livres vieillissent bien. Certes, la suite de l'histoire leur donne parfois tort sur des questions de détail. Peu importe. On finit par se prendre au jeu d'essayer d'y découvrir les élaborations théoriques qui risquent de ne pas résister à l'épreuve du temps.

C'est avec une bonne dose de complicité qu'il faut aborder le livre de Kenneth McRoberts et Dale Posgate. Il faut prendre livre et auteurs comme ils sont, avec leurs dadas — entre autres, celui de constamment déplorer le manque de pureté idéologique du gouvernement du Parti québécois et celui de tenter par tous les moyens d'excuser le manque de compréhension des Canadiens anglais face à la cause nationale québécoise. Mais c'est la facilité déconcertante avec laquelle les deux auteurs ont réussi à tout intégrer, Maurice Duplessis, le chanoine Groulx, la Société générale de financement et le référendum, qui rend cet ouvrage si fascinant. L'histoire du Québec en ressort comme un véritable roman, et intéressante à part de cela.

Rien de plus facile alors que d'affirmer qu'il s'agit ni plus ni moins que de l'un des meilleurs livres à paraître sur le Québec depuis dix ans. Qu'il soit le produit de deux universitaires de Toronto ne fait qu'ajouter un peu de piment à la situation. Ne faisons pas aux deux auteurs l'insulte de vanter leur livre en insistant sur le caractère rafraîchissant d'un point de vue de l'extérieur. En fait, si ce n'était de cette postface, un peu malheureuse il faut bien le dire, sur les résultats du référendum du 20 mai, rien ne permet de croire que le livre est le produit de deux Canadiens anglais. L'éternelle question « What does Quebec want? » ne les préoccupe guère. Leur perspective en est une de science politique et non d'un journalisme en quête d'une meilleure compréhension entre les deux peuples fondateurs.

Mieux que tous les plaidoyers, ce livre témoigne de l'importance que revêt l'expérience québécoise pour l'avancement de notre compréhension des phénomènes sociaux. C'est d'ailleurs ce que plusieurs chercheurs associés à l'Université de Chicago avaient compris dans les années trente en faisant du Québec un territoire privilégié d'observation. Il témoigne aussi de la vitalité de cette « Chicago connection », car c'est avant tout sur les bords du lac Michigan que le livre a été conçu. Mais alors que les sociologues de ce qu'il est convenu d'appeler l'École de Chicago — Everett Hughes, Horace Miner, Robert Redfield — s'intéressaient surtout à la nature un peu particulière d'une société qui prend un malin plaisir à contrecarrer la division logique entre société traditionnelle et société moderne, c'est la dimension politique qui retient l'attention de McRoberts et Posgate. Finie la question de savoir si le Québec est une société paysanne, folklorique, pré-moderne ou « moderne-en-retard ». Ce qui les préoccupe c'est d'expliquer cette juxtaposition du long retard politique que semble prendre le Québec entre 1920 et 1960 et de l'explosion qui surgit avec la Révolution tranquille.

La tâche n'est pas facile et l'éclectisme théorique et idéologique qui caractérise les auteurs est amplement justifié. D'ailleurs, l'une des contributions les plus intéressantes de ce livre est sans contredit ce survol des cinq approches avec lesquelles la réalité québécoise peut être abordée et qui sont définies au premier chapitre. Évidemment, ceux qui ne jurent que par le rattrapage, la conscience nationale ou la lutte des classes n'apprécieront guère ces sauts-de-mouton entre concepts. Tant pis.

Pouvait-on souhaiter un meilleur coup d'envoi à une nouvelle collection par laquelle Boréal Express tentera de rendre compte de ce qui se dit et s'écrit sous d'autres cieux? On a beau être au Nord de tout, il ne faut pas oublier qu'au Sud, à l'Ouest et à l'Est, il y a souvent du nouveau. Après tout, il y a plusieurs façons d'être d'Amérique du Nord. Les « autres », ceux du Canada et des États-Unis, ont aussi leur spécificité, leur originalité et leurs projets de société. Le fait qu'ils considèrent tout à fait normal d'en faire le modèle dominant ne devrait rien changer à l'importance de suivre à la trace leur évolution. On risque même d'y retrouver nos propres traces.

Daniel Latouche
Magog, le 15 novembre

Avant-propos

L'émergence du Québec contemporain est un phénomène à la fois culturel, économique, social et politique. Ce livre est né du désir de comprendre et d'analyser ce phénomène fascinant. Lorsque nous l'avons entrepris, vers la fin des années soixante-dix, nous étions animés, en tant que politicologues canadiens-anglais, par deux préoccupations.

D'abord, nous voulions contester certaines idées reçues dans notre discipline. Au cours des années soixante, les spécalistes de la science politique, particulièrement aux États-Unis, avaient soutenu que le développement socio-économique avait inévitablement un effet de nivellement et d'homogénéisation, effaçant les identités culturelles et absorbant les individus et les collectivités dans des unités économiques et politiques de plus en plus grandes. Cette idée était fermement établie, surtout en rapport avec les pays occidentaux. Pourtant, à plus d'un point de vue, le Québec présentait un démenti formel et captivant. L'urbanisation et l'industrialisation avaient sans doute modifié la culture du Québec francophone, mais certainement pas la conscience de son identité culturelle, quoi qu'il en soit des autres francophones du Canada. Plutôt que de s'attacher davantage aux institutions socio-politiques pancanadiennes, les Québécois francophones leur préféraient au contraire des organisations distinctement québécoises. On constatait des phénomènes semblables dans certaines régions de l'Europe. Aussi, à titre de politicologues, nous voulions examiner le cas du Québec pour mieux comprendre les forces sous-jacentes de cette nouvelle tendance générale.

D'autre part, comme Canadiens anglais, nous voulions mettre en question les idées courantes chez nos compatriotes concernant le Québec et ses relations avec le reste du Canada. Au milieu des années soixante-dix, la plupart des Canadiens anglais semblaient avoir conclu que la « question du Québec » avait été réglée, grâce principalement aux réformes linguistiques du gouvernement fédéral. Nous pensions à ce moment-là, et nous continuons de penser, qu'un arrangement durable avec le Québec doit aller au-delà de simples réformes linguistiques; un tel arrangement implique une refonte en profondeur de l'ordre politique, basée sur une reconnaissance claire et nette de la spécificité nationale du Québec. Aussi, nous voulions offrir une analyse plus globale de l'expérience québécoise que ce que l'on offrait habituellement en langue anglaise. Le Parti québécois fut porté au pouvoir six mois après la publication de notre première édition.

Au cours des quatre années qui ont suivi cette première édition, nous avons été amenés à revoir plusieurs parties de notre texte et à y intégrer des ajouts importants. Nous voulions en effet explorer toute une série de nouvelles questions soulevées par la victoire du Parti québécois: les bases sociales et l'idéologie du parti; les changements d'orientation pris par le gouvernement Lévesque; la viabilité de la souveraineté-association; enfin, ce qui nous paraissait encore plus intéressant, c'était d'examiner les contradictions qui assaillent tout mouvement voué à un changement radical de l'ordre politique ou économique, mais qui doit assumer les fonctions normales du gouvernement dans le cadre de l'ordre existant, ou qui décide d'atteindre ses objectifs de manière graduelle, par étapes successives.

Nous voulions aussi évaluer de nouvelles approches théoriques qui avaient été avancées en rapport avec l'expérience québécoise: la théorie de la dépendance, qui met l'accent sur la position du Québec dans le cadre de l'économie nord-américaine, et les approches néo-marxistes, qui cherchent à définir la structure des classes au Québec, par rapport à laquelle elles situent les partis politiques et les structures gouvernementales. Chacune de ces nouvelles approches met en lumière, et parfois corrige, les faiblesses de l'approche « développementaliste » que nous avions adoptée au départ. Nous avons ainsi publié une deuxième édition de ce livre en juin 1980. Cette édition en langue française est établie d'après la deuxième édition.

Beaucoup d'événements se sont produits depuis 1980. Au printemps 1981, à la surprise de plusieurs et à la consternation de quelques-uns, le Parti québécois était reporté au pouvoir. Un an plus tard, contre le consentement du gouvernement du Québec et même contre l'avis de leaders fédéralistes tels que Claude Ryan, la Constitution était non seulement rapatriée, mais modifiée. À l'évidence, ces changements ne correspondaient pas à l'arrangement qui avait été promis pendant la campagne référendaire. En fait, ces changements affaiblissent le gouvernement du Québec.

À la fin du compte, en deux ans, le débat politique au Québec semble avoir pris une orientation tout à fait nouvelle. Non seulement la question nationale a cessé d'être à l'avant-scène du débat, mais le projet d'un État québécois fort et interventionniste, qui avait dominé la scène politique pendant la Révolution tranquille et jusque dans les années soixante-dix, et qui avait si puissamment alimenté la cause indépendantiste, a été l'objet de nombreuses attaques venant de différents horizons. Avec le recul, on se rend compte que, pour surprenante qu'elle puisse paraître, cette évolution est la continuation et même l'accentuation de tendances qui étaient déjà visibles il y a plus de deux ans.

Le Parti québécois s'est fait réélire en s'appuyant essentiellement sur la même stratégie qu'en 1976. Pendant la campagne, il a insisté sur l'image de « bon gouvernement » qu'il avait si bien cultivée au cours du premier mandat. Le parti fit peu référence aux questions constitutionnelles, même pas aux nouvelles propositions de Trudeau, encore moins à la souveraineté. Les sondages semblent d'ailleurs indiquer que c'est dans ces mêmes termes que les électeurs voyaient les élections. Deux sondages pré-électoraux révélaient qu'un nombre très élevé d'électeurs étaient satisfaits du gouvernement: 60% dans un cas et 59% dans l'autre. En même temps, lorsqu'on demandait quel était leur principal sujet de préoccupation, seule une faible minorité de répondants mentionnaient le rapatriement de la Constitution: 7% dans un cas, 17% dans l'autre*. Son option ayant été rejetée de façon retentissante lors du référendum de 1980, le Parti québécois pouvait faire valoir, tout comme en 1976, que la souveraineté n'était pas un enjeu des élections: on s'en occuperait dans une consultation à part, qui serait tenue à une date ultérieure. (En fait, le PQ fit la promesse solennelle de ne pas tenir une telle consultation au cours de son second mandat.) Dans ces conditions, le PQ réussit à améliorer son score de 1976, passant de 41% à 49% du vote populaire et remportant 80 sièges. Pour leur part, les libéraux obtinrent 46% des votes et 42 sièges. Ce faisant, cependant, le Parti québécois s'est peut-être davantage enfermé dans son rôle de parti conventionnel, surtout préoccupé de gagner et de conserver le pouvoir dans le cadre du système établi, délaissant son rôle de mouvement social qui cherche à changer radicalement le système.

Le fait que la nouvelle constitution rapatriée ne rencontre pas les demandes spécifiques du Québec était prévisible dans les discussions constitutionnelles des années soixante-dix. Alors que certains gouvernements provinciaux aspiraient à renforcer leurs compétences, particulièrement dans le domaine des ressources naturelles, le gouvernement fédéral avait amplement montré qu'il s'opposerait à tout transfert significatif des pouvoirs en faveur des provinces. (Et il est vrai que la nouvelle constitution reconnaît une compétence provinciale pour la vente et la taxation des ressources naturelles. Mais cela n'implique pas une perte de pouvoir pour le gouvernement fédéral.) Quant à la reconnaissance de la spécificité nationale du Québec, les gouvernements aussi bien fédéral que provinciaux (en accord avec l'opinion publique canadienne-anglaise en général) avaient depuis longtemps fait connaître leur opposition à tout statut particulier. On

* Dans chaque cas, le premier pourcentage est tiré d'un sondage CROP et le deuxième d'un sondage SORECOM. Les deux sondages ont été administrés en mars 1981. Voir *La Presse*, 28 mars 1981; *Le Soleil*, 28 mars 1981 et *Le Devoir*, 30 mars 1981.

ne saurait donc se surprendre qu'ils se soient entendus sur une procédure d'amendement qui ne reconnaît pas le droit de veto au Québec: la plupart des amendements requièrent l'accord de sept provinces représentant collectivement 50% de la population canadienne.

Dans la même veine, l'enchâssement d'une charte des droits, qui lie à la fois les gouvernements provinciaux et le gouvernement fédéral, reflète un objectif que Trudeau et ses collègues poursuivent depuis longtemps. Le gouvernement québécois s'est vigoureusement opposé aux dispositions de la charte qui exigent des gouvernements provinciaux qu'ils assurent l'éducation dans la langue de la minorité et qui font obstacle à toute mesure visant à empêcher la mobilité entre les provinces. Mais comme il en avait fait des priorités fondamentales, le gouvernement fédéral a fini par les faire accepter par les autres gouvernements provinciaux.

Enfin, compte tenu du refus catégorique de la part des Canadiens anglais de discuter sérieusement du projet de souveraineté-association, on ne saurait se surprendre non plus que la nouvelle constitution ne contienne aucune clause reconnaissant une égalité formelle entre le Québec et le reste du Canada. Ces paramètres d'un fédéralisme « renouvelé » avaient été clairement établis au cours des années soixante-dix. Avec la défaite du Parti québécois au référendum et l'interprétation qu'on en a fait chez les Canadiens anglais (le « problème du Québec » disparaissait avec cette défaite), on ne pouvait pas s'attendre à ce qu'on renonce à ces paramètres.

La principale surprise est venue au printemps 1981, alors que le gouvernement péquiste a donné son accord à un projet d'entente constitutionnelle qui s'éloignait de la position traditionnelle des gouvernements du Québec. Ce faisant, le gouvernement Lévesque a sans doute facilité la tâche aux forces fédéralistes, qui prétendaient qu'il n'était pas nécessaire de traiter le Québec de façon différente des autres provinces. On sait que les gouvernements unionistes de Johnson et Bertrand et le gouvernement libéral de Bourassa avaient toujours réclamé un droit de veto dans toute nouvelle formule d'amendement; ils exigeaient aussi que le rapatriement de la constitution s'accompagne de changements majeurs dans la répartition des pouvoirs. En s'associant au projet des sept provinces « dissidentes », le PQ renonçait en fait à ces deux revendications. (La promesse d'une compensation fiscale contenue dans le projet d'entente était loin d'équivaloir à un droit de veto formel.) Le Québec s'engagait ainsi dans un projet d'entente qui était bien en deçà de la charte de Victoria, que le gouvernement Bourassa avait refusé de signer. (La charte de Victoria comportait un droit de veto pour le Québec, l'abolition des pouvoirs fédéraux de réserve et de désaveu, la consultation des provinces pour les nominations à la Cour suprême. Sa déclaration des droits ne réduisait pas les pouvoirs du Québec en matière linguistique.)

Compte tenu de l'issue du débat constitutionnel et de l'incapacité du PQ (que ce soit par la persuasion ou la menace) d'amener le Canada anglais à prendre sérieusement en considération son projet de souveraineté-association, on ne peut s'étonner du durcissement de position chez certains militants péquistes, qui se manifesta au congrès national du parti en décembre 1981. Mais par leur réaction énergique Lévesque et ses collègues firent savoir qu'ils étaient plus que jamais attachés à l'idée d'une association économique.

C'est qu'au cours de son premier mandat, le gouvernement avait pu sentir les contraintes qui pèseraient sur tout gouvernement québécois, quel que soit son statut constitutionnel. Déjà, Jacques Parizeau se disait préoccupé de l'état des finances publiques et les autres dirigeants péquistes invoquaient régulièrement ces contraintes devant la déception de certains militants. Bien plus, les dirigeants se montraient pleins d'appréhensions quant à l'intervention de l'État dans l'économie et à l'égard des entreprises publiques. Non seulement ils critiquaient assez rudement les entreprises publiques existantes, ils se montraient peu enclins à en créer d'autres.

En 1982, le gouvernement s'est vu forcé d'imposer des coupures de salaires importantes dans le secteur public, déclenchant ainsi une grave confrontation avec les syndicats. Il faut croire que ses problèmes financiers sont effectivement sérieux. Le niveau des impôts étant déjà sensiblement plus élevé que dans les autres provinces, on ne saurait envisager de les augmenter. L'emprunt est devenu plus difficile et plus coûteux. Mais ce qui paraît plus significatif, c'est que, dans plusieurs secteurs de la société, on commence à se demander si, de toute façon, l'État ne devrait pas renoncer à certaines des fonctions qu'il a assumées. On critique vigoureusement certains programmes de l'État providence; on s'en prend à certaines stratégies élaborées au cours des ans par les différents gouvernements, que ce soit le recours à la Caisse de dépôt et placement pour soutenir le développement économique local, ou les subventions permanentes au complexe sidérurgique nationalisé. On entend souvent l'argument que le secteur public est devenu trop étendu, trop coûteux et peu efficace. En fait, on remet en cause certaines des idées fondementales de la Révolution tranquille.

Il est possible que ces tendances reflètent simplement la prise de conscience des contraintes financières actuelles du gouvernement: les coupures sont peut-être inévitables. Elles reflètent peut-être aussi l'influence des idées conservatrices américaines. Il est évident que dans d'autres pays aussi on se pose des questions sur le rôle de l'État. Mais les attaques contre les prémisses de la Révolution tranquille reflètent sans doute aussi les limites des initiatives économiques de cette époque, qui ont créé une importante catégorie d'entrepreneurs et de cadres francophones dont le sort n'est pas nécessairement lié à celui de l'État du Québec et du secteur public.

Ces changements risquent d'affecter l'avenir du mouvement indépendantiste au moins autant que l'évolution des relations fédérales-provinciales ou les difficultés des minorités francophones dans le reste du Canada. Cela veut dire, pour le moins, que les indépendantistes auront beaucoup à faire pour réhabiliter ce qui était naguère un de leurs arguments clés, à savoir qu'un État québécois souverain, disposant de pouvoirs « normaux », serait en mesure d'être encore plus interventionniste et dynamique. D'autre part, dans la mesure où aurait émergé une nouvelle « bourgeoisie canadienne-française » pro-fédéraliste (ou une présence francophone au sein de la bourgeoisie canadienne), le mouvement indépendantiste pourrait être forcé de se redéfinir plus clairement en fonction des intérêts de la classe ouvrière, quelle que soit par ailleurs l'orientation du Parti québécois. Bref, les remises en questions ne manqueront pas au cours des prochaines années.

Nous sommes reconnaissants à toutes les personnes qui nous ont aidés dans la préparation de cet ouvrage et d'abord à ceux qui ont lu l'une ou l'autre version du manuscrit et qui ont fait des suggestions utiles: Louis Balthazar, Robert Boily, William Coleman, Robert Cox, Daniel Drache, Ian Gow, Daniel Latouche, Fred Lazar, Tom Traves, François Vaillancourt, Douglas Verney et Aristide Zolberg. Nous avons aussi bénéficié de la solidarité exemplaire de André Blais, qui a fait une lecture minutieuse des textes que nous avons ajoutés dans cette édition. K. McRoberts a une dette spéciale envers les étudiants de l'Université de Montréal, qui ont participé à son séminaire « Analyse de politique au Québec » et qui en ont fait une expérience des plus enrichissante. Donald Wallace et Daniel Salée nous ont aidés à rassembler la documentation. Les éditeurs Richard et Laura Tallman, chez McClelland and Stewart, se sont acquittés de leur tâche avec un rare degré de compétence et de conscience professionnelle. David Bell et Edgar Dosman, directeurs de collection chez le même éditeur, nous ont prodigué de forts précieux conseils. Enfin, Pauline Gauthier-McRoberts a contribué de multiples manières à la réalisation de ce livre. Bien entendu, aucune de ces personnes n'est responsable des erreurs qui pourraient avoir été oubliées.

Kenneth McRoberts
Toronto, septembre 1982

Chapitre premier

L'analyse du changement: théories et concepts

Les observateurs sont généralement unanimes à dire que le Québec a connu des changements profonds au cours des dernières décennies, que ce soit dans l'organisation économique, dans les pratiques sociales ou dans les moeurs. Le changement politique est particulièrement frappant: montée de nouveaux mouvements et de partis politiques, tensions entre les différents paliers de gouvernement, revendications de la souveraineté et de l'indépendance. Pour décrire ce processus, on a inventé des expressions comme « Révolution tranquille », qui revêtent une signification certaine pour la plupart des Québécois. Mais ces expressions ne font qu'évoquer le phénomène plutôt qu'elles ne nous en fournissent une véritable compréhension. Plusieurs questions restent sans réponse: y a-t-il un lien entre tous ces changements? Représentent-ils un « vrai » changement? L'expérience québécoise est-elle différente de celles d'autres sociétés? Et finalement, *pourquoi* ces changements sont-ils survenus? Pour trouver réponse à ces questions, il faut définir des concepts et trouver des théories explicatives.

La tâche d'analyser le changement au Québec serait beaucoup plus simple si nous pouvions travailler dans le cadre d'une seule approche théorique. La plupart des études ne s'intéressent d'ailleurs qu'à un seul type de questions, qu'il s'agisse des rapports de classes, du conflit entre les groupes linguistiques ou de l'évolution de l'idéologie nationaliste. Ce faisant, on se condamne d'avance à une analyse assez étroite. Nous voudrions, quant à nous, relever le défi de ne pas nous en tenir à un seul cadre conceptuel et d'explorer plusieurs approches différentes, quitte à nous faire reprocher un certain éclectisme. C'est, à notre avis, la seule façon d'éviter le piège des interprétations unidimensionnelles, qui alimentent sans doute de belles théories générales, mais qui ne sauraient rendre compte de la complexité de l'expérience québécoise.

Malgré ses défauts et ses limites, l'approche développementaliste comporte l'avantage de pouvoir rendre compte d'un grand nombre de phénomènes. Nous l'utiliserons comme point de départ: ses catégories générales nous fourniront un premier cadre de travail pour rassembler les données de base. Mais, comme nous le verrons, l'approche développementaliste ne fournit pas un instrument théorique satisfaisant pour lier entre elles les diverses formes de changement. En conséquence, au fur et à mesure que nous tenterons d'approfondir le cas du Québec, nous ferons appel à d'autres modes d'analyse. La notion de dépendance économique et politique entre régions ou sociétés nous aidera en partie à expliquer le pattern précis du développement du Québec. Mais l'argument que nous avancerons est que ce développement a également été façonné par la « division culturelle du travail » entre les francophones et les anglophones. Les phénomènes de dépendance interrégionale et de division culturelle du travail doivent eux-mêmes être reliés à une structure de classes qui traverse et subdivise les entités géographiques ou culturelles. Enfin, et surtout, nous devons tenir compte des concepts de nation et de conscience nationale. La conscience nationale canadienne-française (ou plus récemment la conscience québécoise) a nettement façonné le développement du Québec et elle a affecté le rôle qu'ont pu jouer les autres phénomènes dans ce développement.

Bref, pour bien comprendre l'expérience du Québec, il nous faut avoir recours simultanément à toute une série de concepts: développement et modernisation, dépendance interrégionale, division culturelle du travail, rapports de classes et conscience nationale. Nous consacrerons le reste de ce chapitre à l'examen de ces concepts et à leur application au Québec.

Développement et modernisation

Plusieurs spécialistes utilisent les concepts de développement ou de modernisation pour décrire et expliquer de grands processus de changement. Comme nous le verrons, ces termes et les diverses applications qu'on en fait suscitent des critiques très nombreuses et souvent fort justifiées. Malgré tout, ils continuent à tenir une place importante dans l'élaboration de nouvelles théories en sciences sociales, particulièrement chez les auteurs anglophones. Par ailleurs, un grand nombre d'études consacrées au Québec reposent, sous une forme ou sous une autre, sur ces concepts. Ils constituent donc notre point de départ logique.

Une des approches les plus répandues pour cerner le concept de développement repose sur la dichotomie société traditionnelle — société moderne; ce sont des « types idéaux » qui ne décrivent pas vraiment une réalité, puisque aucune société ne correspond parfaitement à l'un ou l'autre type. Max Weber fut l'un des premiers à utiliser cette dichotomie dans son étude sur les sources du pouvoir, mais de nombreux auteurs ont depuis mis au point une série de variables pouvant expliquer d'autres réalités sociales. Il n'existe donc plus une définition précise ou unique de ce qu'est une société traditionnelle par opposition à une société moderne. Les critères les plus souvent retenus sont les suivants: la société traditionnelle est rurale et agraire plutôt qu'urbaine et industrielle; le statut social d'une personne est un statut assigné plutôt qu'un statut acquis; les valeurs y sont particularistes et religieuses plutôt qu'universelles et séculières; les structures et les rôles sociaux s'imbriquent plutôt qu'ils ne sont différenciés.

Comme les chercheurs abordent le phénomène de la modernisation dans l'optique de leurs spécialités, la modernisation est habituellement divisée dans ses composantes sociales, économiques et politiques. (Il ne faut voir dans ces distinctions qu'un moyen commode de regrouper des phénomènes multiples et de simplifier l'analyse.) Une quatrième composante, d'ordre psychologique et qui peut recouper les autres, repose sur des données individuelles et non collectives et montre comment la « mobilisation sociale » (c'est-à-dire les changements dans les attitudes et les comportements) découle du phénomène de la modernisation ou, selon une autre approche, devient partie intégrante de ce phénomène. Dans les paragraphes qui suivent, nous allons décrire brièvement les types de changements d'ordre social, économique et politique, pour voir, dans chacun des cas, la forme que peut prendre le processus de modernisation[1].

L'urbanisation, la sécularisation, l'accessibilité à l'éducation et la croissance des réseaux de communication populaire sont les variables habituellement associées au changement social. L'urbanisation, soit le passage démographique de la campagne à la ville, est un indicateur à la fois social et économique, puisque la ville élimine le mode de vie rural et les structures sociales propres aux sociétés traditionnelles; le citadin établit de nouveaux rapports dans toutes les sphères de sa vie et délaisse les anciens. Certes, les anthropologues ont montré que la rupture est moins catégorique et rapide qu'on ne l'avait d'abord cru, mais le passage de la campagne à la ville reste un indice significatif de changement social.

La deuxième variable, la sécularisation, reflète l'écroulement de la vision communautaire de la société. Dans la société traditionnelle, une seule autorité, souvent d'ordre divin, influence toutes les activités; les individus agissent plutôt en fonction de leur rôle au sein de la communauté que de façon autonome. La sécularisation ne signifie pas nécessairement l'abandon de la religion par l'individu; elle implique plutôt un changement dans les rapports de l'individu à la société. L'autorité unique est remplacée par des associations séparées pour chacune des activités: travail, loisir, politique, éducation, etc. On ne peut plus décrire la communauté dans son ensemble en fonction d'une seule institution ou d'une seule autorité; l'individu parvient à traiter directement avec le monde extérieur sans que tout soit filtré et interprété pour lui.

La troisième variable, la scolarisation prolongée et obligatoire pour tous, permet l'acquisition de connaissances et de compétences susceptibles d'améliorer la situation d'un individu dans une société en voie de modernisation. L'économie moderne repose sur l'éducation des masses et l'éducation supérieure permet d'acquérir les connaissances nécessaires pour gérer une société moderne, tant dans le secteur privé que dans le secteur public. Mais si l'on admet que la démocratisation de l'enseignement constitue une composante du changement social, il est difficile d'en prévoir ou, au désespoir de certains, d'en contrôler les conséquences et les effets secondaires. Dans une société traditionnelle les patterns de communication, qui sont le plus souvent oraux, sont limités dans leur contenu et dans leur portée. Les moyens modernes de communication rejoignent plus de gens et véhiculent plus d'informations et l'on considère que cela affecte d'une manière ou d'une autre les comportements[2] et les valeurs.

Le phénomène du développement économique reste encore inexpliqué; on le réduit souvent à une simple question de croissance, pour laquelle on dispose d'instruments de mesure quantifiables et relativement sûrs. En dépit de ses origines nettement occidentales, l'industrialisation est un indice important de croissance économique et compte tenu du fait qu'elle implique l'abandon de l'agriculture propre à la société traditionnelle, elle constitue également un indice de modernisation en général. En plus des changements structurels, l'industrialisation crée, au plan individuel, un nouvel ensemble de rapports économiques: rémunération en argent plutôt qu'en nature; emploi temporaire et individuel plutôt que permanent et familial; hiérarchie économique basée sur la richesse plutôt que sur la terre ou sur un statut social assigné. Le degré d'industrialisation peut par ailleurs se mesurer à l'aide d'indices tels que les taux de productivité, la structure du produit national brut (PNB) ou la consommation d'énergie per capita. D'autres indices tels que le revenu per capita et la distribution de la main-d'oeuvre permettent de mesurer les effets de l'industrialisation sur l'individu. Les premiers nous renseignent sur le bien-être général de la population et les seconds sur les modes de vie.

La dernière dimension, à savoir le changement politique, pose plus de problèmes, car si la croissance est une notion courante dans le domaine économique, elle ne correspond à rien dans le domaine politique. L'expression développement politique est utilisée fréquemment, mais elle suscite beaucoup de controverses quant à ses implications (stabilité, gouvernements constitutionnels, bipartisme, égalitarisme, etc.); il est en tout cas difficile, sinon impossible, de mesurer un tel développement. Il est possible par contre de trouver des indicateurs suffisamment neutres et universels qui puissent cerner approximativement ce que l'on entend par modernisation politique, même si toute généralisation à ce propos est sujette à des exceptions, compte tenu des conditions historiques et culturelles spécifiques. Le problème est que la plupart de ces indicateurs sont ou trop généraux pour être significatifs ou trop restreints, et on ne les retient alors que parce qu'on dispose de certaines données. L'intégration politique est un exemple du premier cas, alors que la participation électorale appartient au second. Entre ces deux extrêmes, on trouve cependant des indicateurs plus utiles[3]: accroissement du nombre de personnes concernées par la politique, soit qu'elles en sont affectées, soit qu'elles influencent le gouvernement et les prises de décision; élargissement du champ des activités gouvernementales grâce à une bureaucratie importante et spécialisée; diversité accrue dans le recrutement des élites politiques; rapports plus directs entre gouvernants et gouvernés; finalement, au-delà du simple geste de voter, participation plus grande par l'adhésion à des organisations politiques, par l'accès à des réseaux de communication ou par le militantisme dans des mouvements légaux ou non. Tous ces traits distinguent un système politique moderne d'un système traditionnel. La modernisation politique comporterait ainsi trois grandes dimensions: l'expansion de l'État, la mobilisation populaire et la participation populaire.

Ainsi défini, le concept de modernisation politique pose néanmoins des problèmes. Il n'est pas difficile de voir les liens qui existent entre les mécanismes de participation populaire tels que des élections et l'idéologie démocratique libérale[4]. Or, ces mécanismes favorisent-ils vraiment un accroissement de la participation réelle aux prises de décision politique par rapport aux structures traditionnelles de la société rurale? Plusieurs études ont démontré que les résultats électoraux ont peu d'influence sur l'orientation des politiques[5]. Étant donné qu'il est possible de manipuler l'opinion en utilisant les médias et les campagnes électorales, on serait tenté d'avancer l'idée que les élections ne constituent même pas un choix significatif des détenteurs du pouvoir. Et on peut également se demander si les systèmes politiques qui ont mis en place des mécanismes de participation élaborés comme aux États-Unis sont fondamentalement plus « modernes » que d'autres, tels que celui de l'Union soviétique. Il se peut bien que le changement politique implique l'expansion des structures étatiques et la mobilisation politique accrue des citoyens, mais toute augmentation manifeste de la participation populaire est peut-être plus une question de forme que de fond. En fait, une étude attentive de l'histoire de l'Europe occidentale révèle que l'expansion de l'État peut s'accompagner d'un déclin des possibilités réelles de participation populaire. L'expansion de l'État s'est en effet souvent accomplie par la force et en abolissant les droits politiques existants[6].

Pour ces raisons, nous centrerons notre analyse du changement politique au Québec sur une seule dimension de la modernisation politique: la croissance des fonctions et des structures étatiques. On peut en effet penser qu'une plus grande mobilisation politique de la population suivra l'expansion de l'État. Il se peut même que les citoyens voient l'État comme un phénomène revêtant une plus grande importance qu'auparavant dans leur vie quotidienne; ils lui accorderont peut-être plus d'attention et tenteront de l'influencer. Nous nous garderons par contre de faire des suppositions quant aux possibilités réelles de participation au niveau de la prise de décision politique.

Les difficultés de l'approche développementaliste ne concernent pas simplement l'exactitude des grands concepts, elles résident dans les liens entre ces concepts. Il faut encore qu'on nous fournisse une théorie adéquate qui nous montre de façon précise comment le développement social et économique est lié à la modernisation politique. Plusieurs tentatives ont été faites en ce sens. A.F.K. Organski, un de ceux qui ont tenté de décrire les différentes étapes franchies par les systèmes en voie de développement, croit que la modernisation politique s'accomplit en quatre phases: la politique de l'unification primitive, celle de l'industrialisation, celle du bien-être national et celle de l'abondance[7]. Cependant, aucun des scénarios proposés ne peut englober la totalité des expériences qu'ont connues les différents systèmes politiques: ils ne peuvent expliquer l'expérience européenne, pourtant à la base de la plupart des théories, et encore moins celle du Tiers-Monde[8]. C'est pourquoi plusieurs auteurs ont tenté de trouver un processus général, couvrant tous les aspects de développement social, économique et politique et selon lequel, des changements dans un des secteurs s'accompagnent nécessairement de changements proportionnels dans les autres. Ainsi, Phillips Cutright insiste sur la complexité de l'organisation et considère que la croissance de la complexité du système socio-économique requiert la croissance de la complexité de l'État[9]. Cependant, une étude détaillée des systèmes de l'Europe occidentale indique qu'il n'y a pas de relations évidentes entre la montée des États et le degré de complexité du système économique et social[10].

Finalement, d'autres chercheurs lient le degré et la nature de la modernisation politique à une série de crises qui touchent censément tous les systèmes, à un moment ou l'autre de leur développement économique et social; le degré de modernisation politique, et la facilité avec laquelle elle est atteinte, serait fonction de la durée des crises et du fait qu'elles se produisent une à une ou plusieurs à la fois[11]. Mais dans la pratique, il est très difficile de déterminer avec

les crises inf.

précision à quel moment la crise est apparue et à quel moment elle a été résolue. Par ailleurs, certaines grandes « réussites » de modernisation politique de l'Europe occidentale ont été marquées par des périodes de crises prolongées peu différentes de celles des pays du Tiers-Monde où elles ont censément entravé la modernisation politique[12].

Bref, ces études nous disent seulement que le processus général du développement social et économique est relié d'une manière quelconque à la modernisation politique, mais elles n'expliquent pas la dynamique de cette corrélation, pas plus qu'elles ne permettent de prédire comment ces phénomènes se présenteront concrètement. Les concepts du développement économique et social et de la modernisation politique ne serviront donc que de « catégories » pour organiser notre étude de l'expérience québécoise. Puisque nous ne pouvons faire appel à une théorie générale qui explique et prédise les liens entre les différentes formes du changement, il nous faudra découvrir ces liens nous-mêmes.

Dans le cas du Québec, il y a tout lieu de croire que les racines de la modernisation politique seront complexes, même si nous en avons restreint la portée à la seule expansion de l'État. Après tout, l'État du Québec fait partie d'un système fédéral: la réaction gouvernementale à certains changements économiques et sociaux peut bien se produire au niveau de l'État québécois, mais elle peut également se produire au niveau fédéral. Nous pourrions toujours essayer de prédire, à l'aide de la division des pouvoirs telle que définie dans le texte constitutionnel, lequel des deux paliers de gouvernements est le plus susceptible de réagir face à certains changements économiques et sociaux. Mais nous ne saurions nous en tenir aux clauses de l'AANB; celles-ci sont trop ambiguës pour nous permettre de faire de telles prédictions, même dans le cas où nous pourrions supposer une réplique automatique de la part du gouvernement. Comme nous le verrons, il est difficile dans ces conditions d'appliquer l'une des théories les plus prometteuses de la modernisation politique, en l'occurrence la thèse marxiste, qui veut que la monopolisation du capital oblige l'État à jouer un plus grand rôle[13]. Pour savoir qui, d'Ottawa ou de Québec, assumera les nouvelles fonctions, il nous faudra examiner d'abord les forces économiques et sociales liées à chaque État.

La dépendance

On reproche parfois aux « développementalistes » d'ignorer les relations entre sociétés et entre systèmes politiques. Des forces d'une société peuvent en effet déterminer le genre de développement que connaîtra une autre société ainsi que le moment où ce développement se produira. On sait d'autre part que les relations entre sociétés ont souvent un caractère d'exploitation; le développement d'une société repose au moins en partie sur l'exploitation d'une autre. Une société exploitée présente des symptômes tels que: faiblesse de l'industrie secondaire, absence d'une bourgeoisie autochtone, incapacité de l'État à utiliser l'autonomie, même limitée, dont jouissent normalement les États souverains. Le développement est alors chétif ou difforme et il reflète surtout les besoins de la société dominante. Dans une telle société, le développement socio-économique et la modernisation politique ne peuvent être compris qu'à la lumière du phénomène de la dépendance. Les processus de changement peuvent être une réponse aux besoins changeants de la société dominante; dans certains cas, ils reflètent également une détermination des forces locales à réduire la dépendance[14].

Cette théorie de la dépendance a suscité des critiques dans plusieurs milieux. La tendance à utiliser des régions ou des sociétés comme unités d'analyse mènerait à des explications « holistiques » qui ne tiennent pas compte des profondes divisions socio-économiques pouvant exister à l'intérieur de ces unités. Pour les marxistes orthodoxes, toute analyse doit reposer sur la répartition du travail entre les classes et non sur un quelconque « échange inégal » entre les régions[15]. D'autres font remarquer que l'on n'a pas encore démontré comment exactement des forces extérieures peuvent contrôler l'État d'une société dépendante. En d'autres termes, il n'y a pas de théorie de la dépendance politique[16].

Finalement, plusieurs applications de cette théorie, y compris dans le cas du Québec, ont eu tendance à oublier ou à sous-estimer la force des mouvements internes qui essaient de réduire ou d'éliminer la dépendance; les actions sociales, économiques et politiques ne sont présentées que comme le reflet fidèle des intérêts de la classe dominante. Or, nous savons que dans plusieurs sociétés dépendantes il se crée des résistances à ces intérêts. De telles résistances peuvent expliquer certaines des directions que prend le développement. Ainsi, le désir d'utiliser l'État pour créer une bourgeoisie autochtone peut entraîner une certaine modernisation politique. Mais quelles sont alors les conditions préalables? Nous avons besoin d'une théorie de l'« anti-dépendance » politique aussi bien que d'une théorie de la dépendance.

Si l'on veut appliquer la théorie de la dépendance au Québec, il importe de préciser la forme de dépendance qui est en cause[17]. La plupart des études sur la dépendance ont trait aux relations globales entre d'une part les « centres » industriels de l'Amérique du Nord et de l'Europe et d'autre part les « périphéries » sous-développées et fortement agraires du Tiers-Monde. En dépit des tentatives de dresser un parallèle avec les économies « périphériques », il s'avère que le Québec a en fait plus de points en commun avec les « centres »[18]. Pour s'en rendre compte, il suffit de se référer aux caractéristiques propres à une périphérie, telles que définies par Samir Amin, grand théoricien de la dépendance. Le Québec contemporain présente quelques-uns des traits que Amin attribue à une périphérie: faiblesse de la bourgeoisie « autochtone » (issue de la majorité francophone) et croissance de la bureaucratie étatique associée à cette faiblesse. Par contre, il ne présente pas d'autres traits, tels que bas niveau d'industrialisation et absence d'une bourgeosie « étrangère ». Enfin, contrairement à la société « périphérique » typique, le Québec ne possède qu'un secteur « pré-capitaliste » très limité[19].

La dépendance du Québec doit plutôt être conçue comme celle d'une région au sein d'un centre économique comprenant le Canada et peut-être l'ensemble de l'Amérique du Nord. Mais, étant donné le degré d'intégration politique et économique avec le reste du Canada certains préfèrent parler de « colonie interne » ou de « domination intérieure[20] » plutôt que de dépendance. Quoi qu'il en soit, le Québec illustre un phénomène courant des sociétés industrialisées: le développement inégal des régions. La plupart des économies industrialisées connaissent une concentration du développement économique dans des régions centrales ou charnières; c'est là que s'établissent les industries à la fine pointe de la technologie qui attirent la main-d'oeuvre spécialisée et les capitaux, tant autochtones qu'étrangers. Et lorsqu'une région prend l'avance au début du processus d'industrialisation, elle continue très souvent à jouir d'un avantage relatif, bien qu'au Canada comme ailleurs les centres économiques puissent se déplacer à la longue. Les différences culturelles, la présence d'entrepreneurs ou l'impact inévitable de facteurs structurels tels les ressources naturelles et la localisation géographique sont autant de thèses qui ont été avancées en guise d'explication des disparités régionales. Mais l'expression « colonie interne » laisse entendre que les patterns de domination ou de désavantage régional pourraient être fonctionnellement reliés entre eux; le développement de régions plus fortes reposerait sur d'autres régions qui serviraient de sources de capital, de bassin de main-d'oeuvre et de marché pour les produits finis[21].

Dans le contexte canadien et nord-américain, le Québec semble présenter plusieurs des caractéristiques d'une économie dépendante. Mais il n'est pas un cas unique: toutes les autres régions canadiennes, d'une manière ou d'un autre, présentent les mêmes caractéristiques. Ainsi, on peut facilement démontrer que, par rapport à l'Ontario, le Québec est dans une situation désavantageuse de développement inégal, sinon de domination: que l'on considère la taille et la complexité de l'industrie secondaire, la propriété d'entreprises par des résidents d'une autre région, le mouvement de capitaux entre les régions, le taux de chômage ou le revenu per capita[22]. Mais ces mêmes critères peuvent également démontrer la dépendance de l'Ontario face aux États-Unis. D'après certains critères (la propriété étrangère, par exemple), on constate que l'Ontario est encore plus dépendant des États-Unis que ne l'est le Québec[23]. Une grande partie de l'industrie de haute technologie qui distingue l'Ontario du Québec est sous le contrôle des multinationales américaines. Le fait que les cadres américains parlent la même langue que la vaste majorité de la population ontarienne et partagent avec elle certains traits culturels n'empêche pas que les structures économiques sont malgré tout dépendantes.

Une des conséquences particulières de cette dépendance est que les Ontariens, tout comme les Québécois, participent peu à la recherche et au développement, ce qui fait que l'industrie canadienne est de moins en moins compétitive sur le plan international. Cette dépendance commune face aux États-Unis, loin d'atténuer la rivalité entre les régions, l'a fait augmenter, puisque chacune des deux régions tente d'attirer à elle le capital américain. Si l'Ontario a mieux réussi à attirer les investissements industriels, cela s'explique en grande partie par la proximité du centre américain. Cet avantage a renforcé la domination industrielle de l'Ontario sur le Québec, mais il a renforcé en même temps la dépendance de l'Ontario face aux États-Unis.

Les provinces de l'Ouest et de l'Atlantique ne sont pas seulement dépendantes de l'Ontario et des États-Unis, elles le sont également du Québec lui-même. Dans la mesure où la National Policy relative à la protection tarifaire a soutenu des industries québécoises comme celles du textile et de l'ameublement et a forcé ces provinces à acheter les produits de ces industries, le développement du Québec a en grande partie reposé sur leur sous-développement. Nous ne devons pas minimiser l'importance de cette forme de dépendance. Elle permet, entre autres, aux provinces de l'Ouest d'affirmer avec une certaine crédibilité qu'elles ne tireraient aucun avantage d'un marché commun ou même d'une union douanière avec un Québec indépendant[24].

Bref, diverses formes de dépendance économique ont modelé le développement du Canada et de chacune de ses régions. Malgré tout, l'expérience du Québec, en tant que région à l'intérieur du centre économique nord-américain, demeure particulière. À part les différences importantes quant au degré et aux types de dépendance, il est le seul à subir une dépendance économique doublée d'une différence culturelle. Cette situation signifie pour le moins que bon nombre de Québécois pourraient interpréter la dépendance économique de façon différente. On peut plus facilement parler de « colonie interne » lorsque les régions dominantes ont une langue et une culture différentes. Mais il ne faut pas écarter la possibilité que ces différences culturelles aient, d'une manière ou d'une autre, orienté le développement du Québec, y compris sa dépendance face aux autres régions. Autrement dit, il est permis de penser que le caractère culturel particulier du Québec a renforcé la dépendance économique et même la dépendance politique.

En fait, plusieurs analystes ont cru trouver là l'explication du niveau relativement bas du développement économique du Québec. Leur argument repose sur la prétendue présence chez les francophones de valeurs qui n'ont pas tellement leur place dans le contexte du capitalisme nord-américain. Ainsi, s'appuyant sur une étude comparative du secteur manufacturier au Québec et en Ontario, l'économiste John Dales, de l'Université de Toronto, affirme que durant les années cinquante, « le retard du Québec dans le secteur manufacturier s'explique en grande partie par des facteurs autres que les ressources. Nous pouvons raisonnablement résumer ces "autres" facteurs comme étant des différences culturelles[25] ». Ne leur imputant pas moins de 65% du retard, Dales cite comme différences culturelles les différences de goûts, d'aptitudes, du sens des affaires, des habitudes de consommation et de mobilité[26].

Au cours des dernières décennies, d'autres analystes ont rejeté complètement ce type d'arguments. S'efforçant de minimiser les différences de ressources, Dales lui-même réagissait en fait au fameux article d'Albert Faucher et de Maurice Lamontagne qui expliquait le développement économique du Québec en termes d'interaction entre la géographie et les changements dans la technologie dominante[27].

Faucher et Lamontagne notent dans leur article que la force économique dont jouissait le Québec jusqu'au milieu du dix-neuvième siècle reposait sur l'activité commerciale qui acheminait bois et denrées alimentaires de Montréal vers l'Europe. La construction de bateaux de bois s'inscrivait également dans cette activité commerciale. Avec l'avènement de l'âge industriel au milieu du dix-neuvième siècle, le Québec se trouva désavantagé par rapport à l'Ontario. L'acier avait remplacé le bois comme produit industriel de base et, contrairement à l'Ontario, le Québec n'avait aucun accès au charbon, qui était alors essentiel au développement économique. Le développement économique s'est donc déplacé vers l'Ontario, tout comme il a quitté, aux États-Unis, les villes de la côte Atlantique pour se déplacer vers Pittsburgh, Cleveland, Détroit et Chicago. La protection tarifaire a permis à l'Ontario de profiter de sa situation géographique privilégiée pour construire un secteur manufacturier important. La grande proximité de l'Ontario au nouveau centre économique américian signifiait de plus que les firmes américaines qui tentaient d'entrer dans le marché canadien iraient probablement établir leurs filiales à cet endroit. Vers la fin du dix-neuvième siècle, le Québec aussi a connu une croissance de son activité manufacturière, mais dans des industries qui utilisaient beaucoup de main-d'oeuvre à bon marché. Et grâce aux ressources naturelles, le secteur primaire connut une croissance spectaculaire au Québec tout au cours du siècle. Mais il n'a jamais pu se mesurer à l'Ontario dans le secteur de l'industrie lourde, cette province ayant été favorisée au départ par des facteurs géographiques.

Bien que partiellement remise en question, cette thèse continue à alimenter les analyses[28]. Ainsi, Gilles Bourque et Anne Legaré ont récemment soutenu que c'est grâce à une structure de classes plus favorable que l'Ontario a pris l'avance dans l'industrialisation au milieu du dix-neuvième siècle. La persistance de structures féodales dans l'agriculture et la résistance des paysans québécois auraient entravé « la commercialisation de l'agriculture et l'industrialisation qui étaient liées à ce phénomène[29] ». Sans nier l'importance de la position géographique de l'Ontario, Bourque et Legaré soutiennent que la structure de classes aurait donné à cette province « une avance sociale qui lui permit de profiter pleinement d'avantages technologiques comparatifs comme l'accessibilité plus facile à des ressources aussi importantes que le fer et le charbon[30] ».

Il faut néanmoins noter que si les facteurs géographiques (et peut-être un rythme de changement différent au niveau de la structure de classes) peuvent expliquer l'avance de l'Ontario sur le Québec, ils ne peuvent expliquer l'ampleur de cette avance. À l'évidence, d'autres facteurs sont entrés en ligne de compte au cours des années et ont renforcé ce pattern. Premièrement, l'Ontario a été d'autant plus avantagé par sa situation géographique que la bourgeoisie canadienne n'a pas réussi à créer une forte base manufacturière, plaçant ainsi l'industrie secondaire canadienne à la remorque des initiatives américaines. Au moment de choisir un site pour leurs filiales au Canada, les manufacturiers américains ne pouvaient que favoriser la province la plus proche du centre de leurs activités. L'Ontario jouissait donc d'un avantage naturel du fait que le développement industriel américain se concentrait dans le Middle West[31]. Deuxièmement, diverses politiques gouvernementales ont contribué à la supériorité de l'Ontario. Plusieurs grandes politiques économiques fédérales montrent bien l'intérêt que l'on a porté à l'Ontario: qu'il s'agisse de la construction de la Voie maritime du Saint-Laurent, de la concentration des établissements de recherche, du Pacte de l'automobile ou de l'interdiction de l'entrée de pétrole étranger en Ontario durant les années soixante (dont une grande partie était raffiné au Québec)[32]. L'avantage relatif de l'Ontario fut d'autre part renforcé par le fait que les gouvernements québécois d'avant 1960 avaient favorisé le secteur primaire au détriment du secteur secondaire[33].

Toutefois, à mesure que nous nous éloignons des facteurs strictement géographiques et que nous nous interrogeons sur le genre de développement mis de l'avant par les élites économiques ou sur l'impact régional des politiques fédérales, nous risquons de retrouver le facteur culturel. Mais la question n'est pas tant de savoir si on retrouvait ou non le « bon » système de valeurs au Québec. Il faudrait plutôt se demander dans quelle mesure le pouvoir économique et politique n'a pas été organisé en fonction de critères culturels. (Cela pourrait bien expliquer l'impact des différences culturelles que Dales prétendait avoir trouvées.)

Pour reprendre l'expression de Stanley Ryerson, la Confédération était basée sur une « union inégale » qui impliquait l'exclusion relative des francophones des fonctions économiques majeures: « La création de l'État canadien fut l'oeuvre conjointe de la bourgeoisie canadienne-anglaise, de ses subordonnés canadiens-français et de l'Église semi-féodale[34] ». Cette « union inégale » a fortement structuré le développement de la confédération canadienne. Les anglophones ont continué à jouer un rôle de premier plan dans l'économie et ont monopolisé les responsabilités économiques au sein de l'État. Il y a deux façons de lier la dépendance relative de l'économie du Québec à ce pattern de domination économique anglophone.

Premièrement, on pourrait prétendre que la simple affinité culturelle a amené l'élite économique et politique — très largement anglo-canadienne — à favoriser les intérêts de l'Ontario au détriment de ceux du Québec. Cet argument est peu convaincant, car depuis la Confédération, une partie du pouvoir économique et politique canadien-anglais est installé au Québec. Le siège social du Canadien Pacifique, par exemple, a été établi à Montréal. Les élites anglophones de Montréal ont continué à dominer l'activité financière du Canada pendant une bonne partie de ce siècle. Il y eut à maintes occasions une grande rivalité entre les élites de Montréal et celles de Toronto[35]. Il faut cependant noter que même si les élites anglophones étaient situées au Québec, elles ne prenaient pas pour autant le développement du Québec à coeur. Leur stratégie était souvent de promouvoir et de contrôler le développement dans d'autres endroits, particulièrement dans l'Ouest canadien. Au cours des dernières décennies, la vieille rivalité entre Toronto et Montréal est presque disparue, puisque la prédominance de l'Ontario (et de Toronto) a nettement été établie. Les élites économiques anglophones de Montréal ont peu à peu déménagé leurs centres d'activité en Ontario.

Un deuxième argument, peut-être plus convaincant que le premier, veut que l'exclusion de la majorité francophone des échelons supérieurs des structures économiques a privé le Québec d'une grande partie de son dynamisme. Les entreprises ont souvent dû payer des salaires plus élevés que cela n'aurait été le cas si elles avaient embauché des francophones qualifiés. Les francophones qui auraient pu devenir entrepreneurs étaient handicapés par la faiblesse des institutions financières francophones ainsi que par d'autres facteurs. Le développement économique local a été trop fortement dépendant de la petite élite anglophone, repliée sur elle-même et de plus en plus timorée. Bref, les ressources humaines du Québec n'ont pas été pleinement mises à contribution[36].

Pour conclure, il est évident qu'on ne peut étudier le développement du Québec uniquement à partir de caractéristiques globales (comme les approches développementalistes ont tendance à le faire) ou seulement à partir de ses relations avec d'autres régions (comme le font la plupart des théories de la dépendance). Mais la structure interne du Québec mérite tout autant d'être examinée. Car les formes de dépendance qu'on y découvre et les réactions qu'elles ont suscitées nous permettent de mieux saisir les forces qui sont à l'origine de la modernisation politique et de certains autres changements. Même la dépendance au Québec à l'égard d'autres régions pourrait peut-être mieux s'expliquer en ces termes.

La division culturelle du travail

Le concept de la « division culturelle du travail » résume bien la différenciation des rôles que les francophones et les anglophones ont joués au Québec. D'après Michael Hechter, il y a division culturelle du travail lorsque « des groupes culturellement marqués sont répartis dans une structure professionnelle ». Cette répartition peut par ailleurs prendre deux formes différentes: « Les deux paramètres qui définissent la configuration de la division culturelle du travail sont l'ampleur de la hiérarchie et l'ampleur de la segmentation. La division culturelle du travail est *hiérarchique* dans la mesure où (...) les groupes ethniques au sein de celle-ci appartiennent à des strates différentes. La division culturelle du travail est *segmentaire* dans la mesure où les groupes ethniques au sein de celle-ci sont très spécialisés du point de vue de la structure professionnelle[37] ». Il n'y a aucun doute que la hiérarchie et la segmentation existent depuis longtemps entre les francophones et les anglophones du Québec.

L'histoire de la division culturelle du travail remonte au lendemain de la conquête britannique. On peut voir une nette segmentation des rôles dans l'arrangement qui réserva le pouvoir politique aux autorités britanniques et qui permit aux élites cléricales et seigneuriales de conserver leur autorité sur la société francophone en échange de leur appui au régime. Cette division du travail fut renforcée par l'arrivée des marchands britanniques et américains. Mieux placés pour exploiter le commerce avec la nouvelle métropole, ceux-ci enlevèrent à l'élite commerciale canadienne-française, déjà affaiblie par la Conquête, tout rôle économique important. Le phénomène se confirma durant les années 1800, alors que l'élite des professions libérales se voyait dans l'impossibilité de jouer un rôle politique important, malgré sa position majoritaire au sein de l'assemblée représentative établie en 1791. Le rôle croissant que les anglophones réussirent à jouer au niveau du pouvoir exécutif durant cette même période ne fit que renforcer le monopole linguistique du pouvoir politique. Au cours des années 1820 et 1830, le clivage linguistique entre les élites se cristallisa autour des ambitieux projets de développement de l'élite économique anglophone, auxquels s'opposaient farouchement les membres des professions libérales francophones.

La division linguistique du travail s'atténua quelque peu durant les années 1840, alors que les Canadiens français exerçant des professions libérales commencèrent à assumer un rôle important au sein du gouvernement du Canada-Uni et dans certains cas servirent d'intermédiaires auprès des élites économiques anglophones. Mais dans les structures politiques fédérales établies après la Confédération, on retrouve une nette division du travail: les anglophones gardaient les portefeuilles économiques importants du cabinet ainsi que la vaste majorité des postes de commande au sein de la fonction publique. L'établissement de structures industrielles au Québec fut effectué d'après la même hiérarchie ethnique. Les postes de gestion et de propriété étaient réservés aux anglophones; la participation des francophones se limitait en grande partie aux postes de cols bleus. Lorsqu'une classe de gestionnaires francophones a fait son apparition dans les années 1950, elle s'est mise à l'oeuvre tout d'abord dans les bureaucraties rattachées à l'Église et dans les universités de l'Église et, par la suite, dans le secteur public de la province. Ce n'est que récemment que le monopole qu'exerçaient les anglophones au niveau des postes supérieurs des structures économiques privées a commencé à diminuer.

Bref, depuis plus de deux siècles, le Québec connaît une nette division culturelle du travail. Cette dépendance interne est basée sur la présence d'une communauté anglophone permanente. Les divers intérêts anglo-saxons de l'extérieur qui se sont impliqués dans le développement économique ont recruté leur personnel en grande partie auprès de la communauté anglophone. Contrairement à la plupart des situations où prédomine une « langue étrangère », comme c'est le cas en Europe, le Québec offre une main-d'oeuvre bien établie et hautement qualifiée parmi les anglophones; il n'était donc pas nécessaire pour les entreprises de se tourner vers la majorité francophone tant qu'elles étaient prêtes à payer une prime pour garder un personnel anglophone. C'est ainsi que la division culturelle du travail est en grande partie demeurée intacte, en dépit des changements qui sont survenus au niveau des relations du Québec avec l'extérieur.

Au Québec comme ailleurs se poursuit un débat sur les sources de la division culturelle du travail. Pour certains, la division culturelle du travail résulte directement des différences de culture. Des valeurs inadéquates ou de mauvaises façons de travailler auraient empêché les francophones de concurrencer efficacement les anglophones pour les postes de commande. L'analyse la plus convaincante est celle qui explique l'origine et la persistance de la division culturelle du travail par la dépendance historique du Québec face aux métropoles de langue anglaise, la Grande-Bretagne, puis les États-Unis. Il est possible de montrer qu'au lendemain de la Conquête, l'élite commerciale francophone était désavantagée en raison de son incapacité d'établir des relations commerciales solides dans la nouvelle métropole. Les fournisseurs et les clients britanniques étaient naturellement plus portés à avoir confiance en leurs compatriotes anglophones de la colonie. C'est ainsi que les francophones cessèrent en peu de temps de jouer un rôle important dans l'activité commerciale du Québec. Ce pattern a persisté pendant les deux siècles qui ont suivi. Les francophones qui auraient pu devenir entrepreneurs étaient désavantagés lorsqu'il s'agissait d'obtenir les capitaux et le « know-how » technologique de ces deux pays qui étaient devenus les principales sources externes de développement économique. Quant à l'avancement restreint des francophones au sein des structures économiques anglophones, plusieurs analystes en attribuent la cause à la langue, perçue soit comme un handicap au niveau de l'efficacité au travail, soit comme une cause pure et simple de discrimination, soit enfin comme un obstacle à l'accès aux réseaux informels de recrutement.

Classes et rapports de classes

Bien que le concept de la division culturelle du travail rende compte de certains aspects du développement du Québec qui échappent à la notion de dépendance interrégionale, il nous faut recourir à au moins un autre concept. Les nombreux analystes qui ont remis en cause les expressions « classe ethnique » ou « colonie interne » ont vite fait de remarquer que le pouvoir au Québec n'est pas organisé uniquement en fonction de facteurs culturels. Il a toujours été possible de trouver de réelles divisions de classes chez les francophones (comme d'ailleurs chez les anglophones). Cela reste vrai, peu importe que l'on définisse une classe en termes de fonction économique ou simplement en termes de revenu, de statut social ou de prestige. Ces divisions de classes parmi les francophones ont engendré des conflits et des luttes. Les aspirations et les intérêts de classe ont conduit plusieurs Québécois à faire des alliances qui transcendent la division francophone-anglophone et qui s'étendent en dehors des frontières du Québec et du Canada. Bref, à part la division culturelle du travail et la dépendance interrégionale, l'expérience du Québec a fortement été façonnée par les rapports de classes.

La présence de divisions de classes parmi les francophones du Québec pose une série de questions sur lesquelles nous aurons à revenir. La première tâche consiste à définir la forme précise que prennent ces divisions de classes. Comme nous le verrons plus loin, les analystes ne s'entendent pas sur la question de savoir s'il est possible de trouver une bourgeoisie francophone distincte. Depuis les années cinquante, les spécialistes de la Nouvelle-France se demandent si la société coloniale francophone a produit le noyau d'une « bourgeoisie » commerciale autochtone dont l'activité principale aurait été le commerce avec la France. On évalue les conséquences à long terme de la conquête britannique suivant que l'on croie ou non à l'existence d'une telle bourgeoisie qui aurait été détruite par la Conquête[38]. Au cours des dernières années, les analystes qui s'intéressent plutôt au Québec contemporain se sont engagés dans un débat qui peut se résumer ainsi: ces dernières décennies ont-elles vu naître une nouvelle bourgeoisie francophone? Certains croient avoir trouvé les éléments d'une bourgeoisie au niveau des structures de l'État québécois et du secteur parapublic ou encore dans le secteur privé, au niveau des institutions financières, du secteur manufacturier et des services, ou enfin dans les deux secteurs à la fois[39]. Au débat sur l'existence d'une bourgeoisie francophone contemporaine vient s'ajouter la question du statut d'une strate de bureaucrates, d'intellectuels et de cols blancs qualifiée par certains de « nouvelle classe moyenne » ou de « petite bourgeoisie technocratique », alors que d'autres préfèrent intégrer ces groupes dans d'autres classes. Nous examinerons ces diverses interprétations au cours des chapitres suivants.

La deuxième tâche nous amène à examiner le pattern des relations entre les classes au Québec. Quels sont les principaux alignements de classes parmi les francophones? Dans quelle mesure y a-t-il eu alignement de francophones avec certains éléments de la classe correspondante au Canada anglais (comme dans les mouvements ouvriers) ou avec une autre classe (comme celui du clergé francophone avec les élites commerciales anglophones au moment de la Confédération)? Et enfin, quelles ont été les principales causes de ces divers alignements de classes? Plusieurs analystes expliquent certains alignements de classes parmi les francophones comme l'effet d'une manipulation habile de l'idéologie nationaliste par les leaders de la classe moyenne dominante. Ces derniers auraient en effet détourné les francophones des classes inférieures de leurs « vrais » intérêts de classe. Mais d'autres prétendent que, dans certains cas, la classe ouvrière pouvait avoir intérêt à s'aligner avec la classe moyenne pour lancer une attaque contre l'oppression nationale dont souffraient tous les francophones ou encore pour miner à la fois la bourgeoisie francophone et la bourgeoisie canadienne-anglaise à laquelle la première était liée.

De toute évidence, le cours de la modernisation politique du Québec a fortement été façonné par la structure des alignements de classes. Ainsi, l'alignement des francophones des classes inférieures aux intérêts des membres des professions libérales et du clergé représentés par l'Union nationale de Duplessis a servi à retarder la modernisation politique du Québec. Le rêve des indépendantistes de transférer les fonctions du gouvernement fédéral à l'État du Québec dépend de leur capacité de former une coalition entre les intérêts de la « nouvelle classe moyenne » et les intérêts de la classe ouvrière francophone.

Nation et conscience nationale

La dépendance, la division culturelle du travail et les rapports de classes offrent trois importantes clés d'explication. Elles n'expliquent pas tout cependant. Une autre clé réside dans la conscience nationale. Après tout, les francophones se voient depuis longtemps comme membres d'une collectivité nationale distincte, qu'il s'agisse de la nation canadienne-française qui s'étend dans plusieurs parties du Canada ou plus récemment de la nation québécoise délimitée par les frontières du Québec.

L'existence d'une forte conscience nationale a inévitablement des incidences sur le développement social, économique et politique. La modernisation revêt facilement un caractère d'urgence dans le cas des institutions politiques qui s'identifient à la nation; les symboles de ces institutions et la portée de leurs pouvoirs reflètent le statut de la nation. La conscience nationale est appelée à modifier l'effet des trois variables dont il a été question plus haut. La réaction à la dépendance interrégionale peut prendre des formes plus radicales si elle est guidée par cette conscience: la dépendance vis-à-vis d'autres régions sera vue comme une « oppression nationale ». Dans cette optique, il est fort probable que la notion de justice dans les relations entre régions en vienne à signifier égalité ou parité formelle, auquel cas la logique de la souveraineté, sinon de la sécession, présente beaucoup plus d'attrait. La division culturelle du travail sera plus difficile à tolérer si la conscience nationale définit certains participants comme des « étrangers » et si elle voit l'exclusion des « nationaux » des structures du pouvoir comme une humiliation nationale. Les alignements de classes sont plus faciles à construire et à maintenir s'ils sont renforcés par une appartenance commune à la nation.

Malgré l'importance du phénomène, nous n'avons pas encore une explication satisfaisante de la conscience nationale. La façon la plus directe de trouver les racines de cette conscience serait de la voir comme l'émanation d'une collectivité nationale. Une population donnée se perçoit comme nation parce qu'elle est, en fait, une nation. Sans doute faut-il un leadership pour exprimer cette conscience nationale et pour mobiliser la population, mais il n'y parviendra que si certains traits nationaux existent réellement. Les spécialistes en sciences sociales ont encore beaucoup à faire pour nous dire en quoi consiste au juste une nation. Peu importe le critère utilisé, qu'il s'agisse de la langue, de la culture, du territoire, de la religion, des ancêtres ou de l'État, aucun ne saurait s'appliquer à toutes les collectivités qui sont communément vues comme des nations et qui témoignent d'une conscience nationale[40]. Les définitions qui sont simplement axées sur le degré de cohésion ou de solidarité au sein d'une population donnée peuvent tout aussi bien être appliquées à d'autres groupements comme les tribus, les classes sociales ou même les groupes d'âge[41]. Puisque les spécialistes ne peuvent s'entendre sur ce que constitue une collectivité nationale, ils ne peuvent pas non plus s'entendre sur ce que constitue un sentiment ou une idéologie « nationaliste ». Ce qui représente pour les uns un cas de nationalisme représente pour les autres un cas de sentiment « sous-nationaliste » ou de séparatisme[42].

On se rend mieux compte des ambiguïtés quasi insurmontables de ces concepts lorsqu'on étudie ce qu'en disent certains analystes québécois. La lecture de ces auteurs nous permet d'ailleurs de constater la vigueur du débat intellectuel qui se poursuit au Québec, ainsi que les nombreuses perspectives que les intellectuels québécois apportent à l'étude de leur société.

La difficulté de trouver une seule condition qui serait invariablement liée à la montée du sentiment national a amené Fernand Dumont à faire le raisonnement suivant: « Le droit, les frontières dites *naturelles*, les aménagements des possibilités géographiques, la langue, la religion, l'État, etc. Chacun de ces éléments est considéré comme primordial pour telle nation ou pour telle conjoncture, mais aucun n'a une portée d'ensemble incontestable. La théorie finit toujours par renoncer devant les pratiques concrètes (...) Voulant rendre compte de la nation, on est obligé de se rallier, du moins comme conclusion provisoire, au point de vue auquel Nadel parvenait après un examen semblable de la tribu: la nation, c'est la conception que ses membres s'en font...[43] ».

Cette approche n'est guère satisfaisante pour un marxiste comme Gilles Bourque. Cherchant plutôt une conception « scientifique » de la nation qui montrerait les bases matérialistes du nationalisme, Bourque rejette d'emblée l'approche de Dumont. Il soutient, dans un article signé avec Nicole Laurin-Frenette, que la nation a trait à « certains aspects caractéristiques d'une formation sociale de type capitaliste ». Parmi ces aspects, il énumère: l'unité économique, l'unité territoriale, juridique et politique, l'unité linguistique et culturelle et une idéologie qui définit l'unité comme nationale[44]. Il se trouve ainsi à identifier nation et État-nation. Stanley Ryerson a contesté cette approche, lui reprochant (à juste titre) de tenter de dissoudre la nation en classes: « Bien qu'elle soit inséparable historiquement des structures de classes et des modes de production, la nation-communauté est plus qu'un simple « aspect » de n'importe lequel d'entre eux. Il en est ainsi parce que la nation-communauté renferme une identité linguistique et culturelle qui n'est pas simplement un « effet » de classe, bien que son évolution soit étroitement liée aux patterns changeants des relations et des luttes de classe. Les différences nationales précèdent et suivent l'ère du mode de production capitaliste[45] ». Dans un ouvrage subséquent, Bourque pousse son analyse encore plus loin. Dans *L'État capitaliste et la question nationale*, il affirme que la nation ne se rapporte pas à des groupes sociaux concrets puisque de tels groupes n'existent pas. La nation est plutôt un concept purement idéologique construit par la bourgeoisie dans le but de rationaliser le système capitaliste. « La nation, groupe imaginaire et centre même de l'idéologie qui la soutient, permet la production des rapports de production[46] ».

Comme Nicole Laurin-Frenette l'a noté dans un livre plus récent, ni Dumont ni Bourque n'ont vraiment réussi à saisir l'essence de la nation et de la conscience nationale; les deux ont une vision tronquée et à sens unique de ces phénomènes. La perspective de Dumont nie le rôle que les structures sociales jouent au niveau de la création et du maintien de la conscience nationale. Bourque ne reconnaît aucune base concrète permettant de comprendre la force de la conscience nationale, puisqu'il réserve arbitrairement le terme « réel » aux structures essentiellement économiques. Que la perspective soit « l'idéalisme vulgaire » ou le « marxisme vulgaire », le résultat est le même: chaque perspective « est conduite à rejeter au néant une partie de l'objet sur lequel elle théorise, la partie irréelle ou moins réelle que l'autre[47] ».

De son côté, Nicole Laurin-Frenette tente de reconstruire toute la discussion de la question nationale au Québec et ailleurs. Elle affirme que l'analyse du nationalisme devrait commencer par expliquer comment le nationalisme arrive à fournir aux individus un cadre d'interprétation du monde socio-économique qui les entoure. C'est lorsque ce monde est capitaliste que le nationalisme exercerait le plus grand attrait. Le nationalisme a plusieurs fonctions. Il peut être utilisé par la bourgeoisie pour masquer les inégalités du capitalisme. Il peut également mobiliser les classes dominées contre divers aspects de leur oppression. De façon générale, écrit Laurin-Frenette, « le nationalisme fournit aux agents un champ commun de sens dans lequel ils s'identifient, s'organisent et s'affrontent comme classes à l'intérieur des frontières nationales[48] ».

C'est ainsi que Laurin-Frenette nous fournit une appréciation beaucoup plus riche que celle de la plupart des intellectuels québécois des fonctions attribuées à la conscience nationale. Une grande partie de l'ambiguïté sous-jacente au nationalisme demeure cependant. Nous ne savons toujours pas pourquoi *telle* conscience nationale particulière émerge ou pourquoi les frontières d'une nation sont tracées d'une façon plutôt que d'une autre.

Bref, la formation de la conscience nationale continue à échapper aux spécialistes du Québec comme d'ailleurs. Le fait demeure qu'après avoir été formée, la conscience nationale peut exercer une influence profonde et durable. L'histoire du Québec témoigne amplement de ce fait. C'est en grande partie en fonction de catégories et de suppositions reliées à la nation que les Québécois ont tenté de comprendre leur situation collective et de façonner leur avenir. On ne peut comprendre l'histoire du Québec sans reconnaître un rôle distinct et irréductible à la conscience nationale. Laurin-Frenette l'a souligné de manière convaincante[49].

Pour conclure, nous utiliserons donc les concepts de développement socio-économique et de modernisation politique pour amorcer notre étude du changement au Québec. Mais ils ne constituent qu'un point de départ. Ils seront accompagnés d'un autre groupe de concepts qui nous aideront à préciser la forme et l'orientation particulière qu'ont pris les processus de changement: la dépendance économique et politique, la division culturelle du travail, les rapports de classes et la conscience nationale. C'est en faisant appel à tous ces concepts à la fois que nous pouvons espérer cerner les traits distinctifs de l'histoire québécoise.

Chapitre 2

Les fondements historiques: « la survivance »

Dans le contexte nord-américain, le fait le plus marquant de la société canadienne-française est sa continuité, sa résistance à travers les siècles dans un environnement étranger et parfois hostile. Cette capacité de survivre a été attribuée à divers facteurs, dont quelques-uns sont reliés aux circonstances historiques, alors que d'autres sont le produit d'un effort conscient. Ainsi, on a soutenu que le Canada français a survécu parce qu'il a été une société agraire, physiquement et socialement à l'abri des influences étrangères, du moins jusqu'au début de l'industrialisation de l'Amérique du Nord. Une autre explication repose sur les origines seigneuriales et la structure cohérente de la communauté rurale canadienne-française. L'explication la plus répandue veut que, dans leurs propres intérêts ou pour le bien de la communauté tout entière, les élites traditionnelles, et particulièrement le clergé, aient perpétué une idéologie et une série de politiques sociales qui préservaient les institutions et le mode de vie du Canada français. En excluant la communauté des principaux courants nord-américains, ces élites lui auraient conservé son caractère particulier, base de sa survivance culturelle. Mais la doctrine de la survivance a été remise en question: non seulement l'attitude des élites aurait été inutile, elle aurait été nocive au bien-être socio-économique des Canadiens français.

Mais, si le débat se poursuit quant au pourquoi de la survivance, on ne saurait nier le fait lui-même. De nos jours, la question est plutôt de savoir comment le Canada français peut survivre, malgré les transformations qui ont touché les réalités socio-économiques, les élites et les idéologies. Car, pour faire face à ces conditions nouvelles, il faut inventer un nouveau leadership, des idées et des stratégies nouvelles. Il s'agit là du problème auquel le Québec contemporain est confronté. Dans ce chapitre, nous nous proposons de dégager dans le passé du Québec les aspects de son développement qui peuvent éclairer la situation actuelle. La suite logique des événements est moins importante ici que le contenu, mais le chapitre est divisé en trois parties chronologiques: l'époque du régime colonial français, le dix-neuvième siècle et les trois premières décennies du vingtième siècle.

La Nouvelle-France et la Conquête

La période coloniale française fut décisive car elle différencia les Canadiens français des autres nouvelles sociétés nord-américaines. Sauf exceptions, le régime français montra peu d'intérêt pour le développement de la Nouvelle-France; il s'écoula soixante-quinze ans entre sa découverte et l'établissement d'une colonie par Samuel de Champlain en 1608. Jusqu'à la passation des pouvoirs aux Britanniques, seulement 10 000 émigrants français s'établirent au Québec, dont un tiers étaient des militaires qui décidèrent de demeurer à l'étranger. Contrairement aux colons de la Nouvelle-Angleterre, aucun de ces colons n'était venu en tant que dissident du régime[1]. La colonie était une extension directe de la société et des politiques françaises, modifiée certes par la géographie particulière du Québec et les exigences dues à l'éloignement. Le manque d'intérêt de Paris pour la colonie fut, en fin de compte, confirmé par l'apparition d'une flotte d'invasion britannique plutôt que d'une expédition française de secours devant la ville assiégée de Québec au printemps de 1759.

La vie sociale et économique de la colonie était limitée par la politique coloniale d'émigration — au moment de la Conquête, la population de la Nouvelle-France comptait à peine 70 000 habitants, comparativement à un million et demi pour les colonies américaines britanniques — et par le mercantilisme. Jusqu'en 1663, la Nouvelle-France fut contrôlée et directement gouvernée par les monopoles de la traite des fourrures. Ces compagnies n'encourageaient pas les colons, puisque la traite des fourrures nécessitait l'expansion vers l'intérieur plutôt que des activités sédentaires comme l'agriculture. C'était pour les fourrures, pour l'exploration ou pour l'évangélisation des Indiens que l'on venait au Canada; pendant vingt ans, aucun sol ne fut cultivé, encore que le terrain accidenté et le climat hostile aux environs de Québec présentaient des obstacles évidents au développement de l'agriculture. Lorsque la colonisation débuta pour de bon, on divisa la bordure du fleuve en bandes de terre longues et étroites qui donnaient à chaque ferme l'accès au fleuve et aux ressources forestières. Puisque la bordure du fleuve était occupée, une route fut construite à l'extrémité des fermes originales formant ainsi la façade d'un nouveau *rang*. Ce modèle de peuplement, qu'on peut encore observer de nos jours, se poursuivit jusqu'à ce que les terres irriguées cèdent la place au granit du Bouclier canadien.

Comme les *rangs*, la structure sociale de la colonie survécut au régime français. Malgré quelques caractéristiques du féodalisme (paiements en nature, monopole de la meunerie, corvées), le système seigneurial ne justifiait pas vraiment l'étiquette, puisque l'écart social entre le seigneur et l'habitant n'était pas insurmontable et que plusieurs obligations et restrictions féodales étaient méconnues; les seigneurs étaient plus des agents fonciers coloniaux que des seigneurs féodaux. Certains étaient issus de la noblesse, mais la plupart étaient d'anciens fermiers et plusieurs cultivaient eux-mêmes la terre. Les fermes constituaient des unités économiques autarciques et puisque les autres activités économiques étaient soit interdites par la politique mercantiliste, soit directement contrôlées par la France, comme dans le cas de la traite des fourrures, il y avait peu de place pour un développement économique autonome. Ainsi, pendant tout le régime français, le Canada fut sans presse à imprimer[2].

L'Église sous le régime français requiert une attention particulière non seulement à cause de son importance, à l'époque, mais aussi parce que c'est l'un des héritages qui s'est transmis jusqu'à l'époque moderne. L'Église était directement impliquée dans le gouvernement de la colonie; l'évêque était en effet l'une des trois figures du conseil souverain. Le premier évêque, monseigneur de Laval, fit de sa fonction une source de pouvoir politique et administratif. Au plan local, la paroisse représentait la principale unité socio-politique et religieuse. Elle était régie par un conseil élu, la *fabrique*, présidée par le curé[3].

En dépit de son rôle central au sein des structures d'autorité de la colonie, l'Église n'a pas toujours eu la tâche facile avec les habitants. D'esprit très indépendant, ceux-ci n'allaient pas à la messe tous les dimanches et ils n'acceptaient pas de payer la dîme de gaîté de coeur, même lorsqu'on en réduisait le montant pour la rendre plus acceptable. De plus, à cette époque, l'Église éprouvait des difficultés à susciter des vocations, de sorte que plusieurs paroisses rurales devaient se passer de prêtre attitré.

Si la Nouvelle-France ne fut pas l'âge d'or décrit par plus d'un historien romantique, du moins elle n'avait pas à affronter directement la culture anglo-américaine qui se développait si rapidement dans le Sud. Le transfert des pouvoirs, en 1760, laissa l'organisation sociale et la presque totalité du modèle d'autorité quasi intactes, mais il mit fin pour toujours à cette immunité.

Les compagnies britanniques prirent alors la relève de la traite des fourrures et des monopoles commerciaux. Les administrateurs britanniques, d'abord militaires puis civils, contrôlèrent les conseils exécutif et législatif. Au sein de la population française, les petits seigneurs, quelques commerçants et (parce qu'ils n'avaient pas le choix) tous les « habitants » restèrent au pays. Plutôt que le bref intermède de l'occupation militaire, c'est la Proclamation de 1763 qui menaça le genre de vie et les institutions françaises. L'Église anglicane fut déclarée Église officielle, bénéficiant de l'appui du gouvernement: les catholiques, soit presque tous les Canadiens français, furent bannis des postes gouvernementaux. Les immigrants de la Grande-Bretagne et des colonies américaines prirent rapidement les postes de commande dans le secteur commercial. Il leur fut assez facile d'évincer les petits marchands canadiens-français qui étaient restés après la Conquête. (Les marchés et les sources d'approvisionnement n'étaient plus en France mais en Angleterre.) On peut voir dans ce phénomène le début d'un antagonisme linguistique qui a persisté jusqu'à nos jours à Montréal.

L'Acte de Québec de 1774 rétablit le statut de l'Église catholique et le droit civil français, mais l'emprise britannique sur le Canadien français fut immédiatement contestée par les Américains. Québec se vit offrir de devenir le quatorzième État de la nouvelle république, avec des assemblées démocratiques et l'abolition de la dîme et des droits seigneuriaux. Les Américains envahirent le territoire, prirent Montréal, occupèrent la route le long du fleuve et assiégèrent Québec. Ils reçurent une certaine collaboration populaire et tinrent même quelques élections dans les zones occupées. Mais pour diverses raisons (outre la défaite militaire des troupes d'invasion), le Canada français demeura britannique. Guy Carleton, le gouverneur, avait entretenu avec succès de bonnes relations avec les seigneurs et le haut-clergé empêchant ainsi la défection des élites francophones. D'autre part, le courant anti-catholique de la révolution américaine n'avait rien pour attirer les Canadiens français. Enfin, les envahisseurs envoyaient les captifs canadiens-français loyalistes au sud de la frontière, ne payaient pas leurs factures et émettaient du papier monnaie de valeur douteuse.

L'effet le plus important de la révolution américaine sur le Canada français ne fut toutefois pas la brève infusion d'une idéologie démocratique ni l'apparition d'un clivage entre les divers paliers de la société canadienne-française; l'arrivée des loyalistes anglophones, poussés par l'expropriation ou attirés par les bonnes terres agricoles, rompit pour de bon l'ancienne homogénéité. Les nouveaux venus commencèrent à réclamer leur voix au gouvernement et le retrait de leur statut de minorité. Leurs revendications aboutirent aux changements constitutionnels des années 1790, qui fournirent une chambre d'assemblée représentative et divisèrent la colonie en Haut et Bas Canada. Cette dernière réforme donna satisfaction aux loyalistes qui s'étaient établis en amont du fleuve et sur les rives du lac Ontario, mais les Anglo-protestants montréalais du Bas-Canada devinrent un groupe minoritaire (quoique disproportionnellement puissant) au moment où le principe de la majorité commençait à prendre une certaine signification. La communauté anglophone conservait beaucoup d'influence, mais les Canadiens français pouvaient envisager la politique comme un domaine où leur seul nombre leur permettrait d'accéder à un certain pouvoir. Dans ce domaine aussi cependant, les Canadiens français avaient des obstacles à surmonter et ils ne pouvaient considérer les institutions politiques comme une partie intégrante de leur propre héritage. Alors qu'ils pouvaient utiliser leur force électorale pour s'exprimer à la chambre d'assemblée, celle-ci était dominée par le pouvoir exécutif, chasse-gardée de la minorité anglo-canadienne.

Le développement au 19e siècle

Le Canada français, désormais partie intégrante d'une plus vaste colonie britannique, absorba d'une manière originale les grands changements du 19e siècle. Son caractère particulier était fréquemment remis en cause par des événements et des courants intérieurs et extérieurs. Toutefois, à la fin du siècle, la communauté paraissait avoir développé des institutions et des valeurs solidement établies, en mesure de protéger sa culture distincte. Même si cette culture — agraire, religieuse, traditionnelle — s'opposait au courant de modernisation qui la pénétrait, les Canadiens français ne la remirent pas en cause avant le milieu du 20e siècle. Au 19e siècle, la démographie et l'économie faisaient encore d'eux un peuple rural et agricole. Ce n'est pourtant pas ainsi qu'ils avaient commencé et dès la fin du siècle, l'industrialisation montrait qu'il n'en serait pas toujours ainsi. Cependant le mode de vie rural et agricole s'auréolait de sainteté et se figeait en un stéréotype qui persista longtemps après avoir été démenti par la réalité. En particularisant la culture canadienne-française, la mythologie agraire, qui avait fait son apparition au début du siècle, était devenue un élément important dans la lutte pour la survie culturelle. L'économie avait beau connaître des changements fondamentaux, tels que le remplacement de la fourrure par le bois comme principal produit d'exportation ou l'avènement du chemin de fer, l'activité agricole préservait son statut dominant. D'après F. Ouellet, « elle est, plus même que par le passé, le point d'appui de la société canadienne-française[4] ».

Ce point d'appui présentait cependant une lacune: sous la pression d'un taux de natalité extraordinairement élevé, l'approvisionnement en bonnes terres agricoles devenait difficile et il était impossible pour chaque fils de s'installer sur la terre paternelle. L'alternative était d'aller s'installer sur des terres à plus faible rendement, éloignées des vallées riveraines, ou au sud, vers les États-Unis. Entre 1851 et 1931, 700 000 personnes choisirent cette dernière solution. Ceux qui avaient opté pour la première allèrent vers la vallée outaouaise ou dans les Cantons de l'Est, des régions à prédominance anglaise depuis la Révolution américaine, ou au coeur des Laurentides et au Lac-Saint-Jean. Après 1850, le gouvernement et l'Église mirent sur pied des programmes de colonisation afin de promouvoir un mouvement vers l'intérieur du pays plutôt que vers l'atmosphère souillée des *milltowns* de la Nouvelle-Angleterre ou vers les villes en pleine croissance du Québec.

L'urbanisation se résumait essentiellement aux villes de Québec et de Montréal, qui étaient d'égale importance jusque dans les années 1830. Avec le développement du Haut-Canada, Montréal devint un centre commercial important, alors que Québec se confina à l'administration et à l'enseignement. Les immigrants irlandais et britanniques dotèrent Québec d'une assez grande population non-francophone (41% en 1844), mais graduellement le caractère de la ville se modifia jusqu'à devenir, comme c'est le cas aujourd'hui, presque exclusivement français. Montréal, de son côté, a toujours compté un fort élément anglophone comportant un groupe d'hommes d'affaires et de commerçants relativement prospères. Bien que la classe sociale et l'origine ethnique ne coïncident pas parfaitement, l'une et l'autre étaient suffisamment liées pour donner l'impression suivante en 1899: « Dans la ville de Montréal (...) il est reconnu que, individuellement, le salaire moyen d'un Canadien français n'atteint peut-être pas le quart de celui de son voisin britannique[5] ». Lorsque Montréal devint le centre de l'industrialisation du Québec, elle attira les travailleurs canadiens-français en plus grand nombre. La population de Montréal tripla entre 1861 et 1891 pour atteindre 265 000 habitants, puis doubla encore jusqu'à 530 000 en 1913. Pourtant, la population canadienne-française demeurait moins urbanisée que l'ensemble du Québec et, au tournant du siècle, les francophones étaient encore ruraux à 75%.

La paroisse rurale fournissait un mode de vie plus caractéristique et soi-disant plus enviable que celui des villes. Une monographie des années 1860 dépeint les traits principaux d'une telle paroisse sur la Côte-Nord[6]: une économie autarcique, un isolement des influences urbaines et du monde des affaires, une répugnance face à l'éducation post-primaire perçue comme une corruption et une menace pour les normes établies, des liens familiaux tenaces basés, physiquement et symboliquement, sur la ferme familiale, une foi catholique forte qui, grâce à la dîme, soutient le curé et le revêt d'une autorité considérable sur les affaires locales.

La liste suggère deux autres aspects de la société canadienne-française du dix-neuvième siècle qu'il convient de considérer: la religion et l'éducation. Pendant toute cette période, un conflit opposa partisans et adversaires du contrôle de l'éducation par l'Église. Celle-ci reconnaissait l'importance de l'éducation et se posait comme principal gardien de la culture et des valeurs canadiennes-françaises; par ailleurs, ceux qui voulaient angliciser la province n'étaient pas moins conscients de l'importance de l'éducation pour atteindre leur objectif. Cette question était donc beaucoup plus qu'une question pédagogique ou même spirituelle. Sortie victorieuse de ce conflit, l'Église ne vit pas son rôle remis en question avant les années 1960, alors que la communauté canadienne-française elle-même la contesta de l'intérieur.

Le débat s'ouvrit pour la première fois en 1801 lorsque Jacob Mountain, l'archevêque anglican, fit adopter un programme d'assimilation par l'Assemblée législative. La réaction fut si vive que le programme ne fut jamais mis en vigueur. L'éducation fut sous la responsabilité de divers organismes religieux et étatiques jusqu'à ce qu'une loi, adoptée dans les années 1840, crée des commissions scolaires financées par les impôts locaux. Cette loi, qui confirmait le contrôle des églises sur l'éducation, ne subit pas de transformations profondes pendant plus d'un siècle. Un ministère de l'Éducation fut bien créé après la Confédération, mais, afin de « garder la politique à l'écart de la religion », il fut supprimé en 1875. Le contrôle passa entre les mains du Conseil de l'instruction publique et de ses deux comités indépendants, catholique et protestant, qui ne se recontrèrent jamais après 1906. Le comité catholique était composé de tous les évêques de la province et d'un nombre égal de laïcs nommés par le Cabinet.

L'éducation supérieure était dispensée par l'Université Laval, fondée en 1852 avec les revenus et sur la propriété du séminaire des Jésuites de la ville de Québec. C'était en partie pour éviter que des Canadiens français ne se dirigent vers l'Université McGill qu'on l'avait créée. L'Université Laval était confessionnelle et française, mais elle donna au début quelques cours en anglais et admit un certain nombre d'étudiants anglophones. L'Université de Montréal resta une filiale de Laval jusqu'en 1920, date à laquelle elle obtint sa propre charte. L'archevêque du diocèse était d'office le recteur de chaque université et le corps enseignant se recrutait massivement auprès des ordres religieux; les programmes d'études se concentraient sur les matières nécessaires dans les professions libérales traditionnellement choisies par les Canadiens français: le droit, la médecine et la théologie. On ne faisait qu'effleurer le domaine commercial et technique[7]. L'unique participation de l'État à l'éducation supérieure était l'École polytechnique de Montréal, l'École des arts et métiers de Québec, toutes deux fondées dans les années 1870, et l'École des hautes études commerciales, fondée en 1910.

Rétrospectivement, on a parfois tendance à passer sous silence certaines faiblesses de l'Église catholique; celle-ci ne fut pas toujours aussi puissante qu'elle l'était à la fin du 19e siècle. Une de ses faiblesses majeures était la pénurie de prêtres qui avait suivi la prise du pouvoir par les Britanniques. On a des raisons de croire que les Canadiens français n'étaient pas nécessairement des fidèles très dociles au début du 19e siècle et une période de fort anti-cléricalisme traversa les milieux politiques[8]. Ignace Bourget, évêque de Montréal, entreprit de fortifier l'Église après la rébellion de 1837 en important des prêtres, en développant les ordres religieux, en augmentant le nombre des collèges classiques pour l'éducation des élites et en donnant à l'Église un plus grand rôle social. Quel que fût son pouvoir institutionnel, l'Église adopta toujours une attitude conservatrice. Elle combattit durement le mouvement laïc et démocratique de Papineau et plus tard, la faction *rouge* du Parti libéral... Comptant dans ses rangs plusieurs prêtres qui avaient fui la révolution de 1848 en France, l'Église expédia même des troupes pour défendre la papauté contre Garibaldi. Et, dans le domaine doctrinal, l'Église contenait une faction ultramontaine plus rigoureuse que le pape lui-même. Le conservatisme religieux s'étendait aux affaires sociales et politiques, comme le démontra son opposition à la formation des syndicats; dans la seconde moitié du siècle, l'Église était suffisamment puissante pour orienter le cours général des affaires au Canada français.

Au plan politique, le 19e siècle fut marqué par des changements majeurs qui ne furent pas exclusivement d'ordre constitutionnel. Les Canadiens français s'adaptaient aux institutions représentatives qu'on leur avait imposées et commençaient à les utiliser à leurs propres fins, particulièrement pour la protection des droits collectifs.

Le siècle avait commencé avec la lutte entre le gouverneur et son conseil exécutif d'un côté et la chambre d'assemblée de l'autre. Cette lutte ne portait pas exclusivement sur le principe du gouvernement responsable ou sur les clivages de classes qui séparaient la chambre d'assemblée de l'exécutif: au Québec, cela prenait une coloration ethnique absente dans le Haut-Canada. Le pouvoir exécutif comprenait quelques Canadiens français (des seigneurs et d'autres membres de l'élite que Papineau et ses supporteurs accusaient de traîtrise). La chambre d'assemblée comportait quelques anglophones (en 1792, avec 7% de la population, ils détenaient 32% des sièges) mais elle demeurait le canal politique pour les revendications du « French Party ». Lorsque celui-ci réussit à marquer des points, tels la reconnaissance du français comme langue des débats, les Anglais commencèrent à regretter leur enthousiasme pour les chambres d'assemblée. Des motivations ethniques s'introduisirent dans la lutte pour un gouvernement responsable: cette revendication intéressait les Anglo-Canadiens en partie parce qu'ils considéraient les gouverneurs britanniques trop conciliants face aux revendications françaises et qu'ils croyaient qu'une diminution des pouvoirs exécutifs corrigerait cette situation. Comme dans le Haut-Canada, la lutte devint un conflit ouvert, bien que la violence sévissait davantage dans le Bas-Canada. Louis-Joseph Papineau s'était attaqué en chambre d'assemblée à certains membres de la hiérarchie de l'Église, les seigneurs et les administrateurs coloniaux britanniques. Lors de l'insurrection armée de 1837, ses troupes, les Patriotes, n'étaient pas de force à lutter contre les troupes gouvernementales organisées et bien armées. Papineau s'exila temporairement aux États-Unis, laissant derrière lui, dans les environs de Montréal, des villages brûlés et pillés par les soldats britanniques. Lorsque, en 1849, le gouverneur Elgin accorda des indemnités pour les pertes subies par les Canadiens français pendant la rébellion, les Anglais de Montréal mirent le feu au Parlement.

L'après-rébellion s'annonçait plutôt menaçante pour les Canadiens français. Pour expliquer et mettre fin aux troubles de la colonie, les Britanniques déléguèrent une commission royale sous la direction de lord Durham. Le fameux rapport compta pour beaucoup dans l'évolution de la politique coloniale britannique mais ses recommandations, aux yeux des Canadiens français, constituaient une menace directe pour leur communauté et un affront à leur identité. Durham estimait que, pour régler le conflit des « deux nations combattant au sein d'un même État », il fallait éliminer la nation canadienne-française par voie d'assimilation. Il décrivait les Canadiens français comme « un peuple sans histoire et sans littérature (...) stationnaire et sans instruction ». Autant Durham fit preuve de perspicacité dans son analyse des obstacles qui entravaient l'épanouissement de la société canadienne-française, autant, dans ses conclusions, il laissa percer ses partis-pris raciaux et impérialistes.

L'instauration, en 1840, d'un gouvernement uni pour le Haut et le Bas-Canada, fut une autre suite importante des rébellions. La constitution du gouvernement d'Union allouait au Canada-Est et au Canada-Ouest (nouveaux noms donnés au Québec et à l'Ontario) un nombre égal de sièges à l'assemblée. Pour les leaders canadiens-français, cette réforme n'avait qu'un but: réduire le pouvoir du « French Party » dans les affaires canadiennes. Ils ne pouvaient s'empêcher de constater que, avec une population plus nombreuse, le Québec n'obtenait que la moitié des sièges. Et lorsque l'Ontario dépassa le Québec, les anglophones se mirent à réclamer la « *representation by population* », frustrés qu'ils étaient par la possibilité pour les Canadiens français de faire obstacle à toute législation contraire aux intérêts de leur collectivité. La période de l'Union aurait pu se solder par un désastre politique pour les Canadiens français. Mais des leaders modérés (c'est-à-dire ceux qui s'opposaient à l'anticléricalisme et au républicanisme démocratique de Papineau) réussirent à défendre leurs intérêts, tout en s'alliant avec les réformistes anglophones dans la lutte pour la responsabilité ministérielle. Celle-ci fut obtenue en 1849, surtout à cause d'un changement de gouvernement à Londres et de l'arrivée au Canada d'un gouverneur favorable à la cause. Le changement constitutionnel fut important, mais l'alliance formée pour l'obtenir le fut encore davantage, car elle marqua le début d'un dualisme, au niveau des élites, souvent considéré comme la clé de la survie de l'État canadien. Cette alliance politique, qui, à partir de 1854, incluait les commerçants anglo-canadiens de Montréal et excluait effectivement du pouvoir Papineau et les *rouges*, a implanté un type de leadership qui allait perdurer. Comme l'a écrit l'historien Jean Hamelin, depuis cette date, c'est toujours une coalition du centre et de la droite qui gouverne le Canada[9].

En 1840, les Canadiens français, divisés et troublés par la récente insurrection, s'étaient donc fait dire par un représentant de leurs maîtres coloniaux qu'ils n'avaient pas et ne méritaient pas d'avenir. Dans les années 1850 ils trouvèrent une solution à cette impasse: ils exerçaient un contrôle politique sur leur propre territoire et, dans les limites de l'Union, ils se trouvèrent des leaders assez forts pour leur assurer une place dans la nouvelle étape qui mena le pays au statut de *dominion* et à une constitution fédérale.

Pour le Canada français, le véritable avantage de la Confédération fut la reconnaissance d'une série de pouvoirs, limités mais sacro-saints, sur ses propres affaires. La province de Québec devenait une entité politique réelle, protégée par la constitution et dans laquelle la collectivité canadienne-française serait dominante et s'assurerait la possibilité de survivre selon ses propres modalités. La Confédération comportait aussi un risque: au niveau fédéral, les Canadiens français se voyaient relégués au rang de minorité permanente; leurs droits et leurs pouvoirs seraient soumis à la volonté de la majorité anglo-canadienne. Dans une certaine mesure, ils étaient protégés par les alliances officieuses des élites dans les partis bi-ethniques, ainsi que par leur poids électoral, mais la véritable protection reposait uniquement sur les pouvoirs autonomes qu'ils pouvaient exercer dans leur province dans le cadre de l'Acte de l'Amérique du Nord britannique. Le sort des minorités canadiennes-françaises ailleurs au Canada révélait toute l'importance de l'autonomie provinciale. Tant au Manitoba qu'au Nouveau-Brunswick, ces minorités étaient privées des droits et pouvoirs qui leur étaient nécessaires pour éviter l'assimilation. L'affaire Riel allait d'autre part démontrer que le gouvernement fédéral anglo-canadien ne se souciait guère des intérêts et des sentiments canadiens-français.

Néanmoins, l'alliance franco-anglaise allait se maintenir à Ottawa. Après l'affaire Riel, elle se déplaça des conservateurs, identifiés aux éléments orangistes de l'Ontario, vers les libéraux qui, sous Laurier, se dépouillèrent de l'image anti-cléricale *rouge* qu'on leur avait accolée dans les années 1870-1880. L'avènement de Laurier à la tête des libéraux fédéraux consolida ce changement et, depuis 1891, la majorité des sièges du Québec sont toujours allés aux libéraux, excepté aux élections de 1958.

Au sortir du 19e siècle, les Canadiens français s'étaient par ailleurs donné une vision de leur collectivité dont le thème central était celui de la survivance. C'est seulement après l'intégration des doctrines radicales de Papineau et des *rouges*, au moment de la stabilisation politique d'après 1850, que cette idéologie devint dominante. L'activité politique était perçue comme un moyen de défendre la culture et la religion. On évitait de s'interroger sur le pouvoir économique des Anglais de Montréal ou sur le *cheap labour* canadien-français dans les entreprises américaines ou anglo-canadiennes. L'émigration vers la Nouvelle-Angleterre était considérée comme un problème culturel plutôt qu'économique et on espérait le régler en perpétuant la société agraire grâce à l'ouverture de nouvelles paroisses à l'intérieur du Québec. On croyait que la survivance impliquait le rejet de la société industrielle, donc du changement dans l'ordre économique et social.

Mais au cours des décennies suivantes, la société canadienne-française allait être prise d'assaut par ce changement; l'idéologie de la survivance prendra alors plutôt la forme d'une mythologie, assez tenace il est vrai.

Après 1900: la confrontation avec le changement

Avant 1900, la plupart des défis posés au Canada français venaient de forces et d'événements extérieurs: défaite militaire, domination économique, politique coloniale et manipulation constitutionnelle. Le défi, cette fois, était différent, car il émanait de l'intérieur de la province et impliquait non seulement l'élite mais l'ensemble de la population canadienne-française.

La société perdait son caractère rural et l'économie devenait moins agraire. En dépit des efforts de colonisation, l'exode vers les villes du Québec et des États-Unis se poursuivait. Pendant que l'Ouest canadien développait de nouveaux territoires grâce aux immigrants d'Europe centrale, le Québec entreprenait l'exploitation du minerai et de l'énergie hydro-électrique de son arrière-pays. Le secteur manufacturier aussi se développait, mais il s'agissait surtout d'industries légères, telles le textile et la chaussure, utilisant une main-d'oeuvre à bon marché encore disponible au Québec, mais qui devenait rare en Nouvelle-Angleterre. L'énergie électrique à bas prix, près des centres urbains, attirait les investissements. Entre 1900 et 1920, avec la relance des années de guerre, l'apport manufacturier à l'économie de la province passa de 4% à 38%. Le secteur agricole lui-même connut des changements importants. Incapables de concurrencer les producteurs de blé de l'Ouest, les fermiers québécois se mirent à la production laitière et à la culture en fonction des marchés urbains. C'était la fin de la ferme traditionnelle: le Québec rural s'intégrait à l'économie urbaine.

L'industrialisation allait de pair avec l'urbanisation. Montréal, qui vit sa population tripler entre 1901 et 1921, était le centre de ce processus. Pour la même période, la population de Québec augmentait de moins de 50%. Trois autres villes, Sherbrooke, Trois-Rivières et Hull, avaient doublé de taille, mais leur population ne s'élevait qu'à 20-25 000 habitants (comparativement aux 618 500 Montréalais). Les Canadiens français étaient cependant moins urbanisés que les Canadiens anglais du Québec — 59% contre 82%, en 1931. Montréal, même avec 36% de la population totale du Québec, renfermait 40% de non-francophones et seulement 27% des Canadiens français vivant au Québec.

Dans d'autres domaines, le changement était moins évident. Le système d'éducation gardait sa structure et sa philosophie de base, même si des programmes de foresterie, de géodésie et de chimie s'ouvraient à l'Université Laval et que quelques collèges classiques dispensaient des cours de sciences et de commerce. L'Église refusait de reconnaître plus de pouvoir au gouvernement en matière d'éducation. Elle s'opposa aux projets de loi visant à rendre l'instruction obligatoire et, en 1931, seulement 60% des 5-19 ans fréquentaient l'école, soit le taux le plus bas au Canada. Certains signes laissaient pourtant entrevoir des changements même dans ce domaine. Les intellectuels urbains commençaient à remettre en question la domination de l'Église, qui devait par ailleurs s'adapter à un nouveau type de paroissien: l'ouvrier des villes. Même dans le Québec rural, l'autorité du curé montrait des signes d'instabilité et de changement[10]. Ces signes de modernisation, bien que non négligeables, restaient superficiels cependant: les institutions et les structures restaient bien en place.

La vie politique connut des soubresauts, mais encore là, les caractéristiques essentielles demeuraient. Jusqu'à ce qu'il soutienne le projet de loi sur la création d'une marine canadienne en 1911, Laurier conserva son leadership grâce à l'appui massif du Québec. Les conservateurs, eux, continuaient à ignorer les intérêts des Canadiens français et même à les heurter de front, comme à l'occasion de la guerre des Boers ou de la Première Guerre mondiale, alors qu'ils préconisèrent la conscription et le service outre-mer. Partout au Canada, sauf chez les immigrants d'origine britannique, on montra alors peu d'enthousiasme pour la conscription, mais au Québec sa mise en vigueur provoqua des émeutes sanglantes. Lors des élections de 1917, Laurier, devenu chef de l'opposition au gouvernement unioniste, remporta 62 des 65 sièges du Québec, dont 17 par acclamation. En 1921, les libéraux, dirigés par Mackenzie King depuis la mort de Laurier, remportèrent la totalité des 65 sièges. Ces « 65 comtés sûrs » devenaient manifestement un trait permanent de la vie politique canadienne. La domination des libéraux se fit sentir de la même manière au niveau provincial: de 1897 à 1936, ils furent constamment portés au pouvoir avec des majorités écrasantes.

Comme ailleurs au Canada, les élections se gagnaient avec du « patronage ». Les partis étaient dominés par le caucus des députés et non par des organisations ouvertes; dans chaque circonscription, l'élite locale, constituée de membres des professions libérales et de propriétaires de petites entreprises, faisait campagne en distribuant des faveurs. Sur ce point, le gouvernement provincial ne se comportait pas autrement que le gouvernement fédéral, avec cette différence qu'à Québec on pratiquait une autre forme de « patronage »: l'encouragement aux investissements étrangers (c'est-à-dire non canadiens-français) en retour de redevances modiques sur l'exploitation des ressources forestières et minières, de monopoles sur les services publics et d'une main-d'oeuvre non syndiquée. À part cela, les champs d'intervention du gouvernement étaient limités. Le gouvernement Taschereau adopta quelques lois sociales dans les années 1920, mais, en général, l'État se désintéressait des questions sociales, préférant en laisser la responsabilité à l'Église.

Une composante importante de la vie politique canadienne-française demeurait le nationalisme, mais à l'époque, il déviait parfois de ses modes d'expression traditionnels. Henri Bourassa, petit-fils de Papineau et fondateur de l'influent quotidien montréalais *Le Devoir*, était un nationaliste notoire qui attaquait le lien impérial avec la Grande-Bretagne et préconisait un Canada non seulement indépendant, mais également biculturel. Anticipant les années 1950, il réclamait aussi du gouvernement provincial des réformes de l'économie et du système d'éducation. Par ailleurs, sa vision du Canada restait essentiellement conservatrice et, vers la fin de sa vie surtout, il se tournait plutôt vers le mode de vie traditionnel. L'abbé Lionel Groulx exprimait une autre facette de la pensée nationaliste; contrairement à celui de Bourassa, son nationalisme exclusivement canadien-français présentait un mélange plus traditionnel de patriotisme et de religion. Historien nationaliste influent, il fonda l'Association catholique de la jeunesse canadienne-française (ACJC), dont au moins une faction prônait déjà le séparatisme canadien-français. Enfin, on trouvait une tendance laïque et plus progressiste représentée par la Ligue nationaliste, fondée en 1903 par Olivar Asselin.

Inévitablement, la conscience collective du Canada français, une fois l'urbanisation et l'industrialisation commencées, reposait autant sur des facteurs économiques et sociaux que sur la foi et la langue. Ce n'était que le début d'une transformation qu'allaient connaître tous les secteurs de la société canadienne-française. Les composantes du Canada français traditionnel n'en continueraient pas moins à jouer un rôle important dans la nouvelle société québécoise.

Chapitre 3

Forces et faiblesses du développement économique

La croissance économique est un puissant agent de modernisation qui détermine souvent le sens des changements dans l'ordre social et politique. Depuis la fin de la Seconde Guerre mondiale, l'économie du Québec a réalisé un bond en avant prodigieux qui explique, s'il n'en est pas la cause, l'état actuel des affaires québécoises. Ce record de croissance — qui englobe la dépression et le boom de l'après-guerre — même s'il n'est pas exclusif au Québec, prend ici des caractéristiques particulières.

Comme nous l'avons vu au chapitre précédent, les Canadiens français vivaient dans une société traditionnelle, plus ou moins idéalisée. Non seulement leurs élites acceptaient-elles cet état de choses, elles l'encourageaient activement, soutenant que c'était là une situation souhaitable socialement et moralement. La croissance économique allait s'avérer importante pour le Québec, non seulement par l'apport de richesses, mais aussi parce qu'elle ébranlerait les fondements de la société traditionnelle et qu'elle élargirait le fossé entre l'idéal du traditionnalisme et la réalité quotidienne. Un autre trait particulier de cette croissance résiderait dans la nature des investissements étrangers et du contrôle de l'économie. Le thème de la dépendance, très familier au Québec, devait donc être reformulé en des termes nouveaux et beaucoup plus complexes.

Le développement et les composantes de la croissance économique depuis 1920

Les étapes de la croissance économique du Québec suivent plus ou moins le pattern nord-américain. Après l'essor industriel du tournant du siècle, on vit dans les années 1920 un afflux de capitaux qui s'explique en partie par la diminution des ressources naturelles et l'accroissement des coûts de main-d'oeuvre dans le nord-est des États-Unis; l'attitude du gouvernement Taschereau y fut aussi pour quelque chose. La dépression et le fort déclin de l'emploi industriel provoquèrent, avec un certain succès, un mouvement de retour à la terre. Mais la Seconde Guerre mondiale allait relancer l'économie. Les forces armées, malgré l'opposition du Québec à la conscription, fournissent une alternative au chômage pour 120 000 Canadiens français. La guerre ouvrit également l'intérieur de la province, qui recelait les ressources stratégiques nécessaires à la production de guerre et qui avait le double avantage d'être à l'abri des attaques et relativement proche des centres industriels. Les matières premières du Québec jouèrent ainsi un rôle important dans la nouvelle structure économique continentale qui commençait à émerger au Canada. La province participa au boom d'après-guerre en continuant à exploiter ses richesses naturelles et en développant ses secteurs secondaire et tertiaire. Pendant ce temps, l'agriculture, malgré l'augmentation de sa productivité et de ses revenus, perdait son rôle primordial dans l'économie, particulièrement en termes d'emploi.

Deux facteurs contribuèrent principalement au développement économique de ces décennies. Le premier, qui s'était manifesté dès les premières années du siècle, était l'approvisionnement abondant et à bon marché en hydro-électricité. Cette énergie à prix modique constituait un facteur de croissance majeur aussi bien pour les industries de transformation (pâtes et papier, aluminerie, produits chimiques) que pour les industries manufacturières. Jusqu'à ce que les libéraux créent la Commission hydro-électrique en 1944, toute l'énergie électrique de la province, d'usage tant privé qu'industriel, était fournie par des monopoles privés; ce n'est qu'en 1963 que la quasi-totalité de la production passera sous contrôle gouvernemental. L'augmentation spectaculaire de la production hydro-électrique reste un bon indicateur de la croissance économique globale (voir tableau 1). Deux vastes projets ont accru le potentiel de façon considérable: le barrage Manicouagan-Outardes sur la Côte-Nord et le

Tableau 1
Deux indicateurs de la croissance
économique du Québec, 1921-1971

Année	*Production d'hydro-électricité (millions de kWh)*	*Valeur de la production minière ($)*
1921	1 791	15 522 988
1931	8 066	36 051 366
1941	17 741	99 700 027
1951	29 690	255 931 822
1961	50 433	455 522 933
1971	75 274	770 000 000

Sources: Pour la production d'hydro-électricité de 1921 à 1961, *Annuaire du Québec 1962*, p. 619; pour la production minière de 1921 à 1961, *Annuaire du Québec 1966-1967*, p. 628; pour l'année 1971, *Annuaire du Québec 1973*, p. 571 et 599.

harnachement des rivières à la baie de James (qui à lui seul, avec un potentiel de 10 millions de kilowatts, doublera la capacité de la province). L'énergie hydro-électrique est aussi en train de devenir un produit d'exportation au même titre que d'autres richesses naturelles. Des ententes ont été signées en 1970 et 1971 pour fournir de l'énergie à l'Ontario et au Nouveau-Brunswick; à la fin de 1972, Hydro-Québec obtint un contrat de vente d'électricité à la Consolidated Edison de New York, pour une période de vingt ans, commençant en 1977.

Le deuxième facteur de croissance a été l'exploitation minière. Le premier point d'appui de cette industrie fut l'amiante, découverte dans les Cantons de l'Est au dix-neuvième siècle, et que l'on produit encore à raison d'un million de tonnes par année (évaluées, en 1971, à quelque 156 000 000$). Dans les années 1950, le minerai de fer devint une ressource importante. D'énormes gisements à forte teneur furent découverts dans l'arrière-pays inhabité, trois cents milles au nord du fleuve Saint-Laurent. La demande croissante de l'industrie américaine de l'acier, combinée avec l'appauvrissement des réserves de minerai dans la région de Mesabi au Minnesota, accélérera l'exploitation de ces gisements. Le minerai était expédié vers les aciéries des Grands Lacs par chemin de fer et par la voie maritime du Saint-

Laurent (finalement construite après que le lobby américain de l'acier eut surmonté l'opposition tenace des États côtiers de l'Est). Les mines de cuivre, d'or et de zinc de la région du nord-ouest, près de Rouyn-Noranda, contribuèrent également au développement de l'industrie minière. Ouverte dans les années 1920, cette région connut sa véritable expansion avec la Seconde Guerre mondiale. En 1970, les mines engendraient des revenus de l'ordre de 800 000 000$ et embauchaient 25 400 des 1 590 000 personnes actives du Québec.

Le secteur manufacturier d'un pays est vital pour son développement économique (qu'il ne faut pas confondre avec la simple croissance). Au Québec, la grande industrie manufacturière repose, dans une large mesure, sur les industries primaires d'extraction. L'industrie de la pâte et du papier est la plus importante en termes du nombre d'employés et de la valeur estimée en dollars. Suivent, dans l'ordre, les fonderies, les raffineries et l'aéronautique. Les industries traditionnelles — textiles, vêtements, produits du tabac — sont regroupées autour de petites entreprises requérant beaucoup de main-d'oeuvre, typiques de la structure industrielle d'avant l'avènement des industries à grands capitaux. Contrairement aux activités primaires, l'industrie manufacturière est concentrée dans la région de Montréal, sauf les pâtes et papier, qui se sont concentrées autour de Trois-Rivières et de la région du Saguenay, pour être à proximité des sources d'approvisionnement.

Malgré l'expansion du secteur industriel depuis la Seconde Guerre mondiale, les autres secteurs de l'économie — le secteur primaire des ressources de base et le secteur tertiaire, — ont crû plus vite. De fait, la contribution de l'industrie manufacturière à l'économie de la province a chuté entre 1946 et 1966, tant au chapitre de l'emploi (de 36% à 31,9% de la main-d'oeuvre) qu'à celui de la valeur de la production (de 41,2% à 38,8%)[1]. Ce qui fait dire à certains que l'expansion de l'économie ne constitue pas nécessairement un gage de sa force.

L'industrialisation entraîne le déclin relatif et même en termes absolus de l'agriculture comme activité économique. Au Québec, ce déclin est d'autant plus significatif que l'agriculture tenait une place importante non seulement dans l'économie, mais aussi dans le système de valeurs de l'idéologie traditionnelle. Les indices les plus frappants de ce déclin sont la diminution à la fois de la main-d'oeuvre agricole et du nombre de fermes et la proportion décroissante de la population qui vit sur les fermes (voir tableau 2). Par ailleurs, beau-

Tableau 2
Données sur l'agriculture, 1941-1971

	1941	*1951*	*1961*	*1971*
Nombre de fermes	154 669	134 366	95 777	61 257
Pourcentage de la population vivant sur des fermes	25,2	19,5	11,1	5,6
Nombre de tracteurs	5 869	31 971	70 697	80 878
Pourcentage de terres cultivées	5,4	5,0	4,2	3,2
Superficie moyenne des fermes (acres)	117	125	148	176

Sources: Recensement du Canada 1971, vol. IV, 2e partie, tableaux 2 et 7.

coup de ceux qui vivent sur des fermes ne sont pas nécessairement des fermiers, puisqu'ils doivent travailler ailleurs, du moins à temps partiel. Une étude faite en 1956 estimait que, même à cette époque, le Québec comptait seulement 80 000 fermiers, soit environ 2% de la population[2]. Le tableau 2 révèle également les transformations qu'ont subies les exploitations agricoles, qui sont devenues des unités plus grandes et plus mécanisées. À la fin des années 1950, un porte-parole de l'Union catholique des cultivateurs pouvait déclarer devant la Commission d'enquête sur les perspectives économiques du Canada (Commission Gordon): « l'agriculture cesse d'être un mode de vie pour devenir une affaire[3] ».

Les conséquences sociales de la croissance économique

Pour saisir la dimension sociale de la croissance économique il faut examiner la distribution de la main-d'oeuvre. Dans l'ensemble de la province, la proportion de travailleurs employés dans le secteur primaire a chuté dramatiquement, surtout depuis la fin de la Seconde Guerre mondiale. Proportionnellement, l'augmentation est minime dans le secteur secondaire, la plus grosse augmentation s'étant manifestée dans le secteur tertiaire (services publics, commerce, transports et communications, professions, etc.) (Voir tableau 3.)

Tableau 3
Répartition (en %) de la main-d'oeuvre masculine
et de la main-d'oeuvre masculine francophone,
par secteur économique, 1931-1971

Année	*Primaire*	*Secondaire*	*Tertiaire*	*Non précisé*
1931				
Total	30,1	29,8	33,8	6,3
Francophones	35,2	27,5	30,6	6,7
1941				
Total	31,6	36,6	30,2	1,6
Francophones	36,1	34,3	28,0	1,6
1951				
Total	20,9	41,1	35,9	2,0
Francophones	24,0	40,2	33,8	2,0
1961				
Total	12,4	38,8	46,0	2,8
Francophones	14,8	37,4	45,0	2,8
1971				
Total	5,6	35,2	51,2	8,0
Francophones	6,7	34,7	50,9	7,7

Sources: Recensements du Canada: 1931, vol. VII, tableau 62; *1941*, vol. VII, tableau 26; *1951*, vol. IV, tableau 20; *1961*, vol. III.2, tableau 11; *1971*, vol. III.5, tableau 4.

Significatives même prises isolément, ces tendances n'illustrent pas adéquatement les conséquences de l'industrialisation, car elles masquent la position réelle des Canadiens français au sein de la main-d'oeuvre. Comme on peut le voir dans le tableau 3, ceux-ci accusent un retard dans le déplacement vers les secteurs secondaire et tertiaire. Particulièrement dans le secteur tertiaire, considéré comme le secteur de pointe de l'économie, la proportion des Canadiens français est remarquablement plus petite que celle qu'ils occupent dans l'ensemble de la main-d'oeuvre. Malgré leur importance numérique, les Canadiens français détiennent une fraction des emplois de prestige et bien rémunérés, comme le montre une étude comparative basée sur l'origine ethnique au sein de certaines catégories professionnelles (voir tableau 4). Non seulement sont-ils sous-représentés

Tableau 4
Répartion (en %) de la main-d'oeuvre masculine, par groupe ethnique, professions choisies*, 1941, 1961 et 1971

Professions	*Français*	*Britanniques*	*Autres*
1941			
Total	79,1	14,0	6,9
Professions libérales	66,8	26,1	7,1
Commis	59,1	34,8	6,1
Agriculteurs	90,9	7,9	1,2
1961			
Total	77,5	11,8	10,7
Cadres	63,8	19,0	17,2
Prof. libérales, techniciens	72,9	22,5	14,6
Commis, vendeurs	72,3	17,1	10,6
Trav. d'usine	80,2	8,8	11,0
1971			
Total	75,8	11,7	12,5
Cadres, administrateurs	61,9	22,8	15,3
Commis, vendeurs	72,7	14,5	12,8
Trav. d'usine	79,5	8,6	11,9
Agriculteurs	87,9	7,9	4,2

* Les changements dans les définitions de certaines professions ne permettent pas toujours des comparaisons d'une décennie à l'autre.

Sources: Recensements du Canada: 1941, vol. VII, tableau 12; *1961*, vol. III.1, tableau 22; *1971*, vol. III.3, tableau 5.

aux échelons supérieurs, mais cette sous-représentation s'est maintenue tout au long de la période d'expansion d'après-guerre. Dans l'industrie manufacturière, ils sont passés d'une sous-représentation à une légère sur-représentation et ils ont enregistré des gains dans la catégorie des emplois de bureau. En se déplaçant vers les emplois « modernes », ils n'ont pas pour autant atteint les postes de commande, comme le révèlent plusieurs études. Travaillant d'après les données du recensement de 1951, John Porter constatait que la sous-représentation des Canadiens français dans la catégorie « professions libérales et finances» était plus grande qu'en 1931; dix ans plus tard, la Commission royale d'enquête sur le bilinguisme et le biculturalisme démontrait que les Canadiens français étaient plus désavantagés en 1961 qu'en 1941[4]. Le recensement de 1971 montrait que la situation ne s'était guère améliorée.

Ce phénomène pose un problème autrement plus grave que celui de la mobilité de la main-d'oeuvre dans une société en voie de modernisation. Les connotations ethniques attachées à la hiérarchie professionnelle signifient que le Canadien français qui quitte la ferme et l'homogénéité de sa paroisse pour travailler dans un bureau ou une usine sera plus conscient des disparités culturelles et économiques de son nouvel environnement. Les écarts économiques sont d'ailleurs plutôt évidents; les Canadiens français représentaient 60% d'un échantillon étudié par la Commission sur le bilinguisme et le biculturalisme, mais ils ne formaient que 17% de ceux gagnant plus de 12 000$. La conclusion de la commission est très éloquente: « la situation actuelle est très injuste. Elle entraîne pour le personnel francophone des difficultés majeures, ayant des répercussions graves sur le rendement, la carrière et le maintien de l'identité linguistique et culturelle[5] ».

Cette « situation actuelle » prend plutôt l'allure d'une situation permanente. Dans les années 1930, l'étude de Everett Hughes, portant sur Drummondville, rapportait que l'on retrouvait les Anglais étrangers dans les rangs supérieurs de l'industrie. Les gens d'origine locale et de culture française étaient dans les rangs inférieurs. Ceux-ci, en outre, venaient des classes inférieures de la société locale. Les membres des classes supérieures de la société trouvaient peu de place dans la hiérarchie de l'industrie[6].

Schefferville, ville minière, se conforme au même modèle de développement dans les années 1950; une majorité francophone et une minorité anglophone qui occupe les postes de commande. Le modèle diffère du « Cantonville » de Hughes dans la mesure où quelques Canadiens français y occupaient des postes détenus exclusivement par des anglophones à « Cantonville[7] ». Mais la même hiérarchie industrielle reste en place malgré les transformations sociales et économiques. En 1970, l'un des griefs présentés lors de la grève aux usines General Motors de Sainte-Thérèse, était le suivant: « Même si 80% des 2 000 employés (...) sont francophones, des unilingues anglophones, importés d'Oshawa, administrent encore l'usine et la majorité des communications avec le personnel se font en anglais[8] ».

La différence avec l'époque étudiée par Hughes réside dans le nombre de travailleurs canadiens-français confrontés avec ce modèle de stratification. Le Canadien français qui quittait la ferme pour l'usine était une exception et faisait figure de marginal; de nos jours, c'est celui qui demeure sur la ferme qui est marginal; les autres oeuvrent dans une économie industrielle moderne dont l'organisation et la gestion ne peuvent plus être ignorées.

D'autres effets de la croissance économique sont l'augmentation de la richesse et la hausse du niveau de vie, dans la mesure où la richesse est redistribuée. Même ceux qui ne bénéficient pas directement de l'industrialisation sont touchés; ils souhaitent un niveau de vie plus élevé sans se soucier de leur capacité ou de leur possibilité de l'acquérir. La croissance économique a produit une hausse constante des revenus et le revenu net per capita a doublé comparativement à ce qu'il était au début des années 1930. Cette hausse du niveau de vie se traduit par une réduction du taux de mortalité infantile, un taux de décès qui a diminué de moitié depuis 1931 et par une espérance de vie prolongée de dix ans. En termes absolus, la situation des Québécois est meilleure qu'elle ne l'était dans les années 1920. Cependant, la situation est encore meilleure pour certains et aucune analyse de la croissance économique ne peut ignorer ces différences. L'une de ces différences tient à l'appartenance ethnique. L'échelle des salaires correspond inévitablement au statut professionnel et dans toute société on trouve des différences de revenus, mais la perception de ces phénomènes au Québec passe par le fait que les Canadiens français, en tant que groupe ethnique se classent au bas de l'échelle des salaires[9].

Une seconde disparité existe en fonction des régions. Il ne s'agit pas ici seulement du clivage rural/urbain, puisque les petites villes frontières et les villes appartenant à des compagnies, et où tout le monde travaille, peuvent avoir de très hauts revenus, alors que dans une ville comme Montréal, on rencontre des zones de chômage et de pauvreté. Par ailleurs, des régions rurales comme la Gaspésie restent très pauvres avec une économie stagnante et un taux de chômage très élevé. La disparité la plus évidente est encore celle qui sévit entre les villes et les campagnes, particulièrement si on ne tient compte que de la population agricole. En 1971, le salarié masculin moyen de la ville touchait 2 650$ de plus par année que son homologue rural sur la ferme et à l'heure actuelle, l'écart est probablement plus grand. Le problème des disparités régionales n'est qu'indirectement relié à notre propos, mais on peut penser qu'il constitue un défi majeur pour un gouvernement qui s'est engagé à assurer le bien-être social et qui se fait fort de planifier l'environnement économique. Ce problème nous fait aussi prendre conscience de la diversité sociale et culturelle que l'on a parfois tendance à oublier lorsqu'on parle du Québec.

Tableau 5
Revenu annuel moyen déclaré (en $), hommes, 1971

	Québec	*Ontario*	*Canada*
Total	6 288	7 250	6 538
Urbains	6 691	7 566	7 050
Ruraux	4 468	5 733	4 857
Ruraux cultivateurs	4 041	4 955	4 174

Sources: Recensement du Canada 1971, vol. III.1, tableau 29.

Il existe une autre disparité entre le Québec et le reste du Canada. Exception faite des Maritimes, le Québec se situe systématiquement au bas de l'échelle des revenus, des standards d'habitation, ou du taux de chômage. Cette différence joue naturellement un rôle dans les discussions aussi abstraites que les négociations constitutionnelles. Le revenu annuel moyen des hommes du Québec était de 300$ inférieur à la moyenne nationale en 1961 et de presque 1 000$ à celle de l'Ontario. Bien que l'est du Québec est géographiquement et économiquement plus proche des Maritimes, on compare toujours le Québec à l'Ontario, puisque leur population et leur degré d'industrialisation les distinguent des autres provinces. Dans une telle comparaison (voir le tableau 5), le Québec arrive bon second sur toute la ligne: son revenu per capita atteint à peine 73% de celui de l'Ontario depuis 1926 et le secteur industriel ontarien, plus développé, plus productif, paye de meilleurs salaires et occupe une part plus grande de la main-d'oeuvre[10]. Le Québec a fait des progrès, mais comparés à ceux de l'Ontario, ces progrès prennent une signification différente.

La croissance économique et les Canadiens français

La croissance économique a affecté le Canadien français de deux façons: en une ou deux générations, elle a modifié le genre de travail qu'il fait, le cadre dans lequel il le fait et son salaire; deuxièmement, elle l'a rendu conscient qu'un groupe minoritaire, à l'intérieur de la province, détient les meilleurs emplois et gagne plus d'argent que lui. Ce sont là des considérations importantes pour comprendre le Québec contemporain. Mais il ne faudrait pas perdre de vue une autre considération qui a trait à la structure économique elle-même, c'est-à-dire le rôle relatif des industries manufacturières et d'extraction. La question est de savoir si le Québec est vraiment « développé » ou s'il n'est qu'un simple fournisseur de matières premières. Un autre aspect de cette question touche la propriété et le contrôle de l'économie. Ce ne sont pas là des problèmes spécifiques au Québec, puisqu'ils se posent pour l'ensemble du Canada, mais, encore une fois, le facteur ethnique leur donne ici une dimension particulière.

On a longuement débattu les raisons qui font que les Canadiens français n'ont pas réussi à dominer l'industrialisation de la province. Les implications politiques de cette question ont empêché le débat de s'éteindre ou de se limiter à une querelle d'historiens. Une explication, maintes fois reprise, veut que la culture et le système de valeurs canadiens-français aient empêché, ou du moins découragé, toute activité économique qui allait au-delà d'une entreprise familiale ou qui plaçait le risque avant la sécurité et la croissance au-dessus de la stabilité. Quoique actifs comme propriétaires ou dans l'établissement de petites maisons d'affaires locales, les entrepreneurs canadiens-français se sont tenus à l'écart des industries caractéristiques de l'économie provinciale du tournant du siècle. L'esprit d'entreprise aurait été découragé au profit de la vocation agricole ou des professions libérales[11]. Un argument quelque peu différent veut que, le capitalisme étant vu comme un trait culturel anglo-saxon, les Canadiens français, sans considérer leur désir de croissance économique, l'aient rejeté afin de réaffirmer leur identité propre et d'assurer leur survie culturelle[12]. On blâme évidemment les institutions canadiennes-françaises, gardiennes des valeurs de la communauté: l'Église, parce qu'elle idéalisait le mode de vie agraire et prêchait contre le matérialisme des centres industriels; le système d'éducation, qui n'avait pas réussi à donner les compétences nécessaires, sans parler de la motivation, pour les conquêtes économiques. Certains auteurs ont cherché les explications plutôt dans les faits historiques, tels que la destruction de l'élite commerciale de la Nouvelle-France par la conquête britannique. Une fois le contact coupé avec la métropole française, les commerçants canadiens-français perdirent à la fois leurs débouchés pour les fourrures et la principale source d'approvisionnement en biens d'importation. Les marchands britanniques qui arrivaient dans la nouvelle colonie étaient mieux placés pour établir des relations commerciales avec la nouvelle métropole commerciale et de ce fait, prirent le contrôle de la vie économique. Dans le même ordre d'idées, le changement de métropole signifiait que les principales sources de capital étranger seraient bien mieux disposées à investir dans des entreprises anglophones que dans des entreprises francophones. Cette tendance est demeurée inchangée lorsque plus tard les États-Unis ont remplacé la Grande-Bretagne en tant que principale métropole du Québec. Un dernier argument voit cette culture en guerre ouverte contre l'esprit d'entreprise non comme une cause mais comme un effet. On fait valoir que le Québec était dominé par un ensemble de valeurs qui rationalisaient la subordination économique et politique de la collectivité canadienne-française et la forçait, faute de mieux, à se définir en d'autres termes: la foi et la terre.

Un observateur au moins pressent que cette époque où les Canadiens français ne pouvaient ou ne voulaient pas prendre les rôles de commande dans l'économie tire à sa fin[13]. Si c'est le cas, ce changement va remettre en question, mais sans l'éliminer, la domination des grandes sociétés non francophones. Encore récemment, seulement vingt-six des 165 entreprises de la province dont la production annuelle s'élevait à plus de 10 000 000$ par année appartenaient à des Canadiens français. Les compagnies d'exportation ou celles reliées à l'exploitation des ressources naturelles sont contrôlées par des entreprises américaines ou multinationales; l'industrie légère moderne (électronique, etc.) est entre les mains des Canadiens anglais; les Canadiens français prédominent dans les industries à main-d'oeuvre abondante et à productivité moindre, comme les textiles, les produits du cuir et l'alimentation[14]. Les institutions qui fournissent et effectuent des investissements de capital — le marché boursier, les courtiers de valeurs mobilières et d'obligations, les banques, les fiducies et les compagnies d'assurance-vie — sont également dominées par les Anglo-Canadiens.

La situation commence à changer dans le domaine de l'emploi. Au cours des dernières années, il y a eu des Canadiens français qui ont dirigé la Bourse de Montréal. On constate une certaine concertation, même dans les milieux d'affaires, pour élever des Canadiens français à des postes de direction. Un élément moteur de ce changement vient du gouvernement du Québec qui, depuis 1960, s'est engagé à favoriser les aspirations économiques canadiennes-françaises et à utiliser le levier de l'État pour corriger la situation; la législation sur la langue en est une facette. Les nouvelles sociétés d'État, parce qu'elles représentent le prolongement de la bureaucratie, chasse-gardée des francophones, fournissent aux Canadiens français des emplois bien considérés et des salaires élevés. Les autres organismes gouvernementaux viennent en aide aux entreprises canadiennes-françaises et encouragent l'utilisation du français. Ces transformations (dont on reparlera au chapitre 6) sont importantes pour un groupe croissant de Canadiens français maintenant en mesure d'en profiter. Paradoxalement, on a par contre continué à encourager les investissements étrangers. Cela a été particulièrement le cas dans la période qui a suivi l'Exposition universelle de Montréal, alors que le Québec a connu un déclin des investissements entre 1966 et 1970. Les libéraux promettaient de redresser la situation grâce à leur campagne des 100 000 emplois en 1970[15]. Un projet colossal comme la Société de développement de la baie James, évalué à plus de 15 milliards de dollars, est un bon exemple de l'interprétation de l'entreprise gouvernementale, des investissements étrangers et des sociétés multinationales[16].

Mais alors même que les Canadiens français occupent quelques postes de direction dans le secteur privé et que le gouvernement provincial utilise son pouvoir pour légiférer et intervenir dans la question linguistique de même que dans les décisions des sociétés, le contrôle ultime du secteur privé (et du secteur public, tant qu'il sera financé par le capital étranger) échappera aux Canadiens français. On pourrait donc affirmer que, de 1920 à aujourd'hui, la croissance n'a guère donné de résultats qualitatifs. Il faut cependant noter une différence de taille: le rôle et l'approche du gouvernement provincial ont pris un tournant qui permet aux Canadiens français d'exercer un contrôle, relatif mais réel, sur leur propre économie.

Chapitre 4

La transformation sociale du Québec francophone

Les indices de croissance économique et de changement politique annoncent l'avènement d'une société nouvelle, phénomène difficilement quantifiable et parfois peu perceptible. On parle bien sûr de « l'homme nouveau », ou de « l'homme moderne », mais sans pouvoir préciser ce que recouvrent de telles expressions. Or nous savons que l'objet réel et l'instrument du changement social, ce ne sont ni les capitaux ni les institutions, mais bien des hommes et des femmes en chair et en os. Lorsque nous parlons d'un Québec nouveau, nous parlons en réalité d'hommes et de femmes qui ont vu leur habitat, leur genre de vie, leurs valeurs ainsi que leurs aspirations se modifier. Ce sont eux qui produisent plus ou consomment différemment, transforment la structure économique ou changent d'allégeance politique. Il existe autant d'explications personnelles à ces changements qu'il y a de Canadiens français et chacun favorise ou retarde le processus selon ses intérêts. Mais nous devons voir derrière ces destins personnels les grands phénomènes sociaux qui nous donnent une vue d'ensemble, peut-être moins singulière, mais plus utile de ce qui se passe. Nous parlerons donc de phénomènes comme l'urbanisation et la sécularisation, qui, par-delà les expériences individuelles, nous permettent de décrire le nouveau Québécois et d'analyser la disparition de la société traditionnelle dans laquelle il vivait.

Le nouveau milieu urbain

L'urbanisation et l'industrialisation sont deux phénomènes étroitement liés. Les indicateurs de l'industrialisation, comme la mobilité professionnelle ou l'augmentation des revenus et de la productivité, sont étroitement liés au mouvement migratoire vers les villes, indicateur de l'urbanisation; le Québec ne fait pas exception à cette règle. L'urbanisation n'est cependant pas qu'un déplacement physique, puisqu'elle engendre un type différent d'individu, qualitativement distinct du campagnard vivant sur une ferme; il existe une éthique urbaine à laquelle est associée toute une série de traits, déroutants par leur diversité — le progrès, la tolérance, la culture, la corruption, le péché, l'aliénation — et qui est toujours confrontée à sa contreparie rurale. Mais cette confrontation finit par s'estomper car, d'une part les migrants conservent souvent divers aspects propres à la société rurale et que, d'autre part, le villageois, même s'il n'a jamais quitté son village, est partiellement urbanisé grâce au commerce et aux communications de masse. Les statistiques ne peuvent évidemment pas révéler ce genre de phénomènes. Et, dans le cas du Québec, il faut, comme toujours, tenir compte des divisions ethniques.

Malgré l'exode rural massif des Canadiens français vers les villes tant du Québec que de la Nouvelle-Angleterre et de l'Ontario, le mythe d'un Canada français rural s'est maintenu jusqu'au 20e siècle. Pourtant, dès 1911, la moitié de la population du Québec était urbaine, si on utilise la nouvelle définition qui inclut toute agglomération de plus de 1 000 habitants. En 1931, 42% de la population d'origine française était encore rurale et au cours des dix années qui suivirent, le mouvement vers les villes se stabilisa puis régressa. Depuis la Seconde Guerre mondiale cependant, le mouvement a été tellement fort que plus de trois Canadiens français sur quatre vivent maintenant dans des villes. À ce chapitre du moins, les Canadiens français n'accusaient pas de retard vis-à-vis le reste du pays, puisque, en 1961, le Canada était encore rural à 41%.

Les données du recensement divisent les populations rurales selon qu'elles sont agricoles ou non agricoles. Ce dernier groupe vit à la campagne mais pas sur des fermes isolées, ce qui nous permet de penser qu'il est moins attaché à l'éthique rurale. Le roman de Ringuet, *Trente arpents*, décrit avec précision comment l'implantation de magasins fut une première étape importante de la migration de la ferme vers la ville. Entre 1951 et 1961, le rapport agricole/non agricole au sein de la population rurale a été renversé; en termes absolus, la population rurale n'a donc pas diminué mais sa nature a changé (voir tableau 6). Mais ce qui est plus important encore, c'est que la population urbaine a presque triplé depuis 1931.

Tableau 6
Répartion de la population d'origine française, 1931-1971

Année	*Rurale*		*Rurale agricole*		*Urbaine*		*Total*
	Nombre	*%*	*Nombre*	*%*	*Nombre*	*%*	
1931			945 000	42	1 325 000	58	2 270 000
1941	105 000	4	1 107 000	41	1 483 000	55	2 695 000
1951	522 000	16	714 000	21	2 091 000	63	3 327 000
1961	699 000	16	533 000	13	3 009 000	71	4 241 000
1971	755 000	16	285 000	6	3 719 000	78	4 759 000

Sources: Recensements du Canada: 1931, vol. I, tableau 35; *1941*, vol. II, tableau 30; *1951*, vol. II. tableau 46; *1961*, vol. I.3, tableau 121; *1971*, vol. I.3, tableau 3.

Malgré le déclin rapide de la collectivité agricole, la population rurale du Québec demeure canadienne-française à 90%, car son taux d'urbanisation a toujours été inférieur à celui des autres groupes ethniques. On trouvait jadis une importante population anglo-canadienne dans les régions rurales comme les Cantons de l'Est ou le comté de Pontiac, mais tel n'est plus le cas aujourd'hui et la population d'origine britannique n'est rurale qu'à 12%. Donc, bien qu'il soit périmé de qualifier la société canadienne-française de rurale, on peut dire que le Québec rural est canadien-français et que la collectivité, tant moderne que traditionnelle, manifeste encore un certain attachement à la terre.

La région métropolitaine de Montréal domine, certains diront déforme, l'ensemble du processus de l'urbanisation, car elle renferme près du tiers de la population du Québec et donne le ton à la vie culturelle et économique. Mais ce qui est encore plus important, c'est que Montréal est le point de rencontre des deux cultures; elle fut, dès le début, le centre économique des Anglo-Canadiens et elle conserva le titre de métropole économique du Canada jusqu'à ce que le capital américain fasse de Toronto le centre de la finance. La vie commerciale de Montréal a été modelée par les principales institutions économiques sous contrôle canadien — transports, assurances, banques — et qui, par le biais d'institutions telles l'Université McGill, l'ont dotée d'un milieu anglophone très puissant. Ceci est encore vrai, bien que, depuis 1911, la population d'origine britannique n'a jamais représenté plus du quart de la population montréalaise (voir tableau 7) et au cours des cent ans qui ont suivi le premier recensement, alors que la ville ne comptait que 144 000 habitants, elle est passée de 38% à 16%.

Tableau 7
Composition ethnique de Montréal (en %), 1871-1971

	1871	*1901*	*1911*	*1931*	*1941*	*1951*	*1961*	*1971**
Français	60	64	63	60	63	64	62	61
Britanniques	38	34	26	26	24	22	18	16
Juifs	—	2	5	6	6	5	4	5
Italiens	—	—	1	2	2	2	6	7
Polonais	—	—	1	1	1	1	1	1
Autres	2	—	4	5	4	6	9	10
Population totale (en milliers d'h.)	144,0	360,8	554,8	1 003,9	1 116,8	1 320,2	1 747,7	2 187,2

* Les données de 1971 incluent aussi l'île Jésus; les autres données ont trait à l'île de Montréal seulement.

Sources: N. Lacoste, *Les caractéristiques sociales de la population du Grand Montréal*, Montréal, 1958, p. 77; *Recensements du Canada: 1961*, vol. I.2, tableau 37; *1971*, vol. I.3, tableau 7.

Pour la majorité des Canadiens français, l'urbanisation signifiait en pratique la migration vers Montréal et impliquait plus qu'un simple échange entre les habitudes de vie rurale et celles de la vie urbaine: il leur fallait troquer la culture homogène française de la campagne pour le dualisme montréalais. Le nouveau citadin pouvait difficilement ignorer cette dualité, puisqu'il était attiré par des emplois dans des entreprises possédées et dirigées par des anglophones. Et puisque la mobilité économique et professionnelle des francophones était associée à leur capacité de parler anglais, on peut facilement comprendre que la majorité des Montréalais bilingues, soit plus d'un tiers de la population, sont des francophones (voir tableau 8). Montréal reste le plus important milieu, et peut-être désormais le seul, où les Canadiens français cohabitent avec une communauté anglophone importante. C'est aussi là que se trouve le centre du nationalisme canadien-français[1].

Tableau 8
Caractéristiques ethniques
et linguistiques de Montréal, 1971*

1. Origine ethnique	Brit.	Franç.	Italiens	Juifs	Autres
Nombre	351 465	1 333 150	154 345	113 395	234 795
% de la population	16	61	7	5	11
2. Langue officielle			Anglais	Français	Bilingues
Nombre			433 445	866 380	834 325
% de la population			19,8	39,6	38,1
3. Langue parlée à la maison			Anglais	Français	Autre
Nombre			572 675	1 383 785	230 690
% de la population			26,2	63,3	10,5
4. Langue maternelle			Anglais	Français	Autre
Nombre			494 950	1 382 325	309 875
% de la population			22,6	63,2	14,1

* Division de recensement de l'île de Montréal et de l'île Jésus: population totale de 2 187 150 h.

Sources: Recensement du Canada 1971, vol. I.3, tableaux 4, 20 et 28.

Au cours des dernières années, la composition ethnique de Montréal a changé; les « deux solitudes » n'en demeurent pas moins isolées et opposées, mais elles ne sont plus immuables, puisque la ville sera désormais « plus française ». On constate que depuis 1871 la proportion de la population d'origine française s'est maintenue entre 60 et 65% et que depuis 1930, une proportion toujours plus grande de la population ne parle que le français (29% en 1931; 40% en 1971). Même l'observateur peu averti peut constater des transformations qui se font sentir par une présence francophone accrue dans les arts, les communications et même les affaires. Un autre changement réside dans l'appartenance ethnique des groupes non francophones, qui étaient traditionnellement britanniques ou juifs (voir tableau 7); en 1941, ces deux groupes constituaient 80% de la population non francophone mais, dans les années 1950, avec l'afflux d'autres Européens (exception faite des Français), leur part est tombée à 53% et en 1961, les Italiens avaient supplanté les Juifs comme troisième groupe d'importance à Montréal. Mais la dualité linguistique persiste malgré ces modifications et depuis que les immigrants ont tendance à adopter l'anglais plutôt que le français, elle s'est accentuée, ce qui donne aux Canadiens français une autre raison de considérer Montréal à la fois comme le centre de leur nouvelle culture urbaine et le lieu de l'assimilation qui les menace.

Les autres villes de la province ne sont pas seulement plus petites mais aussi beaucoup plus francophones. Tout comme à Montréal, la structure ethnique influence le choix de la langue et, dans les villes plus petites comme Trois-Rivières et Québec, une proportion plus grande de la population est unilingue francophone. Ainsi, au Québec, les effets socio-culturels de l'urbanisation sont fonction de la ville où l'on émigre (plus précisément, dépendant que l'on s'installe à Montréal ou ailleurs).

D'autre part, il est évident que toutes les villes, influencent le choix de la langue d'usage: en 1961, la population rurale agricole d'origine française était unilingue à 95%, alors que la population rurale non agricole ne l'était qu'à 86% et la population urbaine à 69%. L'influence de la culture urbaine, qui touche inévitablement tous les ruraux, n'est pas que linguistique; elle entraîne aussi d'autres changements. Dans une étude menée dans les années 1930 sur une paroisse rurale, Horace Miner constatait une attitude plus ouverte à l'égard de l'éducation et il notait l'utilisation courante de mots anglais se rapportant à l'automobile, au commerce et à la politique, alors que la paroisse était pourtant unilingue francophone[2]. Les régions rurales plus isolées, celles qui ont été développées par la colonisation, échappent à ce phénomène mais non les plus prospères, qui sont économiquement et socialement axées vers les villes. La distinction rural/urbain s'atténue et si, comme le démontre Gérald Fortin, la société canadienne-française redevient homogène, cette fois elle est urbaine plutôt que rurale: « Si l'urbain depuis trois générations, à Montréal, vibre aux chansons de Gilles Vigneault, il ne faut pas oublier que le rural depuis dix générations, à Saint-Rédempteur, vibre à la musique des Beatles[3] ».

Éducation: renouveau et développement

Les principales caractéristiques du système d'éducation canadien-français d'antan — le secteur public limité uniquement au primaire, l'autorité religieuse, l'accent sur les arts et les professions libérales — différencient la culture canadienne-française de celle de l'Amérique du Nord, au même titre que la paroisse rurale. Si l'urbanisation sonne le glas de la vie agricole, elle n'altère pas profondément le système d'éducation, qui reste une institution vigoureuse et cohérente. Les changements, qui ne viendront que tardivement, seront plus subits et auront un plus grand impact. Le réexamen du système et sa réforme en profondeur n'arrivent qu'avec les années 1960, bien que le besoin se soit fait sentir avant d'assurer la gratuité scolaire après le primaire et d'offrir une éducation post-secondaire axée davantage vers les matières scientifiques et techniques. Les collèges classiques, affiliés aux diverses facultés des arts des universités, étaient très élitistes et ne donnaient à leurs élèves ni le goût ni les connaissances nécessaires pour poursuivre des études universitaires dans des domaines autres que les arts et les professions libérales. Le sous-développement scientifique des universités tant en équipement qu'en professeurs spécialisés les empêchait de remédier à cette situation. L'industrialisation fit réaliser à plusieurs que le retard des Canadiens français sur ce plan était déplorable et que le système d'éducation devait être réformé en profondeur.

Les lacunes du système étaient assez évidentes: en 1961, 50% seulement des jeunes âgés de 15 à 19 ans fréquentaient l'école et puisque cette donnée s'applique à l'ensemble du Québec, on peut affirmer que le taux était inférieur chez les Canadiens français. Dix ans plus tôt, ce taux n'était que de 30%. Ainsi, toujours en 1961, 86% des fermiers et des ouvriers agricoles avaient moins de neuf ans de scolarité, ce que l'on peut facilement attribuer à l'absence d'une politique d'instruction obligatoire avant 1943[4]. Un problème d'ordre plutôt qualitatif découlait du fouillis des cours et des options. Ainsi, à une époque, on a remis en question la valeur du baccalauréat ès arts et dans les années 1950, plusieurs voies différentes ouvraient les portes de l'université et des autres études post-secondaires. Le primaire et le secondaire constituaient deux systèmes totalement séparés. Mais ce sont surtout les collèges privés catholiques qui furent touchés par la réforme. En 1960, on en dénombrait 500, dont 100 (les collèges classiques) offraient un cours de huit années conduisant aux professions libérales et qui se répartissaient ainsi: soixante collèges réservés aux garçons, vingt séminaires et vingt collèges pour jeunes filles, dont un ardent défenseur a écrit, en 1951, qu'on y enseignait « la préparation à la vie familiale, la beauté du foyer, ses vertus et sa position unique dans la société[5] ». Les étudiants qui se dirigeaient vers la prêtrise et les professions libérales recevaient le même enseignement basé sur la philosophie thomiste, le latin, la religion et les lettres. Enfin, la qualité de la formation des maîtres laissait aussi à désirer. Si les trois quarts des enseignants étaient des laïcs, ils sortaient presque tous d'écoles normales dirigées par des religieux; en 1956-1957, 10% seulement des enseignants détenaient un diplôme de niveau post-secondaire et 33% avaient plus de 12 ans de scolarité, alors que du côté protestant, les taux étaient respectivement de 30% et 57%[6].

Comme l'a écrit J. Porter, le système d'éducation des années 1950 « était inapproprié à ce qu'allait devenir le Québec. Il était l'exemple frappant de l'échec de ses institutions[7] ». Il était d'ailleurs critiqué tant de l'intérieur que de l'extérieur de l'Église. La publication, en 1960, des *Insolences du Frère Untel* souleva la colère, beaucoup plus parce que c'était l'oeuvre d'un frère enseignant qu'à cause de la dénonciation des piètres méthodes pédagogiques; d'ailleurs, par la suite, la communauté expédia l'auteur à Rome afin d'y « parfaire ses études ». Il faudra attendre le printemps 1963 pour que la situation change. Les libéraux mettent alors en pratique les recommandations audacieuses de la commission Parent, du nom de son président, l'ancien recteur de l'Université Laval. Une fois mis en branle, le processus s'étalera sur une dizaine d'années.

Puisqu'il nous est impossible d'analyser en détail tous les changements survenus depuis cette époque, nous en retiendrons deux particulièrement intéressants. L'événement majeur a été, sans aucun doute, le remplacement du pouvoir de l'Église par celui de l'État; en 1964, le gouvernement crée le ministère de l'Éducation et met sur pied un comité consultatif unique, soi-disant non-confessionnel, qui remplace les deux comités distincts, catholique et protestant. Par le biais des commissions scolaires, la réforme atteint également le niveau local et régional, alors que les universités Laval et de Montréal se choisissent des recteurs laïcs et qu'elles se détachent, l'Université de Montréal en tête, de l'Église. Quant à l'Université du Québec et ses constituantes, fondée en 1968, elle n'a aucun lien avec l'Église. De plus, les collèges catholiques privés rivalisent maintenant avec les écoles secondaires publiques et les collèges d'enseignement général et professionnel (CEGEP). Enfin, un dernier indice de la déconfessionnalisation: la Corporation des instituteurs et institutrices catholiques est devenue successivement la Corporation des enseignants du Québec, puis la Centrale d'enseignement du Québec (CEQ), un syndicat hautement politisé et militant.

La déconfessionnalisation a donc touché tous les niveaux du système d'éducation. L'accessibilité à l'éducation post-secondaire et dans une moindre mesure sa réorientation constituent le second changement d'importance. À l'époque, on prévoyait que seulement 25% des cégepiens s'inscriraient dans le secteur donnant accès à l'université, les autres devant opter pour les programmes terminaux de formation professionnelle. En fait, les proportions furent inversées. La poussée inattendue d'inscriptions universitaires entraîna en 1968 des perturbations dans le nouveau système et la croissance rapide de l'Université du Québec. Les deux autres universités connurent également une forte expansion, principalement dans les programmes moins traditionnels. On accorda une attention particulière aux sciences sociales et à la technologie, mais il y avait un tel rattrapage à faire, tant au niveau des budgets que du corps professoral, que les débuts furent plutôt modestes. Ainsi, en 1959, seulement 8,5% des diplômés en sciences pures au Canada provenaient d'universités francophones; en 1967-1968, le budget de recherche de l'Université McGill était de 8 500 000$, alors que celui de l'Université de Montréal n'était que de 2 500 000$. Il faudra plusieurs années pour que la réforme modifie l'infrastructure d'un système vieux de cent ans et conçu en fonction des besoins particuliers d'un petit nombre d'étudiants.

Les Québécois sont de plus en plus scolarisés: entre 1960-1961 et 1970-1971, les inscriptions post-secondaires sont passées de 58 162 à 136 489 et au secondaire, le taux de fréquentation scolaire est passé de 75 à 94% chez les quinze ans, de 51 à 84% chez les seize ans et de 31 à 63% chez les dix-sept ans[8]. Cela se traduit par un accroissement considérable de la mobilité sociale en l'espace d'une seule génération. En 1962, une enquête réalisée auprès d'étudiants des universités francophones révélait que 50% d'entre eux provenaient d'une famille où le père n'avait pas dépassé la 8e année[9]. Dans un tel contexte, l'étudiant entretient des attentes très élevées quant à sa carrière et à ses futurs revenus; il interprète le slogan gouvernemental « Qui s'instruit s'enrichit » comme la promesse qu'une scolarisation poussée lui rapportera du prestige, de l'argent et un meilleur niveau de vie. Tous les gouvernements nord-américains ont fini par se rendre compte que l'expansion économique n'était pas suffisante pour répondre aux demandes des diplômés des écoles techniques et des universités. Le Québec s'est heurté au même problème, mais avec cette difficulté additionnelle que ses nouveaux diplômés aspirent à des emplois dans les secteurs traditionnellement réservés aux anglophones. Notons cependant que la fonction publique provinciale et, à un degré moindre, la fonction publique fédérale « biculturalisée » ont ouvert de nouvelles perspectives de carrière aux Canadiens français. Mais en dernière analyse, l'extension de la scolarisation aboutit à une remise en question de la structure même du développement économique.

La fin de la religion?

Que la constituante de l'Université du Québec à Montréal intègre à l'architecture de son nouveau campus le clocher d'une église paroissiale et que celle de Rimouski installe des bureaux dans un couvent rénové témoigne des changements qui se sont produits tant au sein de l'Église que dans le système d'éducation. La sécularisation d'une communauté jusqu'alors sous l'influence quasi absolue de l'Église est un indice très révélateur de changement social. Et puisque l'influence cléricale s'est exercée dans tous les secteurs de la société, il est normal que la sécularisation se manifeste aussi bien sur la scène politique que dans les syndicats, les services sociaux ou l'éducation. Nous signalerons donc quelques changements intervenus au sein des institutions de l'Église et des valeurs qui les sous-tendaient.

Au Québec, la force de l'Église résidait en partie dans sa capacité de recrutement, que ce soit dans les ordres ou dans les carrières connexes qu'elle contrôlait. Il ne faut pas oublier que l'Église était la seule institution à l'intérieur de laquelle les Canadiens français pouvaient avoir une mobilité sociale totale[10]. Grâce à ses six mille missionnaires répartis dans soixante-seize pays, soit presque autant de prêtres qu'au Québec, l'Église étendait de plus son pouvoir à l'étranger[11]. La diminution des vocations religieuses chez les jeunes, qui s'accentua après 1960[12], et le nombre élevé de prêtres défroqués qui toucha le Québec plus que tout autre pays, marquent cependant son déclin. La baisse des vocations peut sans doute s'expliquer autant par l'ouverture des carrières laïques que par un rejet formel de l'Église, elle ne se traduit pas moins par une diminution de l'influence du clergé.

Dans le passé, les Québécois s'étaient toujours montrés des pratiquants exemplaires; d'après une enquête de 1960, la récitation du chapelet à la radio par l'archevêque de Montréal faisait passer les cotes d'écoute de 5 000 à 118 000 auditeurs; 60% des fidèles montréalais assistaient régulièrement à la messe[13]. Mais déjà on décelait des changements de comportement; ainsi, une étude réalisée auprès des femmes d'une ancienne paroisse rurale, maintenant considérée comme une banlieue montréalaise, démontrait que même si les femmes âgées étaient plus pratiquantes que les jeunes, c'est le degré de contact avec la ville et non l'âge qui était la variable déterminante. Ainsi, les jeunes femmes travaillant au village étaient aussi pratiquantes que leurs aînées, alors que celles travaillant ou étudiant à Montréal avaient non seulement cessé de pratiquer mais rejetaient aussi toutes les valeurs traditionnelles. L'auteur de cette étude conclut: « Des valeurs essentiellement profanes, structurées par des institutions de plus en plus dégagées des cadres confessionnels et du personnel clérical s'installent progressivement[14] ».

Dans la société traditionnelle, les familles nombreuses jouissaient d'un grand prestige. Cela s'expliquait par le mode de vie rural, par la nécessité d'entretenir la ferme et par les sermons autoritaires des curés qui demandaient aux Canadiens français de combler l'absence d'immigration francophone par la revanche des berceaux. Tout ceci donna en effet un taux de natalité parmi les plus élevés jamais vu (64,5 pour mille en 1761-1770) et qui demeura exceptionnellement fort jusqu'au 20e siècle, alors que l'urbanisation fit remettre en cause le concept de la famille élargie[15]. Le Québec, qui avait toujours été la province canadienne avec le plus haut taux de natalité, se retrouve présentement au dernier rang: de 37,6 pour mille en 1921 (29,3 au Canada) à 30 pour mille à la fin des années 1940, le taux déclina à la fin des années 1950 et il tomba à 16 en 1969 puis à 13,8 en 1972, alors que le taux canadien était de 15,9. Le surpeuplement des villes, l'affaiblissement de la croyance religieuse et l'accès plus facile aux méthodes contraceptives expliquent en partie cette situation; mais il est possible, sans identifier les causes, d'affirmer que le rejet de la grande famille étendue mit fin définitivement à une des caractéristiques fondamentales du Canada français.

Nous aurions pu nous attarder sur d'autres variables du changement social, telles les modèles de communication, mais nos conclusions n'auraient pas été autres. Nous allons essayer de comprendre, dans les chapitres suivants, comment les changements sociaux se traduisent en termes politiques; cela nous permettra de mieux nous rendre compte de la crise qui confronte le Québec et le Canada actuels.

À la suite de son voyage d'études sur le continent nord-américain dans les années 1830, Alexis de Tocqueville écrivait que le Canadien français typique était « tendrement attaché à la terre qui l'a vu naître, au clocher de son village et à sa famille ». Dans son livre-manifeste, *Option-Québec*, René Lévesque décrit ses compatriotes comme des « citadins, employés, locataires. Les cloisons de la paroisse, du village ou du rang ont volé en éclats ». Le contraste entre ces deux observations est très éloquent en lui-même, mais les conclusions politiques que des hommes comme René Lévesque peuvent en tirer le sont encore plus.

Chapitre 5

La modernisation politique: le retard du Québec avant 1960

Nous avons déjà dit que le développement économique et social est habituellement accompagné de changements dans la vie politique, souvent décrits par l'expression « modernisation politique ». L'élargissement du champ des activités gouvernementales, qui se réalise habituellement au moyen d'une bureaucratie nombreuse et compétente, constitue le noeud de la modernisation politique. Comme nous l'avons vu, il y a plusieurs façons d'aborder le lien entre ces phénomènes. Par exemple, dans le cadre de certaines théories « fonctionnalistes », les deux processus sont vus comme des aspects d'un mouvement général vers une différenciation structurelle de plus en plus grande ou vers des systèmes de communication plus complexes. Une autre de ces théories soutient que l'industrialisation donne lieu à la formulation de demandes visant à une plus grande égalité, qui à leur tour entraînent l'expansion de l'État aux dépens des structures privées organisées hiérarchiquement. Et enfin, certains théoriciens attribuent l'expansion de l'État aux besoins changeants de la bourgeoisie capitaliste qui est à l'origine du développement économique et social. On peut penser que ces diverses théories s'appliquent aussi bien à une société fortement dépendante des forces politiques et économiques externes. On peut supposer, par exemple, que la dépendance pousserait les élites autochtones qui ont accès à l'État à tenter de trouver de nouvelles initiatives étatiques pour assurer un minimum d'autonomie.

Dans le cas du Québec, il semble que pendant longtemps, le processus de modernisation politique a accusé un retard par rapport au développement économique et social. Les spécialistes n'ont pas encore produit une histoire complète et systématique des institutions gouvernementales du Québec[1]. Mais il semble que durant la première moitié de ce siècle, le processus généralisé d'industrialisation et d'urbanisation ne fut pas accompagné d'une expansion des activités gouvernementales ou du développement d'une bureaucratie importante. On constate que l'État du Québec accroît son appui financier aux entreprises privées, mais on ne le voit guère réglementer ou intervenir directement. Notre première tâche est donc d'examiner ce « retard » et de tenter d'en découvrir les causes.

La portée limitée des activités gouvernementales

C'est dans le domaine économique que l'on aurait pu s'attendre à des initiatives gouvernementales au cours de cette période. Comme nous l'avons vu, la propriété et la gestion des industries étaient en grande partie entre les mains des Canadiens anglais et des Américains. Le gouvernement du Québec aurait pu intervenir pour corriger la situation, soit en nationalisant certaines entreprises, soit en réglementant leurs activités. Or, avant les années 1960, sauf rares exceptions, les élites gouvernementales n'ont recouru ni à l'une ni à l'autre de ces deux formes d'intervention. On prenait pour acquis que l'économie devait rester entre les mains du secteur privé; la responsabilité gouvernementale se limitait à aider les intérêts privés à poursuivre leurs propres buts. C'est ainsi qu'on renonçait même aux mesures qui étaient adoptées par d'autres provinces. Comme Hélène David l'a écrit: « Le régime de l'Union nationale (...) se caractérisa sur le plan socio-économique, par une politique qui excluait toute volonté de contrôler les initiatives de l'entreprise privée. Le gouvernement se déchargeait entièrement de la responsabilité du développement économique en se contentant de créer et de maintenir des conditions favorables à l'expansion sans entrave du capitalisme[2] ».

On penserait, par exemple, que la nationalisation de l'électricité aurait dû aller de soi. Après tout, la province voisine de l'Ontario (que les Canadiens français utilisent souvent comme point de comparaison dans leurs évaluations de l'économie québécoise) avait établi une entreprise hydro-électrique publique en 1905. Plusieurs autres provinces avaient suivi l'exemple. Les gouvernements du Québec se montraient cependant très réticents. Bien sûr, Adélard Godbout, en nationalisant la compagnie Montreal Light, Heat and Power en 1944, avait jeté les bases d'Hydro-Québec. Mais l'Union nationale de Maurice Duplessis, qui dirigea la province de 1936 à 1939 et de 1944 à 1960, s'opposa vigoureusement à cette politique et refusa de nationaliser toute autre entreprise hydro-électrique. En 1955, les trois quarts de la production d'électricité provenaient encore de compagnies privées[3]. Ainsi, le Québec s'abstenait de suivre les autres provinces même dans des expériences aussi restreintes de propriété publique.

Quant aux pouvoirs de réglementation, il n'y a pas lieu de croire, du moins sous Duplessis, qu'ils furent sérieusement utilisés pour modifier le comportement des compagnies privées. On ne jugeait pas utile de distinguer les intérêts de la population — ou même du gouvernement — de ceux de l'entreprise privée. Ne disposant pas des structures administratives nécessaires, le gouvernement pouvait par ailleurs difficilement surveiller les prix pratiqués dans les services publics. Et plusieurs exemples de « négociations » nous laissent penser que le gouvernement était par trop prêt à se rendre aux arguments de l'entreprise privée. En 1950, Duplessis concédait à une compagnie américaine l'exploitation des gisements de fer de l'Ungava pour des redevances d'environ 1 cent la tonne alors que Terre-Neuve exigeait 33 cents la tonne pour une exploitation similaire située au Labrador, tout près de celle du Québec[4]. De toute évidence, dans ce cas-là, le gouvernement n'avait pas su tirer profit de sa position.

Dans le domaine social, divers gouvernements adoptèrent des lois visant, du moins en apparence, l'amélioration des conditions de travail. Bien que très semblables à celles des autres provinces, ces lois furent généralement adoptées plus tard et elles étaient souvent moins favorables aux travailleurs. Ainsi, la création du ministère du Travail remonte à 1917 en Colombie-Britannique, à 1919 en Ontario et à 1931 au Québec; le Manitoba et la Colombie-Britannique légiférèrent sur le salaire minimum pour les femmes en 1918, le Québec les imita un an plus tard; l'Ontario accorda des vacances payées en 1944, le Québec le fit en 1946[5]. On peut penser que de telles mesures ne soulevaient pas beaucoup d'opposition dans les milieux d'affaires — compte tenu des nombreux précédents dans les autres provinces. (On peut se demander d'ailleurs dans quelle mesure ces politiques étaient vraiment appliquées).

Le gouvernement a par contre joué un rôle très actif vis-à-vis du mouvement syndical. Particulièrement sous Duplessis, il s'est employé à contrecarrer les activités des syndicats et à réduire leur pouvoir. En 1954, Duplessis fit adopter une loi en vertu de laquelle le gouvernement aurait le droit de révoquer l'accréditation de syndicats qui « toléraient des communistes » ou qui « menaçaient de faire la grève dans le secteur public ». Cette loi comportait une clause de rétroactivité qui rendait possible la révocation d'accréditation de syndicats jugés trop agressifs et elle fut largement utilisée à cette fin[6]. De plus, on eut recours à plusieurs occasions à la Sûreté du Québec pour briser des grèves déclarées illégales. (La grève de l'amiante en 1949 en est l'exemple le plus notoire[7].) On ne peut pas dire que par ce genre d'intervention le gouvernement s'affirmait en tant qu'acteur autonome. Il agissait plutôt en fonction du principe voulant que l'initiative revienne aux entreprises privées; en conséquence, les syndicats qui remettaient en question ce principe devaient être supprimés. Le gouvernement n'aspirait nullement à faire valoir sa propre vision des relations industrielles et à réconcilier les intérêts opposés du monde des affaires et du monde du travail. Dans des cas comme celui de la grève de l'amiante, il acceptait automatiquement la définition de la situation que lui donnait l'entreprise privée.

Le laisser-faire des gouvernements d'avant 1960 est encore plus évident dans les domaines de l'éducation, de la santé et du bien-être. Nous avons déjà vu comment cela fut le cas pour l'éducation. Le secteur névralgique de l'enseignement privé relevait entièrement de l'autorité religieuse et était donc hors de la portée du gouvernement; même dans le secteur de l'enseignement public, les fonctionnaires partageaient les responsabilités avec le clergé. L'abolition du ministère de l'Éducation en 1875 devait assurer le contrôle de l'Église sur les institutions privées — les collèges classiques et les universités. Quant au secteur public, le contrôle gouvernemental fut sérieusement limité par le Conseil de l'instruction publique qui remplaça le ministère de l'Éducation. Le Conseil se réunissait rarement; ce sont surtout ses deux comités, l'un catholique et l'autre protestant, qui se réunissaient et encore ils se réunissaient séparément. Le comité catholique, composé à 50% d'évêques, exerçait le contrôle sur la pédagogie et les programmes scolaires. (Le gouvernement ne s'occupait que de fournir les facilités matérielles.) Et comme toutes les écoles publiques étaient confessionnelles — catholiques ou protestantes — l'Église fut en mesure de déterminer le contenu de l'éducation dispensée à la grande majorité des francophones. Ce refus par le gouvernement d'assumer l'entière responsabilité des écoles publiques distingue nettement le Québec d'avant 1960 des autres provinces.

La même situation prévalait dans les domaines de la santé et du bien-être. Dans ces domaines, on découvre les premières traces d'intervention gouvernementale dans la loi de l'assistance publique de 1921, qui prévoyait des subventions aux institutions privées fournissant des soins aux nécessiteux et un toit aux indigents. Tout en les rendant davantage accessibles, cette loi renforçait la situation financière de ces institutions; l'État ne jouait qu'un rôle secondaire de soutien[8]. Qui plus est, pour rassurer le clergé contre toute intervention de l'État, en 1925 on apporta l'amendement suivant à la loi: « Dans l'application de ces règlements, comme dans le fonctionnement de la présente loi, lorsqu'il s'agit de communautés religieuses catholiques, rien ne pourra préjudicier aux droits de l'évêque sur ces communautés, ni à leurs intérêts religieux, moraux et disciplinaires[9] ». Les craintes de l'Église s'avérèrent de toute façon sans fondement.

Comme on peut s'y attendre, étant donné la portée limitée des activités gouvernementales, les structures administratives étaient peu développées. Jusqu'en 1960, les structures étaient très décentralisées, plutôt faibles et ne fonctionnaient pas d'après un système bien défini[10]. De plus, on comptait très peu de spécialistes qui auraient pu prendre des décisions relativement autonomes. Avant 1960, la fonction publique comptait un nombre important d'avocats et d'ingénieurs, mais moins de 12 économistes, quelques statisticiens et pratiquement aucun sociologue[11]. En règle générale, les hauts fonctionnaires étaient nommés sur la base de critères politiques et on ne connaissait aucun système réel d'évaluation du personnel. Il était donc relativement facile pour le parti au pouvoir de distribuer les faveurs qui assuraient sa réélection. C'était le système du « patronage » généralisé.

En résumé, la modernisation politique accusait un « retard » sur le développement socio-économique. Les activités et les structures gouvernementales n'étaient pas aussi développées qu'on aurait pu s'y attendre, compte tenu de ce qui se faisait dans des provinces comme l'Ontario, par exemple. 

Le rôle de l'idéologie nationaliste

L'une des explications les plus courantes de ce « retard » renvoie à l'idéologie dominante du Canada français. On fait valoir que jusqu'aux années 1950, le nationalisme a maintenu la plupart des postulats traditionnels au sujet de la nature et des besoins de la « nation ». L'idéologie aurait entravé l'expansion de l'État en dépit des répercussions économiques ou sociales[12].

Le postulat central de l'idéologie traditionnelle était que la « nation » était essentiellement agraire. La véritable expression de l'identité canadienne-française se situait au niveau de la communauté paroissiale. L'industrialisation et l'urbanisation incarnaient des valeurs étrangères et ne pouvaient qu'affaiblir la nation. Même au moment où il ne décrivait plus la réalité sociale à laquelle la plupart des Canadiens français étaient confrontés, ce mythe agricole persista chez certains intellectuels nationalistes. En 1941, seulement 35% de la population du Québec vivait dans des régions rurales et moins de 30% vivait de l'agriculture; les forces de l'urbanisation et de l'industrialisation devenaient manifestement irréversibles. Cela n'empêchait pas Richard Arès, prêtre nationaliste, d'écrire en 1943: « Par atavisme, par vocation aussi bien que par nécessité, nous sommes un peuple de paysans. Tout ce qui nous détourne de la terre nous diminue, nous affaiblit comme peuple, nous prépare au métissage, à la duplicité et à la trahison[13] ». Dans la même veine, en 1956, la commission Tremblay sur les problèmes constitutionnels, déclarait dans son rapport: « La consolidation et l'expansion à l'extrême limite de l'agriculture s'impose comme article premier d'un programme de restauration et de stabilisation sociales. L'histoire le montre: tout pays qui laisse rompre l'équilibre entre l'agriculture et l'industrie s'expose à de graves désordres économiques et sociaux. Cet enseignement, les Canadiens français doivent d'autant plus le retenir qu'ils doivent à l'agriculture et aux modes ruraux d'organisation et de vie leur survivance nationale[14] ». Dans ce contexte, il était plutôt difficile pour un nationaliste de s'intéresser sérieusement aux problèmes que devait confronter la masse des Canadiens français vivant dans les villes.

Qui plus est, plusieurs observateurs soutiennent que dans la mesure même où s'est développée une préoccupation des problèmes sociaux urbains, l'idéologie traditionnelle allait à l'encontre de l'idée de l'intervention de l'État dans ces secteurs[15]. L'idéologie nationaliste traditionnelle entretenait en effet beaucoup de méfiance à l'égard de l'État, et cela incluait aussi le gouvernement provincial, qui était un rejeton de l'héritage anglo-saxon. Il était plus rassurant et plus conforme aux traditions de se fier aux institutions canadiennes-françaises, particulièrement l'Église, pour régler les problèmes sociaux. Sur ce point aussi, l'influence de l'idéologie traditionnelle était considérable. Dans le cas de l'éducation, de la santé et du bien-être, secteurs où le retard de modernisation politique était particulièrement aigu, il semble que plusieurs intellectuels canadiens-français ont partagé cet anti-étatisme jusque durant les années 1950. Le rapport de la commission Tremblay soutenait que l'État ne devait assumer qu'un rôle supplétif dans les programmes de bien-être social. Reconnaissant « la préférence accordée par l'opinion publique à l'initiative privée, et qui explique la collaboration généreuse et empressée du peuple à l'édification d'un système privé d'institutions et de services sociaux qui est peut-être le plus vaste de l'Amérique du Nord », la commission affirmait que: « la conception canadienne-française de l'assistance sociale basée sur le triple fondement de la famille, des mutualités et de l'Église a été assez souple pour répondre aux besoins créés par l'émergence successive des types de famille pionnière, rurale et urbaine et, avec l'aide de l'État, aux situations nouvelles nées de l'industrialisation et de l'urbanisation[16] ».

Quelques nationalistes furent cependant plus ouverts à l'intervention de l'État en matière économique, mais ils étaient une minorité. Durant les années 1930, un groupe d'intellectuels laïques préparèrent, sous les auspices de l'École sociale populaire, un document intitulé *Programme de restauration sociale*[17]. Ce programme fut adopté par l'Action libérale nationale (mouvement politique composé de nationalistes et de dissidents libéraux qui fit front commun avec les conservateurs lors de l'élection de 1935; ils remportèrent quarante-deux sièges, mais par la suite ils furent absorbés par les conservateurs pour former l'Union nationale[18]). Tout en accordant la priorité aux problèmes du Québec rural, l'ALN se montrait très sensible aux problèmes des milieux urbains. Afin de réduire le pouvoir des « trusts » anglo-saxons, le programme préconisait la création d'une entreprise publique pour développer les ressources hydro-électriques inexploitées, et envisageait la nationalisation des compagnies privées d'électricité. On allait même jusqu'à proposer la création de sociétés d'État qui pourraient concurrencer le secteur privé dans les domaines du charbon, de l'essence et du pain. Les observateurs ont souvent tendance à minimiser l'importance de ce programme sous prétexte qu'il n'exigeait pas la nationalisation des entreprises privées[19]. D'autres cependant y virent une percée importante; Herbert Quinn pour sa part n'hésite pas à le qualifier de radical[20]. Peu importe la pertinence du terme, il semble bien qu'il y a eu à cette époque des nationalistes qui n'étaient pas réfractaires à l'intervention de l'État pour défendre les intérêts des Canadiens français. Le programme du Bloc populaire, au début des années 1940, est encore plus révélateur[21]. Bien que l'objectif premier du Bloc était de s'opposer à la conscription, son aile provinciale, dirigée par André Laurendeau, se préoccupait également des questions économiques et sociales. Tout en voulant sauvegarder les droits sacrés de la famille, il préconisait une intervention accrue de l'État dans l'économie. Il recommandait des mesures de contrôle plus strictes à l'endroit des entreprises privées grâce à des commissions gouvernementales. Le programme allait plus loin en demandant la nationalisation de l'électricité, du téléphone et de l'importation du pétrole et du charbon. Qui plus est, Maxime Raymond, chef du Bloc populaire, déclarait: « Cette liste n'est pas nécessairement restrictive[22] ».

Cependant, seule une minorité d'intellectuels nationalistes appuyaient ces programmes. Une étude minutieuse des journaux et des revues nationalistes entre 1934 et 1936 montre que la majorité des intellectuels nationalistes n'appuyèrent pas l'ALN et ne participèrent pas à sa campagne électorale[23]. Cette indifférence relative peut aider à expliquer la facilité avec laquelle Duplessis put laisser tomber le programme de l'ALN et absorber cette dernière dans l'Union nationale. Le même apolitisme[24] des intellectuels nationalistes explique sans doute également l'incapacité du Bloc populaire à participer à plus d'une seule élection provinciale.

Il semble donc que même au cours des années 1930 et 1940, les nationalistes affichaient encore des positions traditionnelles sur la nature de la nation et sur le rôle du gouvernement. La quasi-totalité des intellectuels nationalistes n'admettaient pas le principe de l'intervention de l'État en matière de santé, de bien-être et d'éducation. Et la plupart d'entre eux refusaient même d'appuyer l'idée d'une plus grande intervention de l'État dans l'économie, c'est-à-dire là où il aurait pu contribuer à « libérer » la nation canadienne-française de la domination « étrangère ».

La persistance des valeurs traditionnelles chez les nationalistes, même en période de changement profond, a été interprétée de diverses façons. Pour certains, les nationalistes ont maintenu ces attitudes parce qu'elles servaient les intérêts de leur classe et rehaussaient leur prestige[25]. Dans le cas des élites religieuses, l'agriculturisme et l'anti-étatisme auraient effectivement pu servir à cette fin. Le clergé avait incontestablement un très grand pouvoir dans les régions rurales et il avait de bonnes raisons de résister à l'intervention de l'État dans les secteurs qu'il contrôlait. L'explication tient moins bien pour les nationalistes laïques, puisque l'urbanisation ne remettait pas leur pouvoir et leur statut social directement en question; malgré leur défense de l'agriculture, ils étaient pour la plupart des citadins de longue date. L'expansion des activités gouvernementales aurait de toute évidence été à leur avantage. Il devait y avoir d'autres motifs à leur attachement aux valeurs traditionnelles, d'autant plus que l'idéal agraire s'avérait intenable.

Une explication possible, c'est que, handicapés par leur isolement culturel, les intellectuels auraient tout simplement été incapables d'élaborer des modèles de société mieux adaptés aux transformations socio-économiques que connaissait le Québec. Le Canada français partageait encore les valeurs qui avaient donné naissance à la Nouvelle-France, puisque la Conquête l'avait coupé du courant idéologique français et que sa langue l'avait mis à l'abri de l'idéologie libérale dominante en Amérique du Nord. Le Canada français était toujours prisonnier du système de croyances en vertu duquel on avait fondé la Nouvelle-France. Le développement des moyens modernes de communication aurait éventuellement permis aux nouvelles idéologies de pénétrer cette « culture de fragment » mais durant les années 1930 et 1940, la plupart des intellectuels n'avaient encore d'autre modèle social que celui de la Nouvelle-France. Pour André-J. Bélanger, c'est cette persistance de la culture de fragment qui explique l'indifférence de plusieurs nationalistes à l'égard de l'Action libérale nationale. Conscients des dangers de l'urbanisation et de l'industrialisation pour les valeurs et les institutions canadiennes-françaises, ils ne voyaient pas comment le gouvernement du Québec (qui reposait sur des valeurs anglo-saxonnes) pouvait protéger la nation canadienne-française. Seule une monarchie de type « pré-absolutiste », conforme au modèle social hérité de la Nouvelle-France, aurait pu répondre à leurs attentes. En l'absence d'institutions politiques légitimes, les intellectuels n'étaient pas tant anti-étatistes qu'apolitiques[26].

D'autres explications voient l'idéologie traditionnelle comme un produit direct de la Conquête. Selon Michel Brunet, l'agriculturisme compensa l'incapacité des Canadiens français à exercer des activités économiques désormais réservées aux Britanniques: « Parce qu'ils n'avaient pas pu se diriger vers les autres domaines de l'activité économique, les Canadiens français ont nourri un amour déréglé de l'agriculture. Ils ont voulu maintenir coûte que coûte, l'ancien ordre social rural et communautaire qui leur avait servi de refuge après la Conquête. Ils avaient acquis une conception diminuée de la vie et de l'économie [...] Obligés de se faire colons et paysans, ils ont conclu — ou plutôt leurs dirigeants ont conclu pour eux — qu'ils avaient une vocation agricole[27] ». En conséquence, les Canadiens français ont succombé à l'anti-étatisme clérical et n'ont pas tenu compte du rôle que le gouvernement provincial aurait pu jouer en leur nom. Dans la même veine, Pierre Harvey a soutenu que la Conquête a provoqué un traumatisme collectif commun à tous les peuples conquis. Les Canadiens français ont tenté d'y remédier en rejetant les valeurs des conquérants britanniques et en valorisant à l'excès tous les traits qui les distinguaient de ces derniers. C'est ainsi que les Canadiens français devinrent fermement attachés à l'agriculture et au catholicisme. Ayant tant investi à faire valoir l'identité traditionnelle, il fut difficile pour les nationalistes d'abandonner cette idéologie, même devant l'urbanisation et l'industrialisation du vingtième siècle. Harvey affirme que, même durant les années 1960, certains voyaient le commerce et l'industrie comme des activités illégitimes pour les Canadiens français[28].

Somme toute, on peut trouver plusieurs façons d'expliquer comment l'idéologie traditionnelle réussit à maintenir son influence sur les intellectuels nationalistes. Mais quelle que soit l'explication idéale, il est bien évident que ce traditionnalisme ne peut expliquer à lui seul l'absence relative de modernisation politique. La première difficulté qui surgit est que la doctrine nationaliste ne fut pas la seule influence qui s'exerça sur les leaders gouvernementaux du temps. Cela s'applique même à Maurice Duplessis, qui a dominé la scène politique pendant plus de deux décennies, détenant le pouvoir de 1936 à 1939 et de 1944 à 1959 et qui s'est lui-même identifié au nationalisme canadien-français. Il semble que Duplessis se contenta simplement de choisir parmi les thèmes nationalistes ceux qui serviraient le mieux ses fins du moment. Si durant les années 1940 et 1950 il se fit le champion de l'autonomie provinciale, il en avait été autrement lorsqu'il était chef de l'opposition au début des années 1930. Il avait alors fortement critiqué le premier ministre Alexandre Taschereau, qui avait refusé, au nom de l'autonomie provinciale, de participer au programme fédéral de pensions de vieillesse[29]. Qui plus est, durant les années 1930, Duplessis s'était associé aux nationalistes qui voulaient que l'État joue un plus grand rôle. En 1935, lors de l'alliance avec l'Action libérale nationale, Duplessis endossa le programme de l'ALN, y compris la nationalisation de l'électricité. Ce n'est qu'une fois devenu premier ministre qu'il refusa d'aller de l'avant avec ce projet, à la consternation de plusieurs de ses partisans. Un de ceux-ci, René Chaloult, rapporte les propos que lui tint alors Duplessis: « Tu n'es pas un enfant; à ton âge, tu devrais comprendre qu'un programme c'est bon avant les élections et les élections sont terminées[30] ». Il est certain que l'ambivalence des intellectuels nationalistes traditionnels en rapport avec le rôle de l'État a aidé Duplessis à éviter de telles mesures. Cette ambivalence nous aide à expliquer le « retard » de la modernisation politique, mais elle ne peut entièrement expliquer le refus d'agir de Duplessis. Par ailleurs, d'autres groupes réclamaient aussi un plus grand rôle de l'État. Pourquoi le régime de Duplessis n'a-t-il pas répondu à leurs attentes?

Pluralisme de l'intelligentsia du Québec

Ce n'est pas toute l'intelligentsia du Québec qui a adhéré au nationalisme traditionnel; les idées libérales aussi ont eu un certain nombre d'adeptes. Une analyse systématique du contenu de *La Presse,* du *Canada* et d'autres grands journaux de langue française révèle que dès le tournant du siècle, il y avait un certain nombre d'intellectuels, pour la plupart des journalistes, qui s'étaient résolument engagés du côté du développement économique et technique; ils accueillaient l'industrialisation avec enthousiasme et souhaitaient même la voir s'accélérer. Plusieurs d'entre eux endossaient également le laisser-faire du libéralisme classique et condamnaient le favoritisme qui affectait le bon fonctionnement de l'État québécois. Mais, contrairement aux intellectuels nationalistes de l'Action française ou de l'Action nationale, ils n'étaient nullement consternés par les transformations socio-économiques. On a donc trop souvent pris pour acquis que l'ensemble de l'intelligentsia québécoise, plutôt que des groupes religieux et universitaires particuliers, endossaient l'idéologie « officielle » du nationalisme conservateur[31].

À partir des années 1950, toute une série de groupes au sein de l'intelligentsia québécoise partageaient cet idéal du développement et remettaient en cause les postulats « officiels » relatifs au rôle de l'État québécois. Pierre Elliott Trudeau et ses collègues de *Cité libre* ont vigoureusement attaqué les conceptions traditionnelles de l'autorité politique, proclamant leur croyance libérale en la capacité du gouvernement d'agir à titre d'agent de la volonté populaire. Une fois que les Canadiens français auraient été amenés à voir le gouvernement en fonction de critères laïques et plus éclairés, le gouvernement, prétendait-on, serait encore plus en mesure d'agir en tant qu'instrument du progrès socio-économique et l'expansion de son rôle s'en suivrait[32]. Certains prêtres, comme Gérard Dion et Louis O'Neill, condamnaient la corruption politique et tentaient d'établir une nouvelle moralité fondée sur les valeurs libérales[33]. Les années 1950 ont également vu les jeunes intellectuels se préoccuper davantage des problèmes que le développement socio-économique posait pour les francophones. Les institutions d'enseignement comme l'École des sciences sociales de l'Université Laval ainsi que des associations volontaires catholiques comme la Jeunesse étudiante catholique et la Confédération des travailleurs catholiques du Canada, ont joué un rôle capital à cet égard. C'est de ces milieux que sont issues une nouvelle « conscience sociale » et la croyance que seule l'intervention du gouvernement peut réduire les tensions produites par le développement[34].

Plusieurs de ces modernisateurs ne se sont pas intéressés uniquement à l'État du Québec: ils ont aussi rejeté l'attitude de méfiance que les nationalistes traditionnels avaient entretenu à l'égard du gouvernement fédéral. En fait, un grand nombre d'entre eux ont catégoriquement nié l'importance de la nation. Pour certains, la « classe » est plus importante que la « nation ». Pour d'autres, comme Trudeau, l'individu est plus important que la collectivité. Dans le cadre de l'une ou l'autre de ces perspectives, on pouvait accepter l'idée que les initiatives viendraient d'Ottawa. Le fait que le gouvernement fédéral de l'après-guerre était profondément engagé dans de grands projets socio-économiques, alors que le gouvernement provincial ne l'était pas, a eu pour conséquence de rendre le gouvernement fédéral beaucoup plus attrayant aux yeux de plusieurs de ces modernisateurs. Ce qui ne les empêchait pas de demander au gouvernement provincial québécois d'assumer plus de responsabilités; bon nombre de ceux qui se sont tournés vers Ottawa ne l'ont fait que par frustration devant la passivité du gouvernement provincial. Par contre, une partie de l'intelligentsia, représentée par trois historiens de l'Université de Montréal, Maurice Séguin, Guy Frégault et Michel Brunet, a explicitement combiné la nouvelle conception laïque de l'État avec les attitudes nationalistes traditionnelles à l'égard du gouvernement fédéral. Pour eux, le Québec et seul le Québec peut être chargé de la tâche de défendre les intérêts des francophones du Québec[35].

Les élites socio-économiques canadiennes-françaises

À part l'intelligentsia, d'autres élites francophones se sont montrées favorables à un rôle plus actif de la part de l'État québécois. Il y a lieu de croire, par exemple, que certains membres de la faible élite commerciale et industrielle canadienne-française auraient souhaité des initiatives en ce sens. Disposant de peu de capitaux et contrôlées par les membres d'une seule famille, les petites entreprises canadiennes-françaises étaient de moins en moins capables de concurrencer les grandes entreprises américaines et canadiennes-anglaises. Menacées de faillite ou risquant d'être absorbées par d'autres entreprises, elles ont souvent eu recours à des organismes comme les chambres de commerce pour demander au gouvernement du Québec de les aider à canaliser les sources de capital autochtone[36]. Ces hommes d'affaires réclamaient également une plus grande coordination des politiques économiques. À cette fin, ils préconisaient la création au sein du gouvernement d'un conseil composé entre autres de représentants du monde des affaires qui ferait des recommandations en matière économique[37].

L'élite syndicale a également été favorable à un État québécois plus interventionniste. En réclamant toute une série de programmes gouvernementaux destinés à corriger les « abus » et les « insuffisances » du capitalisme. Dès le début des années 1950, la Confédération des travailleurs catholiques du Canada et l'aile québécoise du Congrès canadien du travail demandaient d'établir un système d'assurance-maladie aussi bien que d'autres programmes de soins médicaux et de sécurité sociale. Les chefs syndicaux se montraient critiques à l'égard du système d'éducation, affirmant que seule une intervention de l'État pourrait augmenter les chances d'avancement des jeunes francophones. Mais ils critiquaient le gouvernement surtout pour son rôle passif dans le développement des ressources naturelles: dans les secteurs miniers et forestiers, ils dénonçaient les conditions trop favorables consenties aux entreprises américaines; pour le secteur hydro-électrique, ils réclamaient la création d'une entreprise publique. Les syndicats exigeaient par ailleurs des règlements plus sévères dans le domaine des conditions de travail et dénonçaient régulièrement les pratiques du gouvernement en matière de relations ouvrières[38].

Un grand nombre d'associations volontaires et d'organisations professionnelles s'entendaient avec les syndicats sur la nécessité de ces réformes. Jean-Louis Roy commente en ces termes les interventions de ces groupes: « Cette incapacité d'ajuster l'État et l'ensemble des politiques sociales à la réalité urbaine et industrielle de la société québécoise affecta l'ensemble du corps social et des centaines de milliers de Québécois furent et sont demeurés sous-équipés pour vivre décemment au sein de l'abondance, voire même du gaspillage. Cependant (...) le témoignage de nombreux groupes contre cette irresponsabilité de l'État et la situation sociale qui en fut le fruit pourri laisse apparaître une volonté de réforme et de responsabilité[39] ».

Bien entendu, dans le clergé et chez les intellectuels traditionnels la résistance à ces réformes pouvait être d'autant plus forte que l'influence de ces élites était encore considérable. Mais ce qui frappe durant le régime de Duplessis et qui ne s'était pas produit durant les administrations libérales précédentes de Taschereau et de Godbout, c'est que ces élites traditionnelles n'ont pas eu besoin d'avoir recours à leur influence: le régime n'a tout simplement pas tenté de les affronter.

Les événements de la Révolution tranquille ont démontré que le gouvernement du Québec, désormais déterminé à jouer un plus grand rôle, fut en mesure de surmonter la résistance des forces traditionnelles. En fait, la preuve avait déjà été faite au début des années 1940, alors que le gouvernement Godbout avait adopté plusieurs politiques qui avaient fait l'objet d'une vive opposition de la part de l'Église, comme l'instruction obligatoire et le droit de vote pour les femmes aux élections provinciales. Dans une lettre adressée à ses évêques, le cardinal Villeneuve reconnaissait ouvertement l'incapacité de l'Église d'empêcher de telles initiatives étatiques. Dans le but de persuader les évêques d'appuyer le projet d'instruction obligatoire, le cardinal écrivait: « Il le faut. D'abord, je connais bien M.

Godbout et M. Perrier. Ce sont des hommes intelligents, estimables, *têtus*. Ils ont promis et se sont promis de faire aboutir cette réforme. Ils ont réussi à introduire le vote des femmes malgré nous. Ils finiront par établir l'instruction obligatoire malgré nous, si nous nous y opposons[40] ». La détermination politique dont parlait le cardinal Villeneuve a manifestement fait défaut sous le régime Duplessis.

Les élites industrielles canadiennes-anglaises et américaines

Le pouvoir et les intérêts des élites économiques canadiennes-anglaises et américaines ont souvent été invoqués pour expliquer l'inertie de Duplessis à promouvoir l'État du Québec. Les liens qui existaient entre l'Union nationale et ces élites auraient constitué un obstacle à toute intervention gouvernementale dans l'économie et peut-être même dans les affaires sociales, puisque des mesures dans ces domaines auraient impliqué une majoration d'impôt pour les entreprises. D'autre part,les arguments utilisés par Duplessis contre l'intervention de l'État dans l'économie ne relevaient pas de l'anti-étatisme conservateur des intellectuels nationalistes mais du laisser-faire des milieux d'affaires.

Le lien qui existait entre le gouvernement et le monde des affaires constituait une vieille tradition dans la vie politique du Québec. En fait, pour faciliter les choses, le trésorier provincial était habituellement un anglophone qui faisait partie du milieu financier montréalais. Il était très souvent choisi par la Banque de Montréal[41]. Les premiers ministres siégeaient très souvent aux conseils d'administration de plusieurs compagnies privées. Il convient de noter à ce propos la participation de Louis-Alexandre Taschereau au conseil d'administration de la Sun Life. Afin de justifier son refus de nationaliser les compagnies hydro-électriques, le premier ministre faisait valoir que la nationalisation nuirait aux intérêts des titulaires de police des compagnies d'assurance qui avaient investi dans ces compagnies: « Allons-nous dire que nous allons faire perdre cet argent aux actionnaires et aux obligataires? Non! Une telle Hydro n'est pas possible[42] ». La Sun Life était l'une des compagnies d'assurance qui avaient investi dans les compagnies hydro-électriques. Après avoir remporté de justesse les élections de 1935, le gouvernement libéral interdit officiellement aux membres du cabinet de siéger au conseil d'administration de compagnies traitant avec lui. (Taschereau lui-même abandonna son poste de premier ministre et fut remplacé pour le restant de l'année par Adélard Godbout.) Mais les deux partis continuaient à entretenir des liens avec les intérêts privés.

Après avoir repris le pouvoir en 1944, Duplessis rompit avec la tradition et nomma un Canadien français au poste de trésorier provincial; il n'en conserva pas moins des liens étroits avec l'élite économique anglophone de Montréal. Dans le livre qu'il lui a consacré, Conrad Black montre que Duplessis entretenait des liens d'amitié étroits avec J.W. McConnell, propriétaire du *Montreal Star* et doyen du monde des affaires de Montréal, et avec John Basset, propriétaire du *Montreal Gazette*, avec qui il déjeunait régulièrement. Duplessis était en aussi bons termes avec la plupart des dirigeants d'entreprises canadiennes-anglaises et américaines du Québec; ces derniers lui rendaient visite ou lui écrivaient régulièrement. Ces liens reflétaient un partage de responsabilités: Duplessis jouissait de toute l'autorité pour la gestion des affaires politiques de la province et les leaders anglophones du monde des affaires étaient entièrement libérés de l'intrusion du gouvernement dans la gestion de leurs entreprises ou de l'intrusion des chefs syndicaux. L'alliance entre l'Union nationale et le monde des affaires anglophone reposait sur le respect qu'inspirait à chacun la capacité de l'autre à contrôler sa sphère d'influence[43]. On ne s'étonne pas de ces liens quand on sait que les deux partis dépendaient essentiellement des grandes entreprises pour financer leurs campagnes électorales. Herbert Quinn rappelle que l'Union nationale ne fit jamais de campagne publique de financement; elle tirait principalement ses fonds des différentes compagnies à qui elle avait accordé des contrats ou des concessions pour l'exploitation de ressources naturelles. Ces fonds contribuaient grandement à ses succès électoraux. L'attribution d'emplois et de services gouvernementaux en guise de récompense à certains électeurs n'était pas suffisante. Quinn prétend que les campagnes de l'Union nationale durant les années 1950 entraînaient des dépenses de 3 000 000$ ou 4 000 000$; Black estime que les dépenses de la campagne de 1952 et de celle de 1956 se sont élevées respectivement à 5 000 000$ et à 9 000 000$[44]. Black révèle aussi comment certains membres de l'élite économique acheminaient leurs fonds: on apprend, par exemple, que dans les 48 heures qui ont suivi les élections de 1952 et de 1956, J.W. McConnell avait fait livrer « des billets de banque valant entre 50 000$ et 100 000$ directement à Duplessis[45] ».

Cette symbiose entre le gouvernement de Duplessis et les milieux d'affaires n'explique cependant pas l'absence d'intervention économique. Après tout, le gouvernement libéral d'Adélard Godbout, qui était sans doute plus lié au milieu des affaires, nationalisa la Montreal Light, Heat and Power. Bien que l'on ne connaisse pas tous les dessous de ce premier pas vers la création d'Hydro-Québec, il semble bien que, pour une fois, les intérêts privés n'ont pas eu le dessus. La Montreal Light, Heat and Power, entreprise très rentable, s'opposa violemment à la nationalisation et elle fut appuyée par toute la communauté d'affaires anglophone[46]. Donc, malgré les pressions exercées sur le pouvoir politique, celui-ci jouissait d'une certaine marge de manoeuvre; Duplessis et son parti dénoncèrent d'ailleurs vigoureusement cette nationalisation comme un geste inspiré du bolchévisme[47].

Il y a même lieu de croire que durant les années 1940 et 1950, certains leaders de l'élite économique ont activement préconisé une plus grande participation du gouvernement dans l'économie du Québec plutôt que de s'y opposer. Il est certain que le régime de Duplessis jouissait d'une grande popularité auprès des élites économiques grâce à ses subventions généreuses, ses concessions favorables de bois et de minerai, sa détermination à maintenir la « paix dans le monde ouvrier » et son adhésion à la philosophie du laisser-faire. Mais certaines sociétés engagées dans le développement des ressources naturelles auraient vu d'un bon oeil la création d'entreprises publiques pour fournir les services de base dont elles avaient besoin dans leurs projets. À partir du milieu des années 1940, le financier Cyrus Eaton, tenta à maintes reprises de persuader Duplessis de continuer la nationalisation des entreprises hydro-électriques privées. Eaton s'offrait d'organiser la vente d'obligations provinciales pour obtenir les fonds nécessaires. La centralisation des entreprises hydro-électriques, affirmait-il, donnerait lieu à de grands projets, tels que des complexes sidérurgiques. Mais Duplessis n'était prêt à envisager aucune nationalisation. De son côté, R.E. Powell, de l'Aluminum Company of Canada, suggérait à Duplessis de faire entreprendre l'exploitation de la rivière Manicouagan par Hydro-Québec pour accroître la production d'aluminium à Arvida. Cette suggestion présageait le fameux développement de la Manic durant la Révolution tranquille. Duplessis n'était pas prêt à approuver un projet d'une aussi grande envergure. (Devant le refus de Duplessis, l'Alcan s'adressa au gouvernement de la Colombie-Britannique qui accepta une proposition semblable). Tout au long de son administration, Duplessis a activement tenté d'attirer les intérêts privés pour qu'ils entreprennent des projets de développement, mais il n'a jamais voulu que l'État du Québec s'engage directement dans de tels projets[48].

Maurice Duplessis et l'Union nationale

Plusieurs observateurs ont cherché à expliquer la résistance du gouvernement de l'Union nationale à la modernisation politique par la personnalité de Duplessis. Ils ont amplement démontré que Duplessis était un homme profondément conservateur, et donc peu enclin à prendre des initiatives gouvernementales audacieuses[49]. Alors même qu'il proclamait vigoureusement que le rôle du gouvernement du Québec était de protéger les intérêts des Canadiens français, il reculait devant toute proposition dont le but était d'assumer ce rôle en termes concrets. Cette prudence se révéla jusque dans les deux mesures qui devaient refléter le rôle national de l'État québécois: l'adoption du fleurdelisé et l'établissement de l'impôt provincial sur le revenu. Les mémoires de René Chaloult, un des artisans de l'adoption du drapeau, nous présentent un Duplessis opposé à ce projet, craignant que le geste ne fût perçu comme « séparatiste ». (Afin d'éviter tout malentendu, il aurait même suggéré l'insertion d'une couronne ou d'une feuille d'érable au centre du drapeau.) C'est seulement lorsqu'il eut acquis la conviction que les divers groupes nationalistes appuyaient le projet qu'il finit par l'accepter[50]. Il en va de même pour l'impôt sur le revenu; l'étude de René Durocher et de Michèle Jean démontre que l'initiative n'en revient pas à Duplessis. Il était opposé à la double taxation car il craignait de perdre des votes; il ne l'accepta que sous les pressions de divers groupes, parmi lesquels on retrouve la Chambre de commerce de Montréal et les membres de la commission Tremblay[51]. Et pourtant cette concession faite à contrecoeur est peut-être la seule mesure digne de la réputation de défenseur de l'autonomie provinciale qu'il revendiquait.

De même, il était apparemment résigné à la domination anglo-saxonne en matière d'économie. Convaincu que les Anglo-Saxons étaient naturellement doués pour les affaires, la situation lui semblait normale ou du moins incorrigible. René Chaloult a écrit à ce propos: « Il respectait et craignait (les Anglais) à cause de leur puissance économique et aussi parce qu'il était victime, sans motifs d'ailleurs et malgré sa morgue apparente, de réflexes d'infériorité, vieux relents de la conquête. Et puis ce sont les capitalistes anglo-saxons, qui, traditionnellement chez nous, alimentent la caisse électorale, indispensable à nos gouvernements pseudo-démocratiques[52] ».

Un dernier facteur pourrait expliquer pourquoi Duplessis refusait l'intervention directe de l'État dans l'économie. Les propositions qui allaient dans ce sens impliquaient des emprunts publics importants; Duplessis était résolument opposé à tout emprunt qui n'était pas indispensable. Il était fier du fait que la dette publique du Québec était peu élevée et que les budgets étaient équilibrés. On peut voir dans cette attitude le reflet de son conservatisme économique. Mais il semble qu'elle soit plutôt le fruit de l'expérience que Duplessis vécut au cours de son premier mandat, qui commença en pleine dépression. Son premier gouvernement s'était montré plutôt dépensier, à tel point que sa « responsabilité fiscale » avait été mise en doute dans les milieux financiers et que la vente de ses obligations s'en était trouvée compromise[53]. On serait allé jusqu'à exiger que Duplessis déclenche des élections pour obtenir le mandat de lancer de nouveaux emprunts[54]. Et la déclaration de la guerre ne fit qu'aggraver la situation, puisque le gouvernement fédéral imposa des restrictions sévères aux pouvoirs d'emprunts des gouvernements provinciaux. Ce sont ces circonstances qui amenèrent Duplessis à tenir des élections anticipées en 1939. Mal préparée, l'Union nationale connut la défaite[55]. Une fois revenu au pouvoir, Duplessis n'aurait eu qu'une idée en tête: maintenir les emprunts publics au strict minimum. À sa manière, il cherchait à protéger son gouvernement contre les pires manifestations de la dépendance économique du Québec.

On peut donc trouver chez Maurice Duplessis un certain nombre de traits qui auraient pu contribuer à retarder la modernisation politique. Mais, encore là, on ne saurait prétendre avoir trouvé une explication complète. Duplessis était après tout le chef d'un parti politique. Son autorité reposait sans doute en partie sur des qualités personnelles, comme l'astuce, l'intelligence ou la capacité de manipuler les gens. Mais on doit également présumer que ses politiques rencontraient l'assentiment du parti, ou du moins de son aile parlementaire. On se souvient que dans les années 1930 certains de ses députés avaient dénoncé Duplessis pour avoir renié certains projets; quelques-uns avaient même quitté le parti[56]. Mais la majorité lui resta fidèle et, durant les deux décennies qui suivirent, son poste de chef ne fut plus contesté.

On peut se demander quels sont les traits communs qui expliquent cette quasi-unanimité de vue quant au rôle du gouvernement au sein de la députation de l'Union nationale. Les députés de l'UN formaient une élite exclusivement politique, que Robert Boily désigne comme la « partitocratie[57] ». Ils étaient satisfaits de ce métier politique qui leur avait permis de s'élever au-dessus de leurs origines modestes vers des postes de prestige. Le gouvernement ne constituait pas un outil pour être utilisé en fonction d'un but plus général; le seul fait de détenir un poste politique comportait sa propre récompense. En conséquence, ils ne voyaient pas la nécessité de transformer le rôle de l'État. D'autre part, leur électorat provenait surtout des campagnes et des petites villes. En 1952, 90% des députés unionistes représentaient des circonscriptions de l'extérieur de Montréal et de Québec; en 1956, le pourcentage était de 85%[58]. Ces populations n'étaient pas aussi portées que celles des régions métropolitaines à demander de nouveaux services gouvernementaux. On était toujours en mesure de répondre à leurs demandes (au moins à des fins électorales) soit en distribuant soigneusement les services et les emplois que le gouvernement provincial offrait ou encore en accordant des « faveurs » par l'intermédiaire du député, qui en récoltait le mérite.

En somme, l'explication la plus claire du « retard » a trait à l'équipe même de Duplessis. Les intellectuels nationalistes traditionnels étaient sans doute partagés sur cette question et peut-être étaient-ils fondamentalement apolitiques. Mais d'autres éléments de l'intelligentsia préconisaient fortement un plus grand rôle pour l'État québécois et ils pouvaient compter sur l'appui des syndicats et de toute une série d'associations volontaires ou professionnelles. Et s'il est vrai que les élites économiques adhéraient à la philosophie du laisser-faire, bon nombre d'entrepreneurs francophones et les plus grands industriels américains ou canadiens-anglais auraient bien accueilli des initiatives étatiques. Il y avait donc une certaine marge de manoeuvre que le Québec n'a pas su exploiter. Cela ramène donc l'Union nationale, à une « partitocratie » d'entrepreneurs politiques dirigée par un chef profondément conservateur.

On peut même prétendre que le régime de Duplessis était moins bien préparé à entreprendre de nouvelles initiatives que ne l'était son prédécesseur libéral. D'après R. Boily, c'est par le truchement de l'Union nationale que la « partitocratie » est arrivée au pouvoir au Québec. Auparavant, plusieurs détenteurs de postes politiques, tant du côté du gouvernement que de l'opposition, étaient en même temps membres actifs d'une élite sociale et économique, à savoir la haute bourgeoisie canadienne-française. La politique et les affaires de l'État ne constituaient qu'un moyen parmi d'autres d'exercer le pouvoir et d'avoir de l'influence. Avec l'arrivée au pouvoir de Duplessis, le gouvernement du Québec était aux mains d'une élite purement politique, composée de personnes dont les postes dépendaient entièrement des succès électoraux[59]. Une telle élite ne pouvait que résister à des initiatives qui menaçaient de réduire le contrôle qu'elle exerçait sur l'appareil gouvernemental; soit par une plus grande dépendance envers les institutions financières, soit par la création d'une bureaucratie qui remettrait en cause le rôle crucial du député en tant qu'intermédiaire entre gouvernants et gouvernés. De même, elle ferait obstacle à toute augmentation des impôts, puisqu'une telle mesure heurterait les seuls groupes qui comptaient vraiment pour elle: l'électorat rural et celui des petites villes. Bref, au moment où les pressions se multipliaient en faveur de l'expansion de l'État du Québec, celui-ci était dirigé par une élite politique qui n'avait guère intérêt à agir dans ce sens.

L'Union nationale et le Québec rural

La longévité du régime de Duplessis s'explique en grande partie par sa capacité de gagner l'appui des campagnes et des petites villes — régions où ne s'exerçaient que très peu de pressions en faveur de la modernisation politique. Comme le système électoral comportait une sous-représentation flagrante des régions de Montréal et de Québec au niveau électoral, un parti pouvait facilement obtenir la majorité des sièges en s'appuyant uniquement sur les régions non-métropolitaines. L'Union nationale s'assurait l'appui de ces régions par divers moyens. Plusieurs services gouvernementaux étaient canalisés vers le député, qui les utilisait de la manière la plus utile pour assurer sa réélection, c'est-à-dire en tant que « récompense » pour services (vote, financement électoral, travail d'élection, etc.) que les gens lui avaient rendus ou qu'il espérait qu'on lui rende.

Comme Vincent Lemieux l'a démontré, il importait que l'échange soit réciproque et non disproportionné. Les faveurs étaient accordées par le député en contrepartie de services équivalents qui lui avaient été rendus. L'électorat fuyait le népotisme, le favoritisme et le « graissage » excessifs. Par contre, le « bon patronage » était vu comme normal et convenable[60]. L'Union nationale était particulièrement douée pour établir et maintenir des relations de type patron-client avec l'électorat. Selon Vincent Lemieux et Raymond Hudon, elle fut plus électoraliste dans sa façon d'utiliser le patronage que ne le seront les libéraux lorsqu'ils détiendront le pouvoir durant les années 1960. Le patronage de l'Union nationale était fondé sur la seule préoccupation d'obtenir le plus grand nombre possible de votes. Il était moins susceptible que celui des libéraux de conduire à des excès comme le népotisme et le favoritisme. Par le fait même, le patronage de l'Union nationale n'était pas nécessairement restreint aux membres du parti et il était plus ouvert à l'électorat dans son ensemble (y compris les électeurs libéraux[61]).

Tout en distribuant soigneusement des faveurs aux électeurs, l'Union nationale essayait de garder des liens étroits avec les communautés locales. Le candidat unioniste était généralement bien connu dans sa circonscription, car l'investiture du parti n'était accordée qu'à celui qui jouissait de prestige et de popularité au niveau de la localité[62]. Il avait souvent l'appui des maires du comté; de fait, l'Union nationale s'efforçait de contrôler les élections municipales. À grand renfort de publicité, le député unioniste remettait personnellement aux autorités locales les subventions pour la construction d'écoles, de routes ou d'édifices. En période électorale, il rendait public, par le biais des journaux locaux, la liste détaillée de l'aide gouvernementale qui avait été accordée à son comté, liste qui s'accompagnait d'une formule conçue à peu près en ces termes: voici les réalisations du député de l'Union nationale (ou de l'organisateur, lorsqu'il y avait un député libéral) pour ce comté au cours des quatre dernières années; puisque le parti formerait sûrement le prochain gouvernement, les électeurs avaient intérêt à voter pour lui[63]. Vincent Lemieux soutient par ailleurs que l'UN respectait plus l'intégrité de la communauté locale que ne le faisaient les libéraux; elle était moins portée à favoriser l'intervention gouvernementale dans les affaires locales ou à perturber la vie communautaire par une partisanerie exagérée[64].

L'Union nationale et le Québec urbain

À cause de son style politique, de la prédominance des militants et des députés en provenance des régions rurales et semi-rurales et des succès qu'elle a connus auprès de l'électorat de ces régions, l'Union nationale a souvent été considérée comme le parti du Québec rural. Cependant, la situation paraît moins simple lorsqu'on étudie les assises électorales. Le parti remportait également des victoires dans les grands centres urbains où les Canadien français étaient majoritaires. À Montréal, il faisait piètre figure dans les comtés majoritairement anglophones, mais s'en tirait honorablement dans les dix comtés francophones. Lors des élections de 1948, de 1952 et de 1956, l'Union nationale remportait en moyenne sept de ces comtés[65]. De même, à chacune de ces trois élections, elle obtint la majorité des votes à Chicoutimi, à Hull, à Sherbrooke et à Trois-Rivières. Dans le cas des six comtés de la région de Québec, elle en remporta quatre en moyenne. Bref, bien que l'UN remportait des victoires plus éclatantes dans les comtés ruraux, elle faisait bonne figure dans les comtés urbains à majorité francophone. À l'occasion de ces mêmes trois élections, le Parti libéral eut de la difficulté à s'implanter dans les comtés francophones. (Parmi les dix comtés que les libéraux réussirent à gagner à la fois en 1952 et en 1956, seulement cinq étaient majoritairement francophones.)

Cette force de l'Union nationale auprès des électeurs francophones des villes peut paraître surprenante, puisque le gouvernement de Duplessis ne semblait pas vraiment s'intéresser aux problèmes urbains. Il refusait d'assumer de nouvelles responsabilités pour améliorer la qualité des services dans le domaine social ou pour créer de nouveaux débouchés sur le marché du travail. En même temps, il s'opposait activement aux efforts des syndicats qui voulaient améliorer la condition de la classe ouvrière canadienne-française. Devant ces faits, comment peut-on expliquer que l'Union nationale ait été plus populaire que les libéraux auprès de l'électorat francophone urbain?

L'Union nationale et le nationalisme canadien-français

L'explication réside, pour certains, dans le nationalisme: l'Union nationale aurait su mieux que les libéraux exploiter les préoccupations ethniques particulières aux Canadiens français; ces préoccupations auraient fait passer au second plan les réticences que pouvaient inspirer certaines politiques unionistes. Inversement, le manque de sensibilité des libéraux à la question nationale rendait moins attrayantes leurs prises de positions sur les questions sociales et économiques.

On a soutenu qu'en 1936, l'Union nationale mena une campagne très nationaliste, s'en prenant aux intérêts économiques anglo-saxons et dénonçant les effets néfastes de l'industrialisation sur la société canadienne-française. Les libéraux, de leur côté, étaient étroitement liés à ces intérêts et ils avaient encouragé l'industrialisation. Au cours de la Seconde Guerre mondiale, l'Union nationale s'opposa énergiquement à la conscription imposée par le gouvernement libéral fédéral, alors que les libéraux au pouvoir à Québec s'étaient compromis irrémédiablement. Et après la guerre, l'Union nationale put clarifier sa position sur la question de l'autonomie provinciale. Duplessis prétendait que, puisque le gouvernement libéral fédéral cherchait à envahir le champ des compétences provinciales à des fins assimilatrices, le Québec ne pouvait se permettre un autre gouvernement libéral au provincial et qu'on ne pouvait donc se fier qu'à l'Union nationale, libre de toutes attaches fédérales pour défendre l'autonomie du Québec. (À titre de preuve, Duplessis invoquait les ententes fiscales que le gouvernement de Godbout avait conclues avec le gouvernement fédéral pendant la guerre[66].)

De prime abord, cette interprétation est assez convaincante. Après s'être fortement opposée à la conscription, l'Union nationale remporta les élections de 1944. (Les libéraux obtinrent plus de votes, mais le vote nationaliste était divisé entre l'Union nationale et le Bloc populaire, et ce dernier avait attaqué encore plus âprement la conscription.) De même, on peut soutenir que l'Union nationale avait perdu les élections de 1939 parce que les libéraux s'étaient opposés à la conscription: les députés fédéraux avaient même menacé de démissionner si leurs homologues provinciaux n'étaient pas élus, ce qui aurait affaibli l'influence canadienne-française à Ottawa. Par contre, lorsque l'Union nationale put soutenir qu'un gouvernement libéral n'était pas en mesure de défendre l'autonomie provinciale face à une administration libérale au fédéral, elle remporta successivement les élections de 1948, de 1952 et de 1956. Mais dès que cet argument devint sans fondement, avec l'avènement du gouvernement conservateur de John Diefenbaker, l'Union nationale perdit le pouvoir. Ainsi donc, l'exploitation du nationalisme canadien-français permit au régime de Duplessis de se maintenir au pouvoir au cours des années 1950.

Ces explications ne sont pourtant pas entièrement convaincantes. Premièrement, il faudrait démontrer que l'Union nationale recourait systématiquement à l'enjeu de l'autonomie provinciale. Or, lorsqu'on analyse les campagnes électorales et plus particulièrement le contenu de la publicité dans les journaux, on se rend compte que les priorités étaient tout autres: état de l'économie, aide aux institutions locales, travaux publics[67]. Deuxièmement, il faudrait montrer que la majorité des Canadiens français partageaient la méfiance des nationalistes à l'égard du gouvernement fédéral, ce qui n'est pas corroboré par les sondages de l'époque; c'est seulement au cours des années 1960 que cette méfiance gagnera du terrain[68]. On peut donc se demander dans quelle mesure le nationalisme, ou plus précisément l'autonomisme, contribuait réellement aux victoires de l'Union nationale.

L'Union nationale et la classe ouvrière canadienne-française

Le professeur Maurice Pinard nie, quant à lui, l'importance du facteur nationaliste et pense que l'on doit plutôt expliquer les assises urbaines de l'Union nationale en termes de classes sociales: les appuis seraient venus de la classe ouvrière urbaine canadienne-française. Pour Pinard, comme pour plusieurs autres, ce phénomène est paradoxal: la classe ouvrière aurait voté pour le parti le plus à droite (que l'on pense à son opposition au syndicalisme), allant ainsi, semble-t-il, à l'encontre de ses propres intérêts de classe. Par ailleurs, cette préférence, selon Pinard, aurait été plus marquée chez ceux qui s'identifiaient le plus à la classe ouvrière. Comment alors expliquer ce phénomène apparemment paradoxal?

Toujours selon Pinard, le phénomène remonte aux circonstances qui ont entouré la première victoire de l'UN, qui était due, dans une large mesure, à un vote de protestation économique de la classe ouvrière aux prises avec la dépression. Première alternative véritable au Parti libéral alors au pouvoir, l'Union nationale avait cristallisé cette protestation; la classe ouvrière votait pour ce parti sans nécessairement être attirée par les thèmes nationalistes de ses dirigeants, ou même en être consciente. C'est cette identification non nationaliste qui se serait poursuivie au cours des décennies suivantes[69].

Cette interprétation soulève des interrogations: ainsi comment peut-on soutenir la thèse d'une identification non nationaliste durable, s'il est vrai (comme le suggère Pinard) que la classe ouvrière abandonna l'Union nationale aux élections de 1939? Il nous faudrait plus de données à la fois sur la constance de cet attachement au cours des années 1940 et 1950 et sur les facteurs qui la soutenaient. Néanmoins, en atténuant l'importance du nationalisme, l'analyse de Pinard offre une explication plausible des assises urbaines de l'UN.

D'autres facteurs, mis à part le vote de protestation économique des années 1930, peuvent avoir renforcé l'identification de la classe ouvrière à l'UN. Sous plusieurs aspects, ce parti présentait une image résolument populiste. Comme le démontre l'étude de R. Boily, ses députés appartenaient davantage aux classes moyennes que ceux des administrations libérales précédentes; avec l'arrivée au pouvoir de l'UN, l'emprise politique de la haute bourgeoisie fut brisée au profit de ce que Boily appelle la classe moyenne inférieure, qui n'avait jamais joui d'un tel pouvoir[70]. L'UN était alors plus « proche du peuple », au sens propre du terme. De plus, Duplessis lui-même, malgré ses origines bourgeoises, cultivait soigneusement son image « d'homme du peuple » — un homme qui parlait français avec un accent populaire et qui, selon ses dires, ne lisait jamais de livres. « Il flairait le langage qu'il fallait tenir à nos paysans et à nos travailleurs: simple, direct, parfois vulgaire[71] ». Et cette image d'un parti pour « les petits » a été renforcée par le genre de patronage pratiqué par l'UN. Plusieurs témoignages rapportés par Lemieux et Hudon, affirment que ce patronage était plus « populaire » que celui des libéraux, qui, plus « bourgeois », favorisaient « les grands amis du régime[72] ».

Il faut aussi se demander si le Parti libéral était, en fait, plus favorable aux intérêts de la classe ouvrière, suffisamment du moins pour contrebalancer le populisme de l'UN. Sur la question des libertés civiles, le Parti libéral était certainement plus ouvert; il était également beaucoup plus favorable à un rôle actif de l'État. Mais ses positions n'étaient pas aussi tranchées sur les questions propres à la classe ouvrière, comme le syndicalisme. Pierre Elliott Trudeau n'a pas manqué d'observer que, en 1954, lorsque l'UN présenta les projets de loi 19 et 20 à caractère anti-syndical, l'opposition libérale n'émit que de faibles protestations: « Comme à l'époque d'Asbestos, leur mot d'ordre semblait être: surtout pas d'histoire avec le patronat[73] ». Les libéraux détenaient alors la majorité au Conseil législatif, mais ils ne s'en servirent pas pour rejeter les deux projets[74]. Il est également important de noter que les leaders syndicaux étaient divisés: alors que la Confédération des travailleurs catholiques du Canada et le Congrès canadien du travail militaient contre l'UN, et plus particulièrement après la grève d'Asbestos en 1949, le plus important syndicat du Québec, le Congrès des métiers et du travail, lui demeurait fidèle[75]. Dans ces conditions, il était peu probable que les travailleurs perçoivent l'UN comme nettement anti-ouvrière et le Parti libéral comme pro-ouvrier.

En somme, les circonstances de la prise du pouvoir par l'UN, son côté populiste et la position contradictoire des dirigeants syndicaux expliquent assez bien que les classes défavorisées aient pu croire que l'UN, plutôt que le Parti libéral, était leur parti. Comme nous le verrons, cette méfiance à l'égard des libéraux et de leur volonté de modernisation a persisté jusqu'aux années 1970. Malgré les réalisations de la Révolution tranquille, elle n'est pas disparue. Elle fut au contraire accentuée par le sentiment que la Révolution tranquille favorisait beaucoup plus les classes moyennes.

Nous ne pouvons qu'esquisser une conclusion provisoire sur les assises électorales de l'UN au cours des années 1940 et 1950. Mais il semble bien que le rôle du nationalisme canadien-français, et particulièrement la question de l'autonomie, fut passablement limité. La force électorale de l'UN reposait plutôt, en milieu urbain, sur son habileté à profiter de la politisation des divisions de classes et, en milieu rural, sur son intégration aux structures communautaires locales, ainsi que sur le patronage. De plus, le contexte lui était favorable: d'un côté la prospérité de l'après-guerre et de l'autre l'unité du parti, tenu bien en main par son fondateur et seul chef. L'UN devint vulnérable à la fin des années 1950, lorsque ces deux conditions disparurent. C'est donc de l'élite politique unioniste que venait le principal obstacle à la modernisation du Québec, plutôt que de l'anti-étatisme des intellectuels ou des pressions des intérêts privés.

La participation politique de la population

Le concept de modernisation ne se limite pas seulement à l'extension du rôle de l'État: il implique également l'accroissement de la participation populaire au processus politique. Tout développement socio-économique suscite généralement un plus grand intérêt pour les activités gouvernementales. Nous pouvons donc nous demander si, comme le gouvernement, la population manifestait un retard dans le processus de modernisation. Il est beaucoup plus difficile de répondre à cette question, car le degré de participation politique ne se mesure pas aussi facilement que le développement des activités gouvernementales.

L'indice le plus révélateur de la participation politique est le taux de participation aux élections; or, cet indice était plutôt élevé au Québec. Entre 1900 et 1956, il s'établit à 72,8%[76]. Et puisqu'il était généralement plus faible dans les comtés anglophones, il était encore plus élevé chez les Canadiens français. Cependant, ces taux élevés de participation ne semblent pas être liés au développement socio-économique. Non seulement la participation n'a pas augmenté avec l'industrialisation et l'urbanisation, mais on note une forte corrélation négative entre le degré de développement et la participation électorale (le taux de participation des régions rurales a toujours été plus élevé que celui des régions urbaines[77]).

Ce phénomène peut s'expliquer par le type de campagne électorale pratiqué dans les régions rurales. Nous savons que le patronage a été un facteur très important dans la domination constante de l'UN. La politique de type patron-client incitait la population à voter massivement, car la « récompense » était généralement immédiate et concrète; une telle pratique s'appliquait mal aux régions urbaines, où les « récompenses » ne pouvaient y être distribuées aussi largement. Les régions urbaines étaient peut-être également moins dépendantes des promesses des organisateurs électoraux, car elles possédaient d'autres sources d'aide. On comprend dès lors que la participation électorale ait été plus élevée dans les régions rurales, qui avaient intérêt à tenter d'influencer, du moins localement, les décisions gouvernementales. Il serait par contre hasardeux de déduire que le taux élevé de participation était le signe d'un grand engagement dans la politique; les sondages révèlent que les connaissances pratiques en matière politique étaient faibles, tant en milieu rural qu'urbain[78]. Dans ce sens, il y avait donc retard de la modernisation politique sur le développement socio-économique; avant 1960, la limitation des activités gouvernementales allait de pair avec une participation populaire faible à la vie politique de la province.

Le Québec et le système fédéral

Le « retard » politique, ou plus précisément cette réticence à voir l'État du Québec jouer un rôle plus actif, se reflète dans les relations du régime Duplessis avec le gouvernement fédéral. Une atmosphère de tension a régné tout au long de la période. Mais les conflits entre Québec et Ottawa prenaient rarement la forme d'une confrontation directe, comme c'est le cas lorsque deux gouvernements tentent d'agir dans le même domaine. Le Québec adoptait une attitude défensive, tentant de bloquer les initiatives fédérales qu'il jugeait comme des empiétements sur les juridictions provinciales, mais il ne tentait pas d'exploiter pleinement ces juridictions lui-même. Dans la plupart des cas, les initiatives fédérales avaient trait à de nouveaux programmes de dépenses dont l'implantation dépendait de la collaboration de la province concernée. Le Québec (et seul le Québec) refusait habituellement d'approuver ces programmes. Rejetant un grand nombre de programmes à frais partagés avec le gouvernement fédéral, Duplessis défendait aux institutions privées sous son contrôle, plus particulièrement les universités, d'accepter des subventions du gouvernement fédéral. Le coût d'une telle stratégie était élevé: pour les seules années 1959-1960, le Québec a perdu approximativement 82 000 000$ en fonds fédéraux[79]. Un gouvernement qui se serait engagé à la fois à défendre l'autonomie provinciale et à promouvoir la modernisation politique n'aurait pu accepter une telle perte de fonds. La seule stratégie possible aurait été de contester les programmes fédéraux, faire valoir que les fonds appartenaient de droit au Québec et refuser les conditions que le gouvernement fédéral y attachait. Comme nous le verrons, le régime de Jean Lesage des années 1960 a justement adopté cette stratégie.

Dans sa défense de l'autonomie provinciale, Duplessis s'est également préoccupé des symboles de l'autorité provinciale. Ce fut sous Duplessis que le gouvernement provincial adopta le drapeau provincial (quoique après beaucoup d'hésitations comme nous l'avons vu). En 1939 et en 1944, Duplessis entraîna Mackenzie King dans des querelles au sujet du droit de la province d'être consultée sur le choix d'un nouveau lieutenant-gouverneur[80]. Mais ni l'une ni l'autre de ces questions n'avait trait au partage des pouvoirs entre les deux gouvernements.

La seule confrontation directe avec le gouvernement fédéral se produisit au milieu des années 1950 au sujet de l'impôt sur le revenu.

Durant la guerre, Ottawa avait conclu avec Québec et les autres gouvernements provinciaux un arrangement en vertu duquel seul Ottawa percevrait l'impôt sur le revenu des particuliers et des sociétés, ainsi que les droits de succession; en échange, les provinces toucheraient un « loyer d'impôt » du gouvernement fédéral. En 1947, le Québec et l'Ontario établirent leurs propres impôts sur le revenu des sociétés. L'impôt sur le revenu des particuliers fut laissé au gouvernement fédéral. En 1946, celui-ci avait quand même introduit dans sa législation une disposition permettant aux particuliers de déduire de leur impôt le montant payé à titre d'impôt sur le revenu à un gouvernement provincial; ce montant ne devait toutefois pas dépasser 5% de l'impôt fédéral.

Au début des années 1950, des intellectuels nationalistes menèrent une campagne en faveur d'un impôt provincial sur le revenu; ils réussirent à obtenir le concours de la Chambre de commerce de Montréal et de toute une série d'associations volontaires. Duplessis finit par céder aux pressions en 1954. La loi qu'il fit adopter prévoyait un impôt équivalent à 15% de l'impôt fédéral, faisant donc ainsi naître la possibilité d'une double taxation pour les résidents du Québec et provoquant un affrontement avec Ottawa. Après plusieurs mois de dispute, Ottawa consentit à porter la déduction admissible à 10% de l'impôt fédéral et Duplessis réduisit l'impôt provincial au même taux[81]. Il n'y a pas de doute que l'impôt devenait un facteur important dans le développement de l'État du Québec et les nationalistes y virent à juste titre une grande victoire. Mais cette mesure ne reflète pas un engagement sérieux de la part de Duplessis à créer un État provincial fort; d'ailleurs il ne l'adopta que lorsque ses appréhensions à ce sujet furent dissipées. La seule mesure que l'on puisse comparer à celle-ci et qui implique une confrontation directe avec Ottawa fut la création de Radio-Québec, qui eut pour effet de remettre en question la prétention du gouvernement fédéral à légiférer exclusivement en matière de radiodiffusion. La loi n'eut d'ailleurs pas de suites concrètes avant la fin des années 1960.

À part le cas de l'impôt sur le revenu des particuliers, la façon dont le régime Duplessis aborda les relations fédérales-provinciales ne fut pas très novatrice. L'argument de base que Duplessis utilisait pour faire valoir sa défense des juridictions provinciales était la « théorie du pacte confédératif » mise de l'avant par Honoré Mercier durant les années 1880. D'autre part, la tactique d'opposition aux programmes fédéraux avait déjà été utilisée par Louis-Alexandre Taschereau, qui avait refusé de collaborer aux programmes fédéraux d'assurance-chômage et de pensions de vieillesse en invoquant la nécessité de protéger l'autonomie provinciale. L'approche de Duplessis, comme celle des gouvernements antérieurs, était conservatrice: il se contentait de réclamer le respect de l'Acte de l'Amérique du Nord britannique et non sa révision. Duplessis ne se distinguait de ses prédécesseurs que par la régularité et la force avec lesquelles il reprenait les mêmes arguments.

Duplessis suivait les traditions établies dans les relations fédérales-provinciales même en l'absence des contraintes qui s'étaient exercées sur les leaders provinciaux précédents, c'est-à-dire la présence à Ottawa d'un gouvernement du même parti. Ottawa ne pouvait pas utiliser les structures du parti pour influencer ou contrôler le gouvernement québécois, comme cela avait été le cas au dix-neuvième siècle, alors que les leaders conservateurs fédéraux choisissaient le premier ministre, ou plus tard, lorsque Laurier imposa Simon-Napoléon Parent et lorsque Mackenzie King força la démission de Taschereau en 1936[82].

Si Duplessis suivait les traces de ses précécesseurs, c'est qu'il partageait leur conception du rôle que devait jouer le gouvernement du Québec en matières économiques et sociales. Tout comme eux, il s'en remettait aux institutions privées. L'État devait tout au plus soutenir ces institutions; il ne devait ni les réglementer ni se substituer à elles. Dans cette perspective, le gouvernement du Québec avait une mission spéciale: protéger les institutions reliées à l'Église des intrusions du gouvernement fédéral dominé par l'élément anglo-saxon. Il devait être le chien de garde de ces institutions, mais il devait bien se garder d'agir à leur place.

Malgré les apparences, les relations avec le gouvernement fédéral furent assez stables, tant que les gouvernements québécois s'en tinrent à ces idées de base. Après tout, ces mêmes idées avaient donné naissance au système fédéral canadien. Le gouvernement provincial s'était vu attribuer les juridictions nécessaires à sa fonction de chien de garde. Il avait la juridiction exclusive sur l'éducation, la santé et le bien-être. De plus, sa juridiction en matière de droits civils et de propriété semblait assurer l'intégrité du Code civil. Mais, comme celui des autres provinces, ce gouvernement était très limité à d'autres points de vue. Assujetti au pouvoir de désaveu, il n'avait par ailleurs aucune source exclusive de revenu, contrairement au gouvernement fédéral qui, en plus de s'être réservé exclusivement les impôts indirects, avait aussi accès aux taxes directes. Les responsabilités économiques relevaient en fait du gouvernement fédéral. Quant à la place des Canadiens français dans le gouvernement fédéral, ils constituaient toujours une minorité tant à la Chambre des communes qu'au Sénat et au Cabinet. Et au sein du Cabinet, ils ne se voyaient pas attribuer les portefeuilles économiques importants. Avant les années 1960, aucun Canadien français n'avait été ministre de l'industrie et du commerce, des finances ou du travail[83]. Et les Canadiens français ne jouaient qu'un rôle marginal dans les échelons supérieurs de la fonction publique fédérale.

Le rôle politique réservé aux Canadiens français était tolérable tant qu'on prenait pour acquis que le pouvoir réel devait être détenu par les institutions privées et que le rôle essentiel du gouvernement provincial était de protéger ces institutions de l'ingérence du gouvernement fédéral. Ces deux postulats ne pouvaient se maintenir qu'à deux conditions. Premièrement, il aurait fallu continuer à croire que les institutions privées étaient en mesure d'assurer d'elles-mêmes la survie et le développement du Canada français. Deuxièmement, il ne fallait pas qu'une importante élite canadienne-française ait intérêt à développer l'État du Québec.

Le développement socio-économique anéantit ces deux conditions. Dans un Québec urbain et industriel, les institutions reliées à l'Église rencontraient de graves problèmes financiers et organisationnels. De plus, l'influence de l'anglais était beaucoup plus forte dans le contexte urbain, ce qui nécessitait la création de nouvelles institutions de langue française pour lui faire contrepoids. Et comme nous le verrons au chapitre suivant, le développement avait créé une nouvelle catégorie de Canadiens français, « une nouvelle classe moyenne », qui avait de bonnes raisons de préconiser un État québécois fort. Tous ces changements devaient entraîner l'insatisfaction d'un grand nombre de Québécois à l'égard du système fédéral; certains allant jusqu'à remettre en question la présence du Québec au sein du système fédéral canadien.

L'Union nationale: « Partitocratie »
ou véhicule de la bourgeoisie québécoise?

L'image de l'Union nationale de Duplessis qui émerge de cette analyse est celle d'une machine électorale, composée de politiciens professionnels dont les ambitions se limitent à l'horizon politique. Le principal objectif était de se constituer une clientèle électorale aussi large et aussi sûre que possible. Au pouvoir, cette « partitocratie » assumait ses fonctions, dans le seul but d'assurer sa réélection. Quel que soit leur mérite, les mesures qui risquaient de contrarier les électeurs ne suscitaient que très peu d'intérêt. La préoccupation première était de maintenir le contrôle sur toutes les activités du gouvernement. On résistait avec la dernière énergie à tout changement qui aurait affaibli ce contrôle, qu'il s'agisse de l'émergence d'une fonction publique indépendante ou du recours à l'emprunt public. Ainsi, les réticences du régime à accroître les fonctions de l'État s'expliquent en bonne partie par sa peur d'aliéner la clientèle électorale et par sa détermination à maintenir le plein contrôle sur l'appareil gouvernemental.

Cette image d'une « partitocratie » essentiellement électoraliste est très différente de celle qui est présentée par Gilles Bourque et Anne Legaré. Pour ces auteurs, le régime de Duplessis était l'instrument d'une classe sociale bien particulière: la bourgeoisie régionale. Bourque et Legaré font valoir que bien que le personnel de l'Union nationale provenait des professions libérales ou de la « petite bourgeoisie traditionnelle », les mesures prises par Duplessis étaient guidées par les intérêts d'une bourgeoisie non monopoliste, basée au Québec et majoritairement francophone: « Contrairement à ce qu'affirment la presque totalité des analyses, l'Union nationale n'est donc pas le parti de la petite bourgeoisie traditionnelle. La petite bourgeoisie traditionnelle n'est en fait que la classe politiquement régnante. Elle exerce le pouvoir au profit de la bourgeoisie et ne peut affirmer ses intérêts de classe aux dépens de cette dernière. L'Union nationale nous semble être, au contraire, le parti de la bourgeoisie non monopoliste québécoise[84] ». Bourque et Legaré lient d'autre part l'Union nationale aux fermiers ou aux paysans dont la résistance au capitalisme avait porté l'Union nationale au pouvoir. En fait, l'Union nationale aurait divisé les francophones des classes défavorisées: « L'appui des paysans amène une division des masses et cette division permet d'avoir les coudées franches pour réprimer le prolétariat[85] ».

Dans le cadre de notre analyse, il est difficile d'établir un lien aussi direct entre l'Union nationale de Duplessis et la bourgeoisie québécoise ou la « classe paysanne » francophone. Tout d'abord parce que les politiques de Duplessis ne semblent pas refléter une orientation très forte vers les intérêts de la bourgeoisie francophone québécoise. On peut bien sûr invoquer l'octroi de contrats publics à des entrepreneurs francophones. Mais il n'en demeure pas moins que le régime s'opposa à plusieurs mesures qui auraient favorisé la bourgeoisie québécoise. En dépit des demandes répétées, le gouvernement de Duplessis refusa d'établir un conseil de planification composé entre autres d'hommes d'affaires. Il refusa même de réactiver le Conseil d'orientation économique, qui avait été formé par le régime de Godbout au début des années 1940. Et il fit très peu pour canaliser les sources locales de capitaux[86].

Dans le domaine des relations fédérales-provinciales, une seule initiative a nettement profité aux élites économiques québécoises: l'établissement de l'impôt sur le revenu provincial. Et ce n'est qu'après avoir mené une campagne soutenue et bien orchestrée que les élites francophones obtinrent de Duplessis qu'il adopte cette mesure. Et on sait qu'il n'accepta qu'à contrecoeur. Il est aussi intéressant de constater que la décision de Duplessis fut prise en fonction de considérations électorales: il fallut le persuader que l'adoption d'un impôt provincial renforcerait sa position électorale plutôt qu'elle ne l'affaiblirait[87]. En somme, le jugement de Jorge Niosi semble plus juste: « Jusqu'en 1960, l'État québécois n'a pas joué un rôle de promoteur d'une bourgeoisie canadienne-française; il n'en avait pas le projet politique, et ne s'en était pas donné les moyens[88] ».

D'autre part, il n'est pas du tout évident que dans le Québec des années 1940 et 1950, il y avait une bourgeoisie distincte suffisamment forte pour s'imposer comme force dominante au sein de l'Union nationale. De récentes recherches montrent qu'une certaine élite économique francophone a émergé au cours de la dernière moitié du dix-neuvième siècle dans les banques, les manufactures, le commerce et le transport. Paul-André Linteau a montré qu'à l'époque, un nombre important de francophones auraient pu être qualifiés de membres de la « moyenne bourgeoisie », sinon de la « grande bourgeoisie ». Au début de ce siècle, avec la monopolisation du capital, ces francophones furent cependant déplacés par la « grande bourgeoisie » qui était essentiellement anglophone: « Il y a là une transformation structurelle qui n'élimine pas la moyenne bourgeoisie, mais qui diminue son emprise et qui accroît l'écart entre elle et la grande bourgeoisie. À l'aube de la Première Guerre mondiale, les rapports de force sont déjà changés[89] ». Au moment où l'Union nationale entra en scène, dans les années 1930, l'élite économique francophone avait perdu beaucoup de sa force. À la veille de la Seconde Guerre mondiale, les éléments d'une nouvelle élite économique francophone commencèrent à émerger mais ils ne prirent une certaine force que bien après la fin du régime de Duplessis. Autrement dit, la « partitocratie » du régime jouissait d'une assez grande marge de manoeuvre dans ses rapports avec l'élite économique francophone.

Il est difficile de voir pourquoi l'Union nationale aurait été le parti préféré de la bourgeoisie, en admettant qu'un embryon de cette classe existait. Nous avons déjà noté les constatations de Boily à l'effet que dès les années 1930, les membres de la haute bourgeoisie francophone n'étaient plus représentés au sein du vieux Parti conservateur duquel émergea l'Union nationale. (Bourque et Legaré affirment que l'Action libérale nationale était dominée par la petite bourgeoisie traditionnelle.) Les nouveaux entrepreneurs francophones d'après la Deuxième Guerre mondiale, tels que Joseph Simard, sont connus pour avoir été liés au Parti libéral[90].

Quant aux relations du régime de Duplessis avec les francophones des classes défavorisées, nous ne trouvons pas le pattern suggéré par Bourque et Legaré à l'effet que les fermiers constituaient la « classe d'appui ». L'Union nationale arriva au pouvoir grâce à l'appui non pas des fermiers mais des travailleurs urbains (qui furent plus sérieusement frappés par la dépression que ne le furent les fermiers). Ce n'est qu'après avoir obtenu le pouvoir que l'Union nationale s'assura une base dans les régions rurales. Au cours des décennies suivantes, le régime continua de jouir du même appui parmi les travailleurs urbains francophones que parmi les paysans des régions rurales.

En somme, on peut difficilement affirmer que l'Union nationale fut l'instrument exclusif de certaines classes. Il faut plutôt la voir comme une organisation politique qui fut capable de former une grande coalition électorale et ce, en prenant grand soin des élites locales, en utilisant habilement le patronage, en exploitant le populisme et en choisissant soigneusement des thèmes nationalistes. C'est de cette façon que l'Union nationale fut en mesure de gagner l'appui des Québécois francophones des villes aussi bien que des campagnes. Cette « partitocratie » de politiciens professionnels n'avait aucun intérêt à attribuer de nouveaux domaines de responsabilité au gouvernement et elle avait de bonnes raisons de repousser les mesures gouvernementales qui auraient pu aliéner sa clientèle. La sur-représentation des régions rurales maintenue par le système électoral faisait en sorte que les besoins des partisans ruraux l'emportaient sur ceux des partisans urbains. L'expansion de l'État du Québec a en conséquence été retardée jusqu'aux années 1960, alors que la nouvelle classe moyenne francophone fit son entrée au gouvernement. Bref, la longévité de l'Union nationale et le « retard » qui en a découlé s'expliquent davantage par des facteurs politiques que par les rapports de force entre les classes sociales.

Chapitre 6

La Révolution tranquille: la nouvelle idéologie de l'État du Québec

Peu d'étiquettes ont collé aussi étroitement à une période de la vie politique québécoise que celle qu'on a retenue pour désigner le début des années 1960. La formule « Révolution tranquille » est pourtant apparue pour la première fois sous la plume d'un journaliste canadien-anglais[1], mais les élites canadiennes-françaises s'en sont vite emparé et l'ont faite leur. C'est désormais la formule consacrée pour résumer le caractère distinctif de cette période. Elle n'est pas pour autant aussi claire qu'on pourrait le souhaiter. Plusieurs prétendent que, même en lui attribuant une portée limitée, cette expression est inexacte puisqu'il n'y a pas eu de changements « révolutionnaires » d'aucune sorte. Il est certain que l'expression paraît grandement exagérée si l'on veut décrire les changements concrets qui se sont produits dans le processus politique durant la première moitié des années 1960. Dans certains domaines, les activités gouvernementales s'accrurent, mais de façon encore relativement limitée, et dans d'autres domaines, il n'y eut que très peu de changements. Alors que certains éléments de la population s'engageaient plus intensément dans la vie politique, plusieurs autres ne s'y engagaient que très peu. De plus, les changements réels qui se sont produits n'ont rien de « révolutionnaires » dans le contexte nord-américain. Peut-on alors parler de révolution, « tranquille » ou autre?

On saisit mieux la popularité de cette formule si l'on examine non pas les structures politiques mais les idéologies, c'est-à-dire l'ensemble des idées sur la nature et la finalité de la société ou de la politique. Dans cette perspective, on note en effet des changements profonds et considérables. Au début des années 1960, les idées qui avaient dominé pendant plus d'un siècle étaient remises en cause, sinon carrément rejetées par l'ensemble des intellectuels et pas seulement par des groupes nationalistes marginaux. C'est ce rejet de l'ancienne idéologie dominante qui caractérise le mieux la Révolution tranquille et qui lui confère son caractère exceptionnel.

L'idéologie de la Révolution tranquille

Dans son sens le plus large, cette révolution idéologique signifiait une réconciliation avec le développement économique et social, qui avait tant été redoutée dans le passé[2]. Comme nous l'avons vu, l'image que la plupart des nationalistes se faisaient de la société canadienne-française était essentiellement rurale et agraire. On trouvait difficile d'abandonner le vieil idéal même après que le Canada français fut devenu une société majoritairement urbaine. Ainsi, au cours des années 1930 et 1940, plusieurs nationalistes tentèrent de redonner au secteur rural son importance d'antan. Même dans les années 1950, la commission Tremblay parlait de maintenir « l'équilibre » entre les secteurs rural et urbain. Bref, il ne semblait pas possible de demeurer fidèle à l'idéal national et en même temps accueillir pleinement le processus du développement. Ce traditionalisme fut définitivement abandonné au cours des années 1960. Désormais, on souhaitait ouvertement le développement économique et social; plutôt que de le voir comme un phénomène qui menaçait l'intégrité de la nation, on y voyait la possibilité de nouvelles réalisations. Une société technologique hautement efficace, dirigée par des Canadiens français et animée par l'esprit français, tel fut le nouvel idéal des nationalistes. On se proposa donc d'effectuer un *rattrapage*, afin d'atteindre le niveau du développement économique et social des sociétés avancées.

Du même coup, la perception que se faisaient les Canadiens français de leurs propres capacités se transforma. Comme le note Marcel Rioux, la Révolution est « aussi et surtout une revalorisation de soi, la réapparition d'un esprit d'indépendance et de recherche, qui avait gelé au cours du long hiver qui a duré plus d'un siècle. Les Québécois acquièrent la certitude qu'ils peuvent changer beaucoup de choses s'ils le veulent vraiment[3] ». Les Canadiens français n'étaient plus des gens « nés pour un petit pain »; ils pouvaient rivaliser avec les autres nations sur un pied d'égalité. Le grand barrage de la Manicouagan, construit entièrement par des francophones, devint un symbole de fierté nationale. Le terme « Manic » apparut sur les produits commerciaux et même dans la chanson populaire. Pendant quelques années, tout parut possible. Cette excessive confiance en soi compensait peut-être, comme le suggère Léon Dion, pour tout ce temps où les Canadiens français avaient douté d'eux-mêmes[4].

Cette nouvelle idéologie dominante impliquait également un rétrécissement des frontières de la « nation ». Dans le passé, les nationalistes considéraient que la nation canadienne-française recouvrait la presque totalité du Canada et s'étendait même dans certaines régions du nord-est des États-Unis. À partir de 1960, on se replia de plus en plus sur le Québec. Peu importe les solutions politiques préconisées, les Québécois étaient de plus en plus nombreux à refuser de confondre l'identité spécifique des francophones du Québec avec celle du Canada dans son ensemble. Les francophones du Québec étaient d'abord et avant tout Québécois, même si en certaines occasions, ils s'identifiaient comme Canadiens. Le terme « canadien-français », que l'ambiguïté rendait inacceptable, tomba en désuétude. Les mots nation et Québec devinrent à toutes fins pratiques synonymes. Au cours des années suivantes on remit en question les postulats de la société technologique, mais non la nouvelle définition des frontières nationales.

Un autre aspect de l'idéologie de la Révolution tranquille fut la nouvelle attitude à l'égard de l'État. Puisque que le but premier de cette révolution était de créer une société francophone hautement développée, l'État fut promu au rôle d'agent ou de « moteur principal » du rattrapage. Les intellectuels abandonnèrent leurs réticences vis-à-vis de l'État et la modernisation politique devint leur principal objectif[5]. Le nouvel étatisme était centré uniquement sur le gouvernement du Québec. Seul ce gouvernement, sous le contrôle des francophones, était en mesure d'assumer les nouvelles responsabilités exigées par le développement. En conséquence, on voulait non seulement que le gouvernement provincial exerce toutes les compétences qui étaient alors sous son contrôle et qu'il n'avait pas exploitées, mais aussi qu'il assume certaines responsabilités alors détenues par Ottawa. Ainsi, l'ancienne stratégie qui consistait à contrecarrer les programmes fédéraux de dépenses en refusant d'y participer apparaissait très coûteuse. Bref, comme la modernisation de l'État du Québec était devenue le but premier de l'intelligentsia, les anciennes « règles du jeu » du fédéralisme canadien n'étaient plus acceptables. Le Québec devait attaquer de front la centralisation des pouvoirs et des ressources fiscales à Ottawa.

Les origines de l'idéologie de la Révolution tranquille

S'il est relativement aisé de dégager les grandes lignes de la nouvelle idéologie dominante de la Révolution tranquille, il est plus difficile d'isoler les facteurs particuliers qui l'ont engendrée à ce moment précis de l'histoire. Certains prétendent que les intellectuels ne pouvaient tout simplement plus ignorer le développement social et économique des années 1960 et qu'ils ont été forcés de l'admettre bien malgré eux. Nous avons déjà vu que cette résistance était profondément ancrée chez certains intellectuels. Comment expliquer alors qu'elle ait pu être surmontée au point, non seulement d'accepter le développement, mais d'en devenir des défenseurs enthousiastes? La simple reconnaissance d'une nouvelle réalité sociale n'aurait pas entraîné une conversion aussi absolue. De plus, il n'est pas évident que cette foi nouvelle dans le développement devait se jumeler d'un nationalisme accru, orienté vers la collectivité québécoise et non vers le Canada français. Nous avons vu, au contraire, que, dans les années 1950, les intellectuels favorables à la modernisation rejetaient, au nom de cette dernière, le nationalisme canadien-français.

Ce mélange de foi dans le développement et d'intense nationalisme laissait perplexes plusieurs Canadiens anglais. Le Canada anglais avait d'abord apprécié le changement idéologique, car il semblait concrétiser la conversion des Canadiens français à ses propres valeurs. Selon l'expression de David Kwavnick, les Canadiens français s'étaient convertis à l'« éthique protestante »; Canadiens français et Canadiens anglais voulaient désormais les mêmes choses. On se plaisait à croire que cette convergence de vues renforcerait l'unité canadienne, unité qui avait été impossible à réaliser tant que les Canadiens français souscrivaient aux valeurs traditionnelles. Mais on constata bien vite que cette nouvelle idéologie menaçait, au contraire, l'unité nationale. Les élites canadiennes-françaises s'attachaient davantage au Québec au lieu de s'intégrer à la communauté canadienne.

Le néo-nationalisme québécois apparaissait aux yeux de certains Canadiens anglais comme une anomalie fondée sur de vieilles habitudes dépassées. Il y eut un temps où les Canadiens français avaient des valeurs et des objectifs fondamentalement différents de ceux des Canadiens anglais; ils avaient donc de bonnes raisons de se méfier du gouvernement fédéral. Mais puisqu'il y avait maintenant convergence de valeurs et d'objectifs, ils pouvaient confier leur sort à la communauté politique canadienne. Les Canadiens français n'en prenaient que lentement conscience et on supposait que si Ottawa faisait des efforts pour les intégrer à ses structures et s'il se montrait plus attentif à leurs besoins, ils lui feraient alors davantage confiance[6]. Mais, bien entendu, ce ne fut pas le cas. Depuis le début des années 1960, le gouvernement fédéral a tenté, de diverses façons, de faire preuve d'une plus grande ouverture d'esprit à l'égard des Canadiens français. Malgré tout, le nationalisme québécois est plus solidement ancré que jamais. Il est donc évident que le lien entre la foi dans le développement et l'intensification du nationalisme québécois n'est ni un accident ni la résultante d'une quelconque anomalie historique; pour une raison ou une autre, les deux phénomènes sont liés étroitement, chacun renforçant l'autre.

Au cours des dernières années, certains analystes ont invoqué les nouvelles exigences des entreprises modernes, particulièrement des entreprises américaines, pour expliquer la conversion des Canadiens français à l'idéologie du développement. On a fait valoir qu'il n'était plus dans l'intérêt de ces entreprises d'avoir une main-d'oeuvre peu éduquée et non spécialisée. L'époque du « *cheap labour* » était révolue: on avait plutôt besoin d'une main-d'oeuvre hautement qualifiée, capable de maîtriser des opérations industrielles de plus en plus complexes. Une telle main-d'oeuvre offre également un meilleur marché pour les multiples biens de consommation lancés sur le marché. D'où la nécessité d'améliorer l'éducation publique et d'assurer le recyclage de la main-d'oeuvre pour en accroître la mobilité. Ces besoins signifient que l'État doit jouer un rôle beaucoup plus actif. C'est donc sous l'impulsion du monde industriel américain et en fonction de celui-ci que la nouvelle idéologie de développement et de modernisation se serait répandue. Cette thèse ne permet cependant pas d'expliquer pourquoi une telle idéologie pouvait *renforcer* le nationalisme québécois. Les intérêts américains auraient plutôt demandé que s'estompent les différences culturelles et linguistiques au profit d'une identification accrue aux institutions américaines et d'une intégration au marché de consommation américain.

Si ce mélange de modernisme et de nationalisme ne peut s'expliquer ni par des forces extérieures, ni par un simple accident historique, peut-être faut-il se tourner vers les changements qui se sont produits à l'intérieur même du Québec[7]. Ces deux courants ont peut-être été irrésistibles tout simplement parce que la situation des Canadiens français avait changé.

Plusieurs observateurs se sont intéressés aux transformations survenues dans la structure des classes sociales pendant la Révolution tranquille. Hubert Guindon a été l'un des premiers à souligner l'émergence d'une nouvelle classe moyenne bureaucratique issue surtout des institutions contrôlées par l'Église: l'éducation, la santé et le bien-être[8]. Une fois que les Canadiens français eurent commencé à affluer dans les villes, il fallait que ces institutions deviennent de plus en plus complexes si elles voulaient être en mesure de fournir des services adéquats. Elles avaient besoin d'administrateurs compétents pour faire face à la situation. Ces administrateurs devraient avoir reçu une formation en sciences sociales, particulièrement en techniques de management. L'Église en vint de plus en plus à regarder au-delà de son propre personnel pour recruter les personnes qualifiées. L'Église en vint donc à dépendre d'un nombre croissant de laïcs pour sauvegarder son influence. On vit ainsi apparaître une nouvelle élite qui revendiquait le pouvoir et le prestige au nom des sciences sociales « modernes ».

On comprend facilement pourquoi cette classe moyenne bureaucratique, qui prétendait être capable de comprendre et de jongler avec le processus de développement, participait à l'idéologie dominante de la Révolution tranquille. Elle n'avait aucune raison de craindre le développement puisqu'elle croyait pouvoir le maîtriser. Qui plus est, la mise en place de politiques de développement favorisait ses chances d'avancement. On comprend cependant moins bien que cette élite « modernisante » ait été fortement séduite par le nationalisme. N'oublions pas que son nouveau savoir et ses nouvelles techniques n'étaient pas des produits autochtones mais largement des importations américaines. Cette classe aurait donc pu se rapprocher de sa source et oublier son identité, d'autant plus que par ses activités elle aurait pu se sentir mal à l'aise dans la société canadienne-française.

En fait, on peut évoquer plusieurs raisons pour expliquer l'attrait que le nationalisme a exercé sur la nouvelle classe moyenne; citons, entre autre, la lutte qui l'opposait au clergé. L'Église, tout en lui offrant des postes administratifs dans ses institutions, tentait d'y conserver le pouvoir et utilisait à ses propres fins les efforts de modernisation. À court terme, cette stratégie s'avéra rentable et les activités de la nouvelle classe moyenne renforcèrent l'emprise des élites traditionnelles en matière d'éducation, de santé et de bien-être. À long terme, toutefois, ce fut un échec. Parce qu'elle était en mesure d'administrer de grandes organisations et qu'elle avait les moyens de moderniser les institutions, la nouvelle classe se rebiffait de plus en plus devant le contrôle du clergé. D'autre part, l'autorité spirituelle de l'Église ne pouvait que diminuer au fur et à mesure que ses institutions se bureaucratisaient et se laïcisaient. Le nationalisme a pu s'avérer un instrument utile pour conquérir les institutions jusqu'alors contrôlées par l'Église. Grâce au nouveau modèle qui faisait de la nation une société séculière et technologique, la nouvelle classe moyenne pouvait légitimer ses propres aspirations de classe: sa mainmise sur les institutions devenait nécessaire à *l'épanouissement de la collectivité*.

Des raisons identiques expliquent les liens étroits entre la nouvelle classe moyenne et le gouvernement provincial. Premièrement, les institutions reliées à l'Église dépendaient largement des deniers publics; les ressources de l'Église ne suffisaient certainement pas à entreprendre le genre de développement institutionnel attendu de la nouvelle classe moyenne. Il était donc naturel, dans ces conditions, que cette classe sociale se fasse le champion d'un gouvernement provincial fort, doté de ressources fiscales accrues, surtout que les questions d'éducation, de santé et de bien-être relevaient de ce palier de gouvernement. Deuxièmement, comme le gouvernement provincial avait, en principe, autorité sur les institutions de l'Église, il apparaissait logique, aux yeux de la classe moyenne, de l'utiliser afin d'acquérir le contrôle total sur ces institutions; elle pourrait utiliser l'État pour évincer le clergé et placer les institutions sous contrôle direct du gouvernement. Le tout serait présenté comme le processus normal de « démocratisation » grâce auquel les institutions « privées » seraient responsables devant les représentants élus de la nation.

Cette classe semble avoir eu d'autres aspirations qui l'incitaient davantage à adhérer à un nationalisme fort. Les qualifications professionnelles qu'elle avait acquises lui permettaient de prétendre à des postes de cadres au sein des entreprises économiques. Il s'avéra cependant que les Canadiens français se voyaient empêcher l'entrée aux échelons supérieurs des entreprises anglophones — là où se trouvaient la grande majorité des postes de cadres dans l'économie. Aussi, grâce au nationalisme, la nouvelle classe moyenne pouvait légitimer divers programmes gouvernementaux destinés à créer des ouvertures pour les francophones qui aspiraient à des postes de gestion dans l'économie. Des mesures comme la nationalisation des compagnies d'électricité anglophones pouvaient être présentés comme étant nécessaires à l'avancement de la nation québécoise; par ce moyen, celle-ci se donnait le contrôle des industries indispensables à l'édification d'une société technologique.

Dans un article célèbre, Albert Breton soutient en fait que de tels programmes nationalistes ne constituaient guère plus que des projets de « travaux publics » pour la classe moyenne[9]. Ses données indiquent que les autres classes sociales retirèrent peu d'avantages économiques de la nationalisation de l'électricité en 1963. De fait, elles subirent plutôt des pertes, dans la mesure où elles durent partager le financement de cette nationalisation. Breton laisse entendre que la nouvelle classe moyenne ne réussit à gagner suffisamment d'appuis pour ce projet qu'en vantant son aspect nationaliste. En somme, nationalisme et aspirations de la nouvelle classe moyenne étaient étroitement liés. Pour Breton et quelques autres il n'y a pas d'autre explication au nationalisme de cette classe que sa capacité de légitimer ses aspirations. Et il conclut: « le nationalisme est un outil utilisé par la nouvelle classe moyenne pour acquérir richesse et pouvoir[10] ».

Ces diverses interprétations ne manquent pas de poids. Il n'y a pas de doute que cette nouvelle idéologie était assez répandue au sein de la classe moyenne bureaucratique au début des années 1960[11]. D'autre part, on peut facilement comprendre comment la situation de cette classe peut avoir engendré un nationalisme très militant.

Charles Taylor, dans un article de 1965, nous montre pourtant que, s'il est vrai que le nationalisme de la nouvelle classe moyenne reposait sur une volonté d'améliorer ses chances d'accès aux postes de direction, il ne faut pas y voir que cela. Il considère ce genre d'explications « trop rationalistes et utilitaristes[12] ». À son avis, ce sont les problèmes « d'identité » qui expliquent principalement ce néo-nationalisme; la nouvelle classe moyenne se trouve coincée entre les nouvelles valeurs du développement économique et social, qu'elle fait siennes, et l'image négative que ces mêmes valeurs lui retransmettent de son propre groupe, c'est-à-dire un Canada français évidemment « arriéré » sur plusieurs aspects. Cette « nouvelle classe moyenne canadienne-française » ne pouvait donc pas se sentir à l'aise dans l'identité canadienne-française. Or, dans la majorité des cas, ce malaise ne pouvait pas se résoudre par l'abandon de l'identification au Canada français. Les différences de langue et de culture étaient tout simplement trop grandes. Même le Canadien français « moderne » se sentait plus que simplement nord-américain. (Taylor constate, en outre, que cette nouvelle classe moyenne provenait surtout des classes inférieures et non de l'ancienne classe moyenne et que ses membres, qui ne parlaient pas couramment l'anglais, pouvaient difficilement passer à la communauté anglophone[13].)

Il ne restait donc pas d'alternative au Canadien français « en voie de modernisation »: il ne pouvait que consacrer toutes ses énergies à transformer le Canada français pour qu'il devienne plus « acceptable ». De plus, puisqu'il s'agissait d'élever le statut de la collectivité, il était extrêmement important que les changements soient effectués par des Canadiens français dans le cadre d'institutions exclusivement canadiennes-françaises. Les Canadiens français devaient prouver aux autres qu'ils étaient vraiment capables de réalisations « modernes » et que les stéréotypes traditionnels n'avaient plus cours. Et c'est donc le gouvernement du *Québec* qui devait être à la tête de ce rattrapage; peu importe l'apport financier des programmes fédéraux, les programmes provinciaux auraient toujours une plus grande valeur symbolique[14].

Outre la classe moyenne bureaucratique, nous pouvons identifier un deuxième groupe susceptible de défendre la nouvelle idéologie de la Révolution tranquille: il s'agit des quelques Canadiens français ayant réussi à décrocher des postes intermédiaires dans les entreprises canadiennes-anglaises et américaines ainsi qu'au gouvernement fédéral. On peut penser que ce milieu a suscité un nationalisme particulièrement fort. Plusieurs voyaient leurs chances d'avancement limitées parce qu'on leur préférait des anglophones; dans ces cas la « crise d'identité » a pu être d'autant plus pénible qu'on côtoyait régulièrement des anglophones. D'autre part, la nécessité d'utiliser l'anglais et de travailler selon les normes anglophones a pu entraîner de grandes frustrations chez d'autres, qui par ailleurs pouvaient se dire satisfaits de leurs chances d'avancement[15]. Ce genre de situation a dû aiguiser le sentiment d'appartenance à la collectivité québécoise et le besoin de donner un rôle plus actif au gouvernement du Québec[16]. Mais la réaction aurait pu être diamétralement opposée: renoncer à l'identité canadienne-française et s'assimiler à la collectivité anglophone afin de profiter des avantages économiques qui semblaient en découler. Ceux qui étaient tentés par l'assimilation et qui en avaient la possibilité se sont effectivement toujours montrés ouvertement hostiles, à tout nationalisme québécois. Mais le fait est que pour la plupart l'assimilation totale n'était pas possible.

Ainsi, à la fin des années 1950, le développement économique a levé l'un des principaux obstacles à la modernisation politique. Plutôt que d'empêcher l'expansion de l'État, le nouveau nationalisme l'a au contraire fortement encouragée et la victoire du Parti libéral, en 1960, ne fera qu'accélérer le processus.

Le régime Lesage et l'idéologie de la Révolution tranquille

Parmi les principales figures du Parti libéral il y avait des hommes comme René Lévesque et Paul Gérin-Lajoie qui, très proches de la nouvelle classe moyenne et de l'idéologie néo-nationaliste, étaient personnellement engagés dans les grandes réformes gouvernementales. La présence et le poids de ces personnalités contribuaient fortement à faire valoir la nouvelle conception du rôle de l'État au sein du cabinet Lesage. Il ne faut pas exagérer cependant l'engagement des libéraux dans ce nouvel étatisme. Le Conseil des ministres comprenait des personnalités comme Bona Arsenault, un vétéran de la politique provinciale, dont les conceptions politiques ne semblaient guère différer de celles de Duplessis. Jean Lesage lui-même abordait les nouvelles réformes avec prudence.

Bien que le chef libéral s'attribuât toute la gloire des nouvelles mesures de son gouvernement, celles-ci venaient souvent de ministres qui avaient dû batailler ferme pour venir à bout de ses hésitations[17]. Durant la campagne électorale de 1960, Lesage avait personnellement assuré les électeurs que son administration n'établirait jamais un ministère de l'Éducation. Ce ne fut qu'après que Paul Gérin-Lajoie eut mené une campagne longue et ardue que Lesage changea finalement d'avis. De même, la nationalisation de l'électricité en 1962 fut en grande partie le fait des efforts de René Lévesque. Sans l'approbation du cabinet, Lévesque se mit personnellement en campagne pour la nationalisation, allant chercher un appui populaire massif dans toute la province. Puis, lors d'une session fameuse du cabinet au Lac-à-l'Épaule, Lévesque réussit à venir à bout des hésitations de ses collègues. Durant tout ce temps, il eut à surmonter l'opposition ouverte de Lesage. Selon Georges-Émile Lapalme, ancien chef libéral et ministre important au sein du cabinet Lesage, le premier ministre « demeura un adversaire inflexible de la nationalisation jusqu'à la dernière minute »[18]. Sans Gérin-Lajoie et Lévesque, les réformes de l'administration Lesage auraient été beaucoup moins substantielles.

L'influence de ces néo-nationalistes au sein de la direction libérale se trouvait renforcée dans la mesure où la base électorale du parti se concentrait en milieu urbain. En 1962, 59% des députés libéraux venaient de régions urbaines à plus de 60%[19]. En outre, 29% des députés libéraux venaient de Montréal ou de Québec (comparativement à 15% pour l'Union nationale en 1956)[20]. La prépondérance électorale des zones urbaines laissait prévoir que l'administration Lesage serait plus attentive aux exigences des classes moyennes des villes que ne l'avait été le régime Duplessis.

La modernisation de l'État québécois

Nous avons vu que le retard politique se faisait davantage sentir dans les secteurs de l'éducation, de la santé et du bien-être. Le gouvernement québécois y avait laissé les institutions privées (notamment celles de l'Église) jouir d'un pouvoir beaucoup plus grand que ce n'était le cas dans les autres provinces. C'est là que l'activité étatique, sous l'administration Lesage, prit le plus d'ampleur.

En établissant un ministère de l'Éducation en 1964, le gouvernement québécois étendait son autorité à toutes les maisons d'enseignement, publiques ou privées. Dans le secteur public, le gouvernement ne se contentait plus comme autrefois de fournir un soutien matériel, il prenait maintenant en main le contenu pédagogique. On prit soin d'adopter certaines mesures pour apaiser le clergé, qui craignait une diminution du caractère confessionnel des écoles catholiques[21]. On établit à titre consultatif un Conseil supérieur qui, à l'instar de l'ancien Conseil de l'instruction publique, comprenait des catholiques et des protestants. Au sein du comité catholique, le clergé était bien représenté. Cependant, la loi limitait le pouvoir de ce comité à superviser les aspects strictement confessionnels des écoles catholiques. D'autre part, on jeta les bases des nouveaux collèges d'enseignement général et professionnel (CEGEP), qui devaient être non confessionnels. En plus de réduire considérablement le pouvoir du clergé sur le contenu de l'éducation publique, le gouvernement Lesage réduisait le rôle des élites locales (par le biais des commissions scolaires) dans l'organisation des écoles. Par la célèbre « opération 55 », le nouveau ministre de l'Éducation obligea les nombreuses commissions scolaires locales à se regrouper en 55 commissions régionales.

La même centralisation eut lieu aussi dans les domaines de la santé et du bien-être. Les institutions religieuses passèrent progressivement sous le contrôle de la bureaucratie provinciale; dans certains cas, elles furent complètement prises en charge par la province. Avec l'établissement d'un régime provincial d'assurance-hospitalisation en 1961, les hôpitaux durent se conformer aux normes et règlements provinciaux concernant la qualification du personnel, les procédures administratives, le niveau et le coût des services, etc. Des organismes de bien-être privés furent aussi graduellement assujettis aux règlementations gouvernementales. Le gouvernement s'engagea en outre plus directement dans le domaine du bien-être en accroissant ses propres programmes et services. Ainsi, en 1964, il institua un nouveau régime de retraite obligatoire. Dans une large mesure, c'est le transfert des programmes fédéraux à la province qui permit ce rôle accru du gouvernement québécois. Le désir du Québec de prendre en charge les programmes fédéraux fut au centre du conflit Québec-Ottawa durant cette période.

Le gouvernement Lesage fit également porter ses initiatives du côté de l'économie. L'objectif principal était de corriger la sous-représentation des Canadiens français aux échelons supérieurs de la structure économique. Plutôt que de chercher à changer les méthodes de recrutement des entreprises canadiennes-anglaises et américaines qui dominaient l'économie, il consacra ses efforts à agrandir le petit secteur canadien-français. Il poursuivait deux objectifs principaux: l'établissement d'entreprises publiques et le renforcement des entreprises qui appartenaient à des Canadiens français. Dans le cas des entreprises publiques, la réussite la plus remarquable fut sans contredit la nationalisation des compagnies d'électricité. Les avantages économiques qui pouvaient découler de cette nationalisation importent moins que les possibilités offertes aux Canadiens français d'accéder à des postes administratifs et techniques. Avec le ferme appui du gouvernement, la haute direction d'Hydro-Québec veilla à établir le français comme seule langue de travail au sein de l'entreprise. Le personnel anglophone des compagnies nationalisées changea d'emploi, prit une retraite anticipée ou, dans certains cas, apprit à travailler en français. Les Canadiens français eurent la priorité pour les postes vacants. Hydro-Québec demeure encore aujourd'hui l'exemple par excellence d'une entreprise qui a bien réussi le passage de l'anglais au français. Au-delà de son fonctionnement régulier, Hydro-Québec a fourni, avec la construction d'immenses barrages dans le nord québécois, de nouveaux débouchés aux francophones qui se dirigeaient dans des professions administratives et techniques. Le français fut la seule langue de travail pour l'érection des barrages de la Manicouagan, le plus grand complexe de ce genre au monde. Il peut sembler ironique aux yeux de certains que la nationalisation des compagnies d'électricité ait été financée par des capitaux américains (300 000 000$). Les Canadiens français devenaient maîtres chez eux aux dépens de la bourgeoisie canadienne-anglaise, mais avec l'appui de la bourgeoisie américaine. Néanmoins, Hydro-Québec offrit à la classe moyenne canadienne-française des possibilités de carrière qui n'auraient pu exister autrement. Ce fut, de ce point de vue, une réussite manifeste.

Les autres efforts du gouvernement Lesage pour renforcer le rôle des francophones dans l'économie québécoise ne connurent pas de succès aussi immédiats. En 1962, il créait la Société générale de financement (SGF) dans le but de raffermir les petites entreprises commerciales et industrielles canadiennes-françaises, qui à l'époque étaient souvent familiales. On voulait y parvenir en offrant un soutien financier, tiré de fonds publics et privés, et en introduisant des techniques de gestion modernes. La plus grande partie des fonds fut placée dans Marine Industries, une grande entreprise de construction navale et d'industrie lourde; et dans deux compagnies associées, Forano et Volcano. La SGF devint l'actionnaire principal de ce complexe ainsi que d'autres entreprises plus petites: une biscuiterie (Biscuits Stuart), une filature (La Salle Tricot), une usine de produits métalliques (Bonnex), et de munitions (Industries Valcartier). En outre, la SGF mit sur pied une firme de produits forestiers (Sogefor), une manufacture d'équipements électriques (Cegelec Industries) et une usine d'assemblage pour les automobiles Renault (SOMA). Aucune de ces entreprises ne s'avéra très rentable, malgré le soutien financier et technique de la SGF. De fait, vu sa piètre performance, la SGF éprouva beaucoup de difficultés à vendre ses actions sur le marché; en 1970, elle avait déjà épuisé le capital qui avait été mis à sa disposition. Il faut reconnaître que, contrairement à d'autres sociétés d'État, la SGF ne connut d'échec total dans aucune de ces entreprises, puisqu'elle avait acquis elle-même des intérêts au lieu de prêter simplement des fonds. Mais bien que ces opérations puissent sembler respectables par rapport à d'autres sociétés de financement, la SGF ne fut pas un véritable succès. L'entreprise privée canadienne-française n'en continua pas moins de rester marginale à l'époque; la SGF et sa formule de propriété mixte tombèrent bientôt en discrédit; la seule mesure qui réussit vraiment à renforcer la présence des Canadiens français dans l'économie du Québec durant la Révolution tranquille, ce fut l'expansion d'Hydro-Québec, une entreprise publique.

Outre Hydro-Québec et la SGF, le gouvernement Lesage caressait un autre projet économique d'envergure, qui ne se réalisa pas cependant avant la fin des années 1960. Dès 1964, en effet, le gouvernement avait créé Sidbec, dans le but de rompre la dépendance vis-à-vis des aciéries ontariennes. Le coût énorme d'une telle initiative souleva une vive controverse. Pour certains, Sidbec symbolisait bien la façon dont le néo-nationalisme avait détourné les priorités gouvernementales pour se braquer sur des projets grandioses, dont la viabilité économique était douteuse mais qui satisfaisaient une certaine politique de grandeur. Pour d'autres, cette aciérie était un instrument essentiel de développement autonome. Le gouvernement préféra en fin de compte en différer la réalisation. Néanmoins, ce projet joua un rôle central dans sa stratégie d'intervention.

Ces trois initiatives — Hydro-Québec, la SGF et Sidbec — représentèrent ce que le gouvernement Lesage avait revendiqué comme l'un de ses objectifs primordiaux: accroître la présence des Canadiens français aux échelons supérieurs de l'économie québécoise. Cela découlait directement du mot d'ordre « Maîtres chez nous ». On déploya beaucoup d'efforts pour atteindre ce but, mais ces initiatives et d'autres réalisations connexes n'eurent que des incidences marginales: l'emprise anglophone sur l'économie québécoise ne s'en trouva pas réduite de beaucoup. Le contraste entrel'échec relatif du gouvernement Lesage sur le plan économique et sa réussite dans le domaine de l'éducation et des institutions sociales est frappant. Dans le domaine de l'éducation, en particulier, le gouvernement réussit à établir pleinement son autorité, à imposer de nouvelles structures et de nouveaux objectifs.

Il n'est pas étonnant que la Révolution tranquille ait eu plus d'effet sur l'éducation que sur l'économie. D'abord l'éducation était un domaine de compétence provinciale, alors que l'économie ne l'était pas: certaines initiatives économiques se heurtèrent directement à des activités fédérales concurrentes. On pense en particulier au Conseil d'orientation économique du Québec. Ses efforts pour établir un plan global de développement n'allaient apparemment pas dans le sens des priorités fédérales. Ottawa favorisait un développement concentré dans la région de Montréal, tandis que le Conseil visait le développement simultané de plusieurs régions. En deuxième lieu, les milieux d'affaires anglophones avaient beaucoup plus de ressources pour contrecarrer les initiatives économiques de Québec que les élites cléricales n'en avaient pour empêcher le gouvernement de prendre en main l'éducation.

Ces obstacles peuvent sans doute expliquer les résultats mitigés de la création d'un fonds d'investissement public en 1965: la Caisse de dépôt et de placement du Québec. La caisse reçut comme mandat d'administrer les fonds versés au régime des rentes du Québec et à d'autres régimes d'assurances secondaires. La Caisse devint un important acheteur d'obligations du Québec, ce qui réduisait d'autant la dépendance québécoise vis-à-vis des institutions financières canadiennes-anglaises et américaines. Cependant, au cours des années, les administrateurs de la Caisse parurent hésiter à concentrer leurs placements dans des entreprises appartenant à des francophones. Ils investirent plutôt dans les grandes banques et dans d'autres grandes entreprises canadiennes-anglaises.

Certains observateurs ont fait valoir que le gouvernement était loin d'être unanime en matière de stratégie économique. Le gouvernement n'aurait donc pas exercé assez d'autorité sur les nouvelles sociétés d'État pour coordonner leurs activités comme il l'aurait fallu. Et les directeurs de la SGF, apparemment intimidés par cette nouvelle formule d'économie mixte, auraient fait preuve d'une trop grand prudence[22].

L'échec relatif dans ce domaine devait avoir de sérieuses conséquences sur la stabilité sociale et politique de la province. Les réformes scolaires commençant à faire sentir leur effet, les diplômés se mirent à sortir en plus grand nombre avec des qualifications et des aspirations pour les postes supérieurs. Comme la Révolution tranquille n'avait pas réussi tout à fait à faire les percées qu'elle promettait dans l'économie, les déceptions devenaient inévitables. La frustration des nouveaux diplômés pouvait facilement se muer en agressivité contre le système politique établi. C'est le risque que court un gouvernement lorsqu'il accélère le développement dans un secteur de la société sans pouvoir assurer un développement comparable dans d'autres.

Si les réformes du gouvernement Lesage ont connu des succès variables, elles ont quand même entraîné des changements de structures au sein des institutions étatiques. Dès le début des années 1960, la fonction publique connut une expansion rapide. Entre 1960 et 1970, on mit sur pied six nouveaux ministères, neuf conseils consultatifs, trois organismes de réglementation, huit entreprises publiques, et un tribunal administratif. Le nombre total des organismes d'État s'éleva de 39 à 64[23]. Les employés de la fonction publique (compte non tenu des entreprises publiques) augmentèrent de 42,6% entre 1960 et 1965, passant de 29 298 à 41 147[24]. Les employés des entreprises publiques (excluant Hydro-Québec et la Société des alcools) s'accrurent de 93% durant la même période, passant de 7 468 à 14 411. (Dans chaque cas, il s'agit des augmentations les plus considérables pour des périodes comparables entre 1945 et 1970[25].)

Ce corps amplifié de fonctionnaires commença à présenter les caractéristiques d'une bureaucratie autonome: principe de fonctionnement bureaucratique, exigences de qualification professionnelle pour les nominations et les promotions, influence considérable sur les décisions. De fait, au milieu des années 1960, le sentiment s'était répandu dans la population que le gouvernement québécois était devenu une technocratie dans laquelle les hauts fonctionnaires plutôt que les élus du peuple représentaient la force dominante. Ces craintes n'étaient pas vraiment fondées: le pouvoir des bureaucrates demeurait circonscrit par les élus et leur personnel politique; souvent les initiatives mises de l'avant par les bureaucrates étaient annulées par les contre-propositions d'autres bureaucrates; et les décisions que les hauts fonctionnaires arrivaient à imposer n'étaient pas toujours basées sur des critères exclusivement techniques. Si la population entretenait de telles craintes, c'est sans doute en partie qu'elle ne se reconnaissait pas dans les nouveaux programmes gouvernementaux[26]. Il n'en demeure pas moins que la fonction publique avait acquis une tout autre importance.

Par ses initiatives, le gouvernement Lesage avait cependant réussi à réduire considérablement le décalage qui avait existé entre la politique et la réalité socio-économique; en créant de nouvelles institutions gouvernementales et para-gouvernementales, le gouvernement élargissait considérablement son champ d'action. Cette interprétation a été contestée par Daniel Latouche[27], qui s'est penché sur les dépenses gouvernementales plutôt que sur les changements institutionnels. D'après Latouche, le gouvernement Lesage n'aurait pas amorcé le tournant radical qu'on lui attribue généralement. Après avoir analysé attentivement la répartition des dépenses publiques pour la période 1945-1970, il soutient qu'en fin de compte ce gouvernement avait la même conception du rôle de l'État que les gouvernements précédents. Les priorités budgétaires sous Lesage étaient, pour l'essentiel, les mêmes que celles des années 1950, sous Duplessis. Le véritable virage se serait produit entre 1945 et 1950, alors que les priorités s'étaient déplacées des ressources naturelles vers l'éducation et la santé. Bien sûr, les dépenses augmentèrent de façon substantielle sous Lesage, mais leur répartition restait sensiblement la même.

Ne s'intéressant qu'aux budgets, Latouche semble oublier l'essentiel: le transfert à l'État des sources de pouvoir. Dans cette perspective, on doit reconnaître que le gouvernement Lesage s'appuyait sans conteste sur une conception différente du rôle de l'État. On a vu qu'avant 1960, une grande partie du pouvoir décisionnel dans le domaine de l'éducation et du bien-être social n'appartenait pas au gouvernement provincial mais à des organismes privés, et notamment à l'Église. Pour ce qui est des écoles publiques, par exemple, le gouvernement contribuait à leur construction, mais le clergé avait le dernier mot sur l'éducation qui y était donnée. Il n'est pas étonnant que dans les années d'après-guerre le gouvernement ait dépensé davantage dans le domaine de l'éducation et du bien-être social. Une population urbaine croissante exigeait de plus grandes dépenses et les institutions que l'Église avait mises sur pied à ces fins pressaient de plus en plus l'État de leur fournir un soutien financier. Il n'en reste pas moins que le gouvernement Lesage s'inspirait d'une tout autre conception du rôle de l'État lorsque, en établissant le ministère de l'Éducation et en élargissant les programmes de bien-être, il plaçait ces secteurs sous son emprise immédiate. De ce point de vue, il se

démarquait radicalement des régimes précédents; il amorça une modernisation politique très réelle.

D'autres critiques, peut-être plus pertinentes, comparent les réformes de la Révolution tranquille aux réalisations accomplies par d'autres gouvernements en Amérique du Nord. Elles font valoir, non sans exagération, que les réformes réelles de la Révolution tranquille n'offraient rien de vraiment original ou d'innovateur. En outre, ces réformes n'auraient pas accru le pouvoir de l'État au-delà de ce qui avait déjà été atteint ailleurs en Amérique du Nord[28]. Dans les domaines de l'éducation, de la santé, du bien-être et de la sécurité sociale, les nouvelles institutions établies sous Lesage n'auraient fait qu'adopter le modèle nord-américain d'initiative étatique dans ce secteur. Et ce n'est que dans la mesure où ces nouvelles initiatives québécoises supposaient un transfert de responsabilités détenues auparavant par le gouvernement fédéral qu'elles apparaissaient comme radicales aux yeux de certains observateurs étrangers. De même, les diverses initiatives économiques du gouvernement Lesage ne remettaient pas en question le modèle nord-américain prédominant d'une économie basée sur la libre entreprise. Le seul exemple de nationalisation pure et simple fut Hydro-Québec, et là, Québec ne faisait que suivre un précédent établi depuis longtemps par d'autres provinces. Pour le reste, l'objectif principal des activités québécoises fut de consolider ou de mettre sur pied des entreprises francophones, en général avec une formule de propriété mixte. Les firmes américaines et canadiennes-anglaises gardèrent toute leur autonomie.

Pourtant, tous ces programmes, qui reproduisaient peut-être le modèle nord-américain du « Welfare State » et de l'économie de libre entreprise, devaient avoir des effets perturbateurs sur la société québécoise et le système politique canadien. Nous verrons au chapitre suivant comment ils accentuèrent les divisions sociales et comment ces divisions se répercutèrent en politique. Pour le moment, voyons les conséquences immédiates que la Révolution tranquille eut sur le fonctionnement du système fédéral canadien.

Le Québec et le système fédéral canadien

Le gouvernement Lesage aborda les relations avec Ottawa dans une perspective nouvelle. Sa détermination à accroître le rôle de l'État rendait désuète la stratégie traditionnelle. On ne pouvait plus se contenter d'empêcher le fédéral d'occuper des champs de compétence provinciale: il fallait occuper au maximum ces champs et lancer des programmes au risque de s'imposer des contraintes financières très lourdes. Or, certains de ces programmes pouvaient se heurter à d'autres programmes de compétence fédérale. Si les actions du gouvernement Lesage nous semblent peu audacieuses après coup, elles demandaient alors une stratégie radicalement différente dans les relations fédérales-provinciales, puisqu'elles l'amenaient à remettre en question les règles du fédéralisme canadien.

Le premier sujet de débat fut l'existence des programmes conjoints. Jean Lesage déclara, lors de la conférence fédérale-provinciale d'octobre 1960, que le Québec allait désormais se prévaloir « sur une base temporaire » des programmes fédéraux auxquels il ne participait pas alors et il demandait également qu'Ottawa mette fin à ces programmes conjoints en accordant une compensation fiscale aux provinces[29]. Bref, Québec ne pouvait plus se permettre de renoncer aux subventions fédérales au nom de l'autonomie provinciale; il avait besoin de cet argent et le demandait sans conditions ni parrainage fédéral, toujours au nom de l'autonomie provinciale. Ce type d'arrangement (droit de retrait ou *opting out*) avait déjà été proposé par Paul Sauvé. Lors de l'entente de 1959 sur le financement des universités, le gouvernement fédéral avait abandonné 1% de l'impôt sur le revenu des corporations afin que le Québec puisse recouvrer, grâce à son propre impôt sur le revenu des corporations, les sommes que les universités du Québec auraient retirées de leur participation au programme fédéral d'aide aux universités. (On avait prévu des ajustements annuels par lesquels Québec recevrait l'équivalent des subventions[30].) L'accord faisait mention des responsabilités spéciales du Québec, en tant que seule province majoritairement francophone, en matière d'éducation. Cette clause était probablement destinée à limiter l'application du droit de retrait. Néanmoins, le précédent était créé: la non-participation à un programme conjoint n'entraînait pas de pertes financières. (Selon Donald Smiley, cette formule est unique au sein des systèmes fédéraux[31].) Le gouvernement Lesage utilisa donc le précédent pour réclamer un transfert plus étendu des responsabilités fédérales vers le Québec. Il demanda l'application du droit de retrait à d'autres programmes fédéraux touchant les secteurs de juridiction exclusivement provinciale comme l'éducation, la santé et le bien-être social. Lorsque Québec apprenait qu'Ottawa envisageait de nouveaux programmes dans ces secteurs, il s'empressait d'établir le premier son propre programme afin de réclamer une compensation lorsque le programme fédéral entrait en vigueur.

Au début des années 1960, Ottawa acquiesça à plusieurs de ces demandes. La formule du droit de retrait fut appliquée à un grand nombre de programmes à frais partagés ainsi qu'à des programmes financés et administrés par le fédéral dans les autres provinces. Le gouvernement fédéral insista pour garder le contrôle d'un projet de régime universel de pension, mais il dut là aussi accorder un droit de retrait au Québec lors d'une orageuse conférence fédérale-provinciale. Le fédéral administrerait, dans les neuf autres provinces, le Régime de pensions du Canada, alors que Québec aurait son propre Régime des rentes.

On peut dire que souvent le droit de retrait n'avait qu'une valeur symbolique. Dans chaque cas, le Québec mettait sur pied un programme semblable à celui dont il s'était retiré. Les fonds étaient donc dépensés aux fins souhaitées par Ottawa. Ces arrangements ont quand même accordé des avantages concrets au Québec. Ils ont permis le développement de la bureaucratie québécoise. Le gouvernement du Québec pouvait ainsi augmenter les services et les avantages qu'il fournissait directement à sa population. Au-delà des avantages électoraux que le parti au pouvoir pouvait en retirer, cette situation ne pouvait que renforcer l'idée, chez les Québécois, qu'ils devraient se tourner vers le gouvernement provincial pour satisfaire leurs besoins. Dans le cas du Régime des rentes, le Québec a obtenu une nouvelle source de revenus au moment où commençait à lui peser le coût de la modernisation politique. Finalement, le droit de retrait contribua à faire accepter l'idée que le Québec avait des responsabilités et des besoins particuliers: le Québec avait déjà acquis, de facto, un « statut particulier ».

Le Québec avait, en plus de la formule élargie du droit de retrait, d'autres demandes importantes à formuler au fédéralisme canadien. Parce que ses nouveaux projets lui coûtaient cher, le gouvernement Lesage exigeait un réajustement du partage de l'impôt sur le revenu avec le gouvernement fédéral, qui, selon lui, occupait une trop grande part des champs de taxation: pour que Québec puisse assumer *ses* obligations, le gouvernement fédéral devait réduire *ses* impôts. Québec chercha aussi à faire reconnaître son droit d'être consulté avant toute intervention fédérale dans des secteurs reconnus de sa juridiction et revendiqua finalement le droit de signer des ententes avec des pays étrangers sur des sujets relevant de sa juridiction.

Il s'avéra donc que l'idée, défendue depuis longtemps déjà, d'un Québec qui veillerait seul aux intérêts spécifiques des Canadiens français avait des implications totalement différentes pour le fédéralisme canadien, maintenant qu'elle s'accompagnait d'une nouvelle vision positive du rôle du gouvernement. L'administration Lesage s'attaquait aux fondements et aux règles du fédéralisme canadien dans un dessein et avec une énergie jusque là jamais vus; en comparaison, les discours des Taschereau et Duplessis semblaient plutôt faibles. En principe, les exigences de ce néo-nationalisme ne connaissaient pas de limites. Y avait-il une seule sphère d'activités gouvernementales où des intérêts canadiens-français n'étaient pas impliqués? Si toute la société québécoise devait entreprendre un rattrapage, et si les Québécois devenaient maîtres chez eux, quelles responsabilités resterait-il au gouvernement fédéral?

Le gouvernement Lesage ne répondait pas explicitement à ces questions. Si certains de ses membres s'interrogeaient sur la nécessité d'un nouveau partage des pouvoirs, il restait dans l'ensemble attaché au système fédéral. Mais l'ambiguïté de son attitude et les positions plus radicales prises par d'autres groupes provoquèrent un profond malaise au Canada anglais, malaise qui, à court terme, amena le gouvernement fédéral à mettre de l'avant une certaine politique d'accomodement avec le Québec. Mais cela ne freina pas les exigences d'un changement plus profond du système. La question fondamentale demeurait la même: quels sont les pouvoirs nécessaires au Québec pour être le moteur principal du développement économique et social? Le gouvernement Lesage, par la modernisation politique qu'il mit en oeuvre et par ses demandes concrètes au gouvernement fédéral, souleva des questions qui allaient au coeur même du problème de la communauté politique canadienne. La préoccupation constante de plusieurs Québécois pour ces questions est un des legs importants de la Révolution tranquille.

Limite de l'appui populaire accordé à la Révolution tranquille

Le début des années 1960 fut vraiment une période de changements dans la vie politique du Québec. On assista d'abord à une transformation idéologique. La nouvelle idéologie de la Révolution tranquille se gagna de solides appuis dans des secteurs influents de la société et amena l'équipe libérale à accroître les activités gouvernementales. Ces activités nouvelles, ainsi que l'idéologie qui les sous-tendait, agirent sur l'équilibre du système fédéral canadien et entraînèrent le transfert d'une somme considérable de pouvoirs et de ressources fiscales. Les nouveaux rôles que le gouvernement du Québec assuma, tant dans le cadre de la société québécoise que dans le système fédéral canadien, servirent en retour à légitimer et à consolider l'adhésion à l'idéologie de la Révolution tranquille. Mais les Canadiens français ne se convertirent pas *tous* à cette nouvelle idéologie et aux politiques qu'elle comportait.

On ne saurait d'ailleurs interpréter la victoire libérale de 1960 comme la conséquence du désir des Canadiens français de voir l'État assumer un rôle nouveau. Compte tenu de la majorité écrasante que les Canadiens anglais accordaient généralement aux libéraux depuis 1930, les 52% de suffrages exprimés en faveur des libéraux lors de cette élection, représentaient moins de la majorité des votants canadiens-français. S'il est vrai que les libéraux, par le slogan électoral « il faut que ça change » s'étaient engagés à apporter des changements, nous avons vu que cela n'allait même pas jusqu'à la création d'un ministère de l'Éducation. D'ailleurs, les gains libéraux s'expliquent en partie par l'incapacité de l'UN à mener, comme au temps de Duplessis, une campagne cohérente et efficace. La mort subite de Paul Sauvé avait profondément divisé l'UN sur le choix d'un chef et le nouveau leader, Antonio Barette, avait été incapable de refaire l'unité; certaines des figures dominantes du parti ne participèrent même pas à la campagne de 1960.

Dès 1962, les libéraux avaient augmenté leur popularité et on peut penser qu'ils reçurent la majorité des votes des Canadiens français[32]. Mais, comme le suggère Maurice Pinard, il ne faudrait pas y voir nécessairement un appui au programme de la Révolution tranquille ou, du moins, à la nationalisation de l'électricité[33]. Les libéraux n'avaient pas encore réussi à vaincre les réticences de la classe ouvrière à leur égard. Toujours selon Pinard, les Canadiens français de la classe ouvrière, qui s'identifiaient à leur classe et à ses intérêts, restaient particulièrement sourds aux appels des libéraux[34].

L'étonnante défaite des libéraux en 1966 ne fut pas que le rejet populaire de la Révolution tranquille mais la résultante de plusieurs facteurs. Avant toutes choses, cette défaite était liée au système uninominal à un tour. Avec 40% des suffrages exprimés (soit 7% de moins que les libéraux), l'UN remporta la majorité des sièges. De fait, l'UN, qui connaissait une baisse de popularité constante depuis 1956, recueillait moins de votes qu'en 1962, soit 1% de moins. Néanmoins, elle conservait ses appuis en partie parce qu'elle exploitait le ressentiment populaire face aux changements introduits par le régime Lesage. Ainsi, l'UN avait soulevé, dans les régions rurales, un mouvement d'opposition à la régionalisation des écoles secondaires (perçue par plusieurs comme une menace à la solidarité familiale et communautaire) et avait exploité la crainte que les libéraux ne déconfessionnalisent les écoles publiques. En 1966, beaucoup d'éléments de la société québécoise affirmaient que la Révolution tranquille avait déjà été trop loin dans la réforme des institutions canadiennes-françaises[35].

Léon Dion notait, dans une excellente étude datant du milieu des années 1960, la persistance d'éléments conservateurs dans la société canadienne-française, ainsi que le manque de perspicacité de certains analystes à cet égard[36]. Les autorités politiques, sous le gouvernement Lesage comme dans bien d'autres cas, essaient de créer l'illusion d'une convergence vers les valeurs auxquelles ils tentent d'identifier leur régime. Selon Dion, les analystes tombent eux-mêmes fréquemment dans cette illusion et ignorent ainsi la présence d'une opposition idéologique. L'erreur est d'autant plus facile que les analystes s'identifient à l'idéologie officielle des autorités, comme ce fut le cas sous le régime Lesage. Donc, tout comme il y avait des éléments qui, en 1950, s'opposaient au conservatisme du régime Duplessis, il continuait à y avoir, dans le Québec du milieu des années 1960, des éléments qui s'opposaient aux nouvelles valeurs mises de l'avant par les libéraux et qui furent, jusqu'à un certain point, réduits à un silence relatif par les partisans agressifs de la Révolution tranquille, comme le suggère Jean-Marc Léger[37]. L'opposition de divers groupes à la création du ministère de l'Éducation est un exemple manifeste de ce conservatisme dont la persistance fut on ne peut plus évidente aux élections de 1966.

En 1966, en plus de l'opposition conservatrice aux politiques de la Révolution tranquille, l'UN profitait de la méfiance de la classe ouvrière à l'égard du Parti libéral. Les libéraux obtenaient, encore une fois, moins de succès auprès de la classe ouvrière qu'auprès de la classe moyenne[38]. Nous pouvons vraisemblablement conclure que la situation décrite en 1962 par Pinard, et qui associait l'identification à la classe ouvrière et l'appui à l'UN, jouait encore lors de l'élection de 1966.

Les libéraux perdaient également du terrain auprès de ceux qui croyaient que la Révolution tranquille n'avait pas été assez loin, particulièrement sur les aspects constitutionnels. Pour la première fois, il y avait deux partis indépendantistes en lice, soit le Rassemblement pour l'indépendance nationale (RIN) et le Ralliement national (RN), qui reçurent respectivement 6% et 3% des suffrages. Dans certaines circonscriptions francophones de Montréal, l'appui au RIN, joint à la désaffection croissante de la classe ouvrière pour les libéraux, donna la majorité à l'UN.

Le discours et le programme de la Révolution tranquille provoquèrent deux réactions opposées: une résistance au changement et un désir de plus grands changements. Les libéraux ne pouvaient satisfaire les deux. Une fois de plus, ils seront rejetés par la majorité des Québécois. Le processus de modernisation politique mis en place par le gouvernement Lesage créait, au sein de la société canadienne-française, des divisions et des antagonismes difficilement conciliables pour un parti politique.

Le capitalisme monopolistique et la modernisation politique du Québec

Au cours de cet examen de la Révolution tranquille, nous avons mis l'accent sur le rôle de la classe moyenne bureaucratique francophone, en tant que porteuse de l'idéologie néo-nationaliste et instigatrice de l'expansion de l'État québécois, et sur les tensions qui en ont résulté au niveau des relations fédérales-provinciales. Ce faisant, nous avons suivi la ligne d'analyse proposée par Hubert Guindon au début des années 1960 et qui a été généralement appliquée par la suite. Depuis quelques années, un certain nombre d'analystes ont élaboré une perspective assez différente de celle de Guindon. On insiste surtout sur le passage de l'économie québécoise au stade monopolistique et sur les nouvelles fonctions que le capital impose à tout État capitaliste. Dans cette perspective, d'autres acteurs ont une importance égale, sinon plus grande, que la classe moyenne bureaucratique francophone. En fait, d'après certaines versions, cette classe représente le produit de la modernisation politique de la Révolution tranquille plutôt que son moteur principal.

L'un des premiers ouvrages qui offre cette perspective est celui de Luc Racine et de Roch Denis[39]. Racine et Denis soutiennent que la transition au capitalisme monopolistique a rendu nécessaires la plupart des nouvelles initiatives de l'État québécois et, de ce fait, les explique. Premièrement, la monopolisation de l'industrie québécoise entraîne, au Québec comme ailleurs, une augmentation de « la composition organique du capital ». Alors qu'autrefois, l'industrie du Québec avait besoin d'une main-d'oeuvre à bon marché, peu éduquée et non spécialisée, cette industrie exige désormais une main-d'oeuvre bien éduquée et très spécialisée. Elle exige également de plus grands investissements et plus de recherche industrielle qu'auparavant. Au Québec comme ailleurs, on s'attend maintenant à ce que l'État assume une variété de nouvelles fonctions: fournir l'aide nécessaire à la main-d'oeuvre non spécialisée que le changement a déplacée; élever le niveau d'éducation de ceux qui arrivent sur le marché du travail; établir des programmes de sécurité du revenu, et en particulier, consentir à assumer une grande partie des coûts galopants des investissements d'infrastructure et de recherche industrielle. En vertu de la constitution canadienne, affirment Racine et Denis, ces fonctions sont en grande partie de compétence provinciale et, de ce fait, le gouvernement du Québec a été obligé de les assumer.

Une deuxième conséquence de la concentration croissante du pouvoir aux mains des multinationales américaines a été d'affaiblir la moyenne bourgeoisie canadienne-française, qui était déjà faible, de même que la bourgeoisie canadienne-anglaise. C'est ainsi que la moyenne bourgeoisie canadienne-française a commencé à chercher de plus en plus l'appui de l'État du Québec. Ainsi renforcée, elle a voulu s'allier à la bourgeoisie canadienne-anglaise pour mener une lutte commune contre le capital américain. La faillite de cette stratégie est devenue évidente au milieu des années 1960, et on affirme qu'elle est en grande partie due aux conditions macro-économiques amenées par la récession de l'économie américaine.

La même thèse générale établissant un lien direct entre monopolisation du capital et expansion de l'État du Québec se trouve dans un ouvrage de Gilles Bourque et d'Anne Legaré[40]. Mais ces auteurs voient autrement les rôles joués par les différentes classes. Rejetant les analyses abstraites « qui voudraient faire de ces réformes une simple adaptation de l'État québécois aux pressions externes de l'impérialisme[41] », Bourque et Legaré effectuent leur analyse en la reliant au capital monopoliste canadien-anglais en particulier. Le passage du pouvoir au Parti libéral a, selon eux permis à la bourgeoisie canadienne d'établir son hégémonie sur l'État du Québec; les intérêts de cette classe avaient priorité dans les réformes de l'État. Les élites économiques canadiennes-françaises, qu'ils appellent « la bourgeoisie non monopoliste québécoise » jouent un rôle secondaire quoique important. Bourque et Legaré insistent aussi sur les demandes de la classe ouvrière et des « couches inférieures de la petite bourgeoisie salariée[42] ». La bourgeoisie canadienne-anglaise maintient sa domination en partie grâçe à des concessions qu'elle fait à ces groupes. Enfin, chez Bourque et Legaré, il n'est pas question d'alliance entre la bourgeoisie canadienne-anglaise et la bourgeoisie non monopoliste québécoise contre les États-Unis. Malgré tout, leur interprétation de la Révolution tranquille est de la même nature que celle de Racine et de Denis, puisqu'elle est axée sur les prétendus effets politiques de la monopolisation du capital.

La thèse de la monopolisation du capital présente au moins l'avantage de situer l'expérience du Québec dans une perspective plus large. Toutefois, elle ne peut à elle seule à expliquer la modernisation politique de la Révolution tranquille. Il faut également tenir compte de l'effet de la division culturelle du travail au Québec. Cette division a nettement limité l'expansion de la nouvelle classe moyenne francophone après la Deuxième Guerre mondiale. Elle n'a fait qu'alimenter les griefs de cette classe, ce qui en fin de compte a donné lieu au néo-nationalisme des années 1960. La présence de cette nouvelle classe moyenne, qui était nationaliste et se sentait lésée dans ses intérêts, a en revanche donné un caractère particulier à la modernisation politique et explique en grande partie les nombreuses confrontations avec Ottawa.

Tout d'abord, la thèse de la monopolisation du capital ne peut en soi expliquer le besoin d'expansion de l'État québécois dans plusieurs sphères différentes. On peut facilement prétendre que dans la plupart des systèmes capitalistes, la croissance du secteur monopoliste a créé des pressions sur l'État pour que ce dernier assume de nouvelles fonctions importantes. La plupart des analystes s'entendent pour dire que le Québec ne fait pas exception à cet égard. Malgré tout, il n'apparaît pas clairement pourquoi il faut que ce soit l'État du Québec plutôt que l'État fédéral qui réagisse à ces pressions. La division constitutionnelle des pouvoirs, en dépit de ce que prétendent certains observateurs, n'allait pas toujours dans ce sens. Le gouvernement fédéral a été en mesure, grâce, entre autres, à son pouvoir général de dépenser, d'assumer la plupart de ces fonctions et il l'a fait *en collaboration étroite avec la bourgeoisie canadienne-anglaise*. Durant l'après-guerre, Ottawa a en effet établi toute une série de nouveaux programmes: soutien accordé à la recherche et au développement, subsides et réductions d'impôt pour stimuler les investissements, recyclage de la main-d'oeuvre peu spécialisée, programmes d'aide aux ouvriers déplacés[43]. En accordant des subventions aux universités, le gouvernement fédéral s'est trouvé à prendre une part active dans un domaine qui était en principe strictement de compétence provinciale, celui de l'éducation — et ce, partout sauf au Québec. La question soulevée durant la Révolution tranquille n'était pas de savoir si ces fonctions devraient être assumées par l'État, mais par quel État: Québec ou Ottawa. Dès 1960, les deux gouvernements se querellaient déjà au sujet du contrôle de plusieurs de ces fonctions. Cette concurrence entre les deux niveaux de gouvernement est devenue beaucoup plus intense dans le cas du Québec que des autres provinces, y compris l'Ontario, qui avait également effectué la transition au capital monopolistique. Bien que d'autres provinces aient à certaines occasions exprimé des griefs semblables à ceux du Québec, il faut noter que le Québec les a formulés le premier.

D'autre part, on ne peut pas vraiment comprendre les réformes de la Révolution tranquille en examinant uniquement les intérêts de classe décrits par ces auteurs. En ce qui concerne la bourgeoisie canadienne-anglaise, qui constituait présumément la force dominante durant la Révolution tranquille, nous avons vu qu'elle avait déjà réussi à établir au niveau fédéral un grand nombre de mesures que le Québec a tenté de mettre sur pied au niveau provincial durant les années 1960. Cette bourgeoisie n'avait aucun intérêt à ce que ces fonctions soient transférées à Québec ou y fassent double emploi. Mais même dans les domaines où la constitution restreignait clairement la responsabilité au niveau provincial, un grand nombre de mesures prises durant les années 1960 s'expliquaient à la lumière d'autres facteurs que les intérêts de la bourgeoisie canadienne-anglaise.

Ce même argument vaut pour la nationalisation de l'électricité, que les analystes révisionnistes de la Révolution tranquille ont liée aux intérêts du capital monopoliste canadien-anglais. On explique cette nationalisation en disant que les entreprises privées n'avaient pas intérêt à entreprendre l'expansion massive de la capacité de production hydro-électrique pour répondre aux besoins du capital monopolistique[44]. Par ailleurs, Blais et Faucher ont montré que l'incorporation de ces entreprises à Hydro-Québec s'explique bien si on l'envisage comme le résultat normal de l'avantage dont jouissait Hydro-Québec par le contrôle qu'elle exerçait depuis longtemps sur le marché dynamique de Montréal[45]. Ce contrôle remonte à la création de l'entreprise au moyen de la nationalisation de Montreal Light, Heat and Power en 1944. On se souvient que cette nationalisation avait été mise de l'avant non pas par les intérêts économiques du capital privé, mais par l'intérêt politique de l'État québécois. Si au début des années 1960 le secteur hydro-électrique privé obtenait un taux de rendement relativement bas sur ses investissements, cela s'expliquait en grande partie par les tarifs imposés par le gouvernement du Québec. En somme, sans aller à l'encontre des intérêts du capital canadien-anglais, la nationalisation de 1962 servait surtout l'intérêt distinct de l'État du Québec et de ses sociétés d'État.

Les intérêts de l'élite économique canadienne-française ne suffisent pas à expliquer les réformes de la Révolution tranquille. Quelques-unes des réformes du gouvernement Lesage avaient nettement pour but de renforcer les institutions économiques canadiennes-françaises, mais on ne saurait affirmer qu'elles répondaient directement aux demandes des élites économiques. Comme on le sait, certaines de ces réformes, telles que la nationalisation de l'électricité, soulevèrent plutôt l'opposition des hommes d'affaires québécois. Et même dans la mesure où des politiques du gouvernement Lesage, comme la création de la SGF[46], ont effectivement servi ces intérêts, on voit mal pourquoi les libéraux y auraient été mieux disposés que les unionistes. En fait, d'après Bourque et Legaré, la victoire des libéraux constituait une défaite pour la « bourgeoisie non monopoliste québécoise[47] ». Il faut donc chercher d'autres explications, car attribuer les réformes de la Révolution tranquille aux seuls demandes des milieux d'affaires canadiens-français, c'est oublier que ces milieux étaient plutôt faibles à l'époque et guère plus en mesure que dans les années cinquante d'imposer des réformes.

En somme, il est difficile de comprendre la modernisation politique rapide du début des années 1960 sans tenir compte de la classe moyenne bureaucratique francophone. Il s'agit d'une classe qui avait effectivement été exclue des échelons supérieurs de l'économie aussi bien que de la fonction publique fédérale, et dont les membres voyaient à juste titre que l'avancement, tant au niveau personnel que collectif, était étroitement lié à l'expansion de l'État québécois. Cette classe n'a pas été le produit de la modernisation politique: elle l'a elle-même lancée et s'en est trouvée grandement renforcée. Il faut se rappeler que les fondations de cette lutte avaient été jetées avant les années 1960, tant dans les universités que dans les institutions reliées à l'Église, si l'on veut comprendre la mise sur pied rapide des réformes de la Révolution tranquille. Ce furent les membres de cette classe qui défendirent l'idée que l'État du Québec ne devait pas seulement assumer les fonctions que d'autres gouvernements provinciaux assumaient déjà, mais qu'il devait aussi s'emparer de plusieurs programmes administrés par Ottawa. Ce furent également les membres de cette classe qui affirmèrent que ce n'était que par le truchement du gouvernement du Québec que les Québécois pouvaient espérer devenir « maîtres » de leur économie.

L'émergence du capitalisme monopolistique peut expliquer en grande partie comment il fut possible au gouvernement du Québec d'assumer de nouvelles fonctions durant les années 1960. Les partisans de la Révolution tranquille étaient bien placés pour prétendre que le Québec, comme tous les États capitalistes modernes, devait intervenir davantage dans l'économie et dans la société. C'est ainsi qu'une coalition d'élites plutôt hétérogènes put se former autour des premières réformes. L'élite économique canadienne-française avait de bonnes raisons de bien accueillir des mesures comme la création de la Société générale de financement. Les capitalistes canadiens-anglais et américains pouvaient tout aussi facilement être convaincus de l'utilité d'améliorer la formation de la main-d'oeuvre et de reconnaître que l'État assume le coût de certains investissements ou de la recherche industrielle. Dans la mesure où le gouvernement fédéral exerçait déjà ces fonctions, ces derniers n'avaient pas tellement intérêt à ce que le gouvernement du Québec en fasse autant, mais ils n'avaient aucune raison de s'y opposer non plus. De plus, le fait que des efforts soient déployés tant du côté fédéral que provincial ne pouvait que leur profiter. Nous avons déjà vu que des hommes d'affaires canadiens-anglais avaient déjà proposé à Duplessis de développer davantage Hydro-Québec. Au début des années 1960, d'autres défendirent la nationalisation de l'électricité en invoquant une plus grande rationalisation et un niveau plus élevé d'investissement que ne pouvaient atteindre les sociétés privées existantes[48]. Comme le font remarquer Blais et Faucher, si cette nationalisation ne fut pas le fait de ces capitalistes, elle put néanmoins susciter leur adhésion.

Cette coalition autour de la Révolution tranquille rassemblait malgré tout des intérêts assez différents. Cela explique « l'échec » de la Révolution tranquille mieux que la récession américaine du milieu des années 1960, selon l'hypothèse de Racine et Denis. Toutes les parties, y compris la nouvelle classe moyenne francophone, partageaient le même cadre de référence capitaliste, mais avaient des conceptions assez différentes du rôle de l'État au sein de ce système. Les élites économiques canadiennes-anglaises et américaines ne pouvaient certainement pas accueillir avec enthousiasme le projet de la nouvelle classe moyenne de rendre les Québécois « maîtres chez eux ». Même les entrepreneurs canadiens-français n'étaient pas prêts à appuyer l'intervention soutenue de l'État dans l'économie. En conséquence, au milieu des années 1960, les artisans de la Révolution tranquille obtenaient plus difficilement des appuis pour leurs projets.

Mais le point le plus important de cette divergence entre les élites au sujet de la modernisation politique demeure la division culturelle du travail et la détermination de la nouvelle classe moyenne de réduire les contraintes que cette division imposait. Bien sûr, le fait que la nouvelle classe moyenne ait accepté les contraintes du capital nord-américain ne laissait peut-être qu'une petite marge de manoeuvre; on peut donc être tenté de minimiser la signification de ce conflit entre les élites. La division culturelle du travail n'a cessé néanmoins d'être au coeur des querelles sur les points fondamentaux: l'importance du secteur public, le bien-fondé des initiatives économiques de l'État, le rôle du capital étranger et, par-dessus tout, la présence continue de l'État provincial au sein du système fédéral canadien. Dans chacun des cas, il a existé chez les Québécois une inclination profonde pour des changements qui dépassaient de loin tout ce qui pouvait être préconisé dans d'autres régions du Canada. Au Québec, la nature de la dépendance et le désir de la réduire ont donné une signification particulière à la modernisation politique.

Chapitre 7

Problèmes linguistiques et problèmes de classes

L'importance accrue que de nombreux Québécois finirent par accorder au gouvernement provincial constitue l'héritage le plus durable de l'administration Lesage. Les Canadiens français furent gagnés à l'idée que ce gouvernement devait être une force dynamique au sein de la société québécoise; selon l'expression de René Lévesque, il devait être « un de nous, le meilleur d'entre nous ». Si modérées que puissent paraître les réformes des libéraux, elles n'en permirent pas moins au gouvernement de jouer un rôle beaucoup plus important que jamais auparavant. C'est en grande partie grâce aux efforts des « modernistes » que les Canadiens français acquirent une nouvelle perception du gouvernement du Québec: un instrument puissant, non seulement capable, mais tenu par vocation, d'améliorer leur situation collective. Cette nouvelle perception portait en elle le germe du mécontement: on se mit à réclamer des changements que les dirigeants ne voulaient ou ne pouvaient entreprendre. Bientôt, on ne contesta plus seulement des hommes et des partis, mais les structures étatiques et le système fédéral lui-même.

Aux yeux de certains, les programmes de la Révolution tranquille devaient être poussés plus loin, et les pouvoirs du gouvernement développés en conséquence. (Nous avons vu les sources de cette attitude au chapitre précédent.) Mais pour d'autres, la Révolution tranquille était dépassée: il fallait désormais d'autres politiques, d'autres programmes. La place réservée aux francophones dans la société québécoise restait un sujet de préoccupation. Mais, en même temps, on remettait en question les rapports entre la classe ouvrière francophone et les classes supérieures, anglophones ou francophones. Examinons maintenant de plus près comment sont apparues ces demandes pour de nouvelles initiatives gouvernementales.

La domination de l'économie par les anglophones

De nombreuses mesures prises sous le gouvernement Lesage ont intensifié le mécontentement à l'égard de la domination économique par les anglophones et ont fait se multiplier les demandes pour y mettre un terme. La priorité du gouvernement n'était-elle pas d'assurer la prise en main de l'économie par les Canadiens français? Pendant la campagne électorale de 1962 et à maintes autres reprises, les libéraux ont proclamé leur volonté de rendre les Canadiens français « maîtres chez eux ». Un certain nombre de leurs réformes étaient censées contribuer à réaliser cet objectif.

La stratégie la plus directe pour accroître la présence des francophones dans l'économie fut la création et l'expansion des sociétés d'État. Comme nous l'avons vu, plusieurs entreprises d'État seront créées durant les années 1960, mais une seule d'entre elle aura un rôle important dans l'économie québécoise: Hydro-Québec. Cet état de choses n'a pas changé au cours des années 1970. Hydro-Québec n'a cessé de croître et est devenue le plus grand employeur du Québec. En 1977, elle représentait la deuxième plus grande entreprise de services publics en Amérique du Nord. Il n'y a pas de doute qu'elle a ouvert un nouvel espace économique pour la classe moyenne francophone naissante. Mais les autres sociétés d'État ont continué à jouer un rôle plutôt marginal. Même Sidbec, sur qui on avait fondé de grands espoirs, n'a pas réussi à s'imposer avec force[1].

D'autre part, les réformes de la Révolution tranquille visaient à renforcer les entreprises canadiennes-françaises. Encore là, les résultats furent décevants. Le principal effort dans ce sens, la création de la Société générale de financement, n'eut pas les effets attendus. Les nombreuses entreprises familiales acquises par la SGF n'améliorèrent pas leur situation, malgré l'injection de nouveaux capitaux et la réorganisation de leurs structures. Quant à la Caisse de dépôt et de placement, la majorité de ses capitaux furent engloutis dans l'achat d'obligations du gouvernement provincial; l'argent qui restait pour le financement des entreprises ne fut que partiellement dirigé vers les sociétés francophones.

Mais vers le milieu des années 1970, l'aide apportée par l'État aux entreprises francophones commençait à avoir des effets. C'est que la SGF et la Caisse de dépôt commençaient aussi à jouer un rôle plus efficace. Lorsqu'en 1972 on convertit la SGF en véritable société d'État, son capital fut porté à 25 000 000$. Elle commença alors à promouvoir la création de nouveaux ensembles industriels, comme le complexe forestier de Saint-Félicien au Saguenay-Lac-Saint-Jean, et à financer l'expansion de certaines grandes entreprises. En 1975, ce fut Bombardier, avec 6 800 000$ d'investissement dans le complexe d'industrie lourde MLW. Quant à la Caisse de dépôt, elle contribua au développement de la chaîne d'alimentation Provigo et à l'acquisition par des francophones de National Cablevision, qui appartenait alors au groupe américain CBS. Toujours dans les années 1970, une nouvelle société d'État, la Société de développement industriel, entreprit de verser des subventions aux petites et moyennes entreprises, largement francophones. Enfin, le secteur public sans cesse croissant de l'après-Révolution tranquille, par sa politique d'achat, favorisa l'entreprise francophone. Hydro-Québec, par exemple, se dota d'une politique d'achats préférentiels favorisant les entreprises établies au Québec. C'est en grande partie grâce à cette aide étatique que se développèrent les entreprises francophones dans les années 1970. Plusieurs atteignirent des dimensions impressionnantes. Bombardier-MLW se classait comme un important manufacturier d'équipement de transport et comptait 7 000 employés. Son actif s'élevait à plus de 400 millions de dollars. En 1977, l'actif combiné des trois banques francophones, la Banque canadienne nationale, la Banque provinciale et la Banque d'épargne, s'élevait à 14 milliards de dollars.

Enfin, un troisième vecteur du pouvoir économique francophone s'affirma au cours des années 1970: le mouvement coopératif. Il remonte au début du siècle, avec les caisses populaires paroissiales et les coopératives agricoles. Par le passé, les caisses populaires avaient joui d'une grande autonomie, se contentant de refaire circuler l'épargne au sein de la communauté. Mais à partir de 1970, la Fédération des caisses populaires utilisait une partie de ses capitaux pour financer des projets économiques importants. Ainsi, le Mouvement Desjardins devenait partenaire majoritaire de la société Culinar (elle-même principale actionnaire de la compagnie Gâteaux Vachon), et se portait acquéreur de 23% des actions de la Banque provinciale. Le Complexe Desjardins, à Montréal, est aussi à 51% la propriété de la Fédération des caisses populaires. Pris dans son ensemble, le mouvement coopératif contrôle une partie importante de l'épargne québécoise, plus que toute banque à charte. Plusieurs grandes compagnies d'assurance sont aussi liées au mouvement coopératif.

Et pourtant, même si les francophones s'approprièrent une part accrue de l'économie au cours de ces années, ils demeurèrent minoritaires. Le secteur privé, et, par conséquent, le gros de l'économie, resta aux mains des Canadiens anglais et des Américains. Au milieu des années 1970, seulement 20 des 100 plus importantes entreprises employant des Québécois (y compris les sociétés d'État) étaient contrôlées par des francophones[2]. Dans le secteur manufacturier, la proportion de salariés à l'emploi de sociétés contrôlées par des francophones demeurait relativement faible, passant de 21,7% en 1961 à seulement 28,4% en 1974[3]. Et à l'échelle canadienne, le contrôle de l'économie par les francophones restait très limité: en 1975, il représentait seulement 11% des 136 plus importantes entreprises contrôlées par des Canadiens[4]. En somme, économiquement, on était encore bien loin du « Maîtres chez nous » de la Révolution tranquille.

Mais il restait toujours la possibilité pour les francophones d'occuper des postes de commande au sein d'entreprises québécoises, qu'ils en soient propriétaires ou non. Dans ce cas, la relative absence des francophones pouvaient s'expliquer par le système d'éducation déficient du passé, et la Révolution tranquille permettait d'entretenir les plus grands espoirs. Comme on l'a vu, l'un des principaux objectifs de la réforme de l'éducation avait été de promouvoir l'acquisition de connaissances techniques et administratives permettant de prendre en main l'économie.

Ainsi, on avait pu penser que la réforme de l'éducation ouvrirait aux francophones les postes supérieurs des entreprises anglophones: on expliquait l'absence traditionnelle des francophones à ces postes par leur seul manque d'instruction. Et pourtant, dans les années 1960, des études laissaient déjà entrevoir d'autres facteurs. Dans un mémoire inédit présenté à la Commission royale d'enquête sur le bilinguisme et le biculturalisme, trois économistes de l'Université de Montréal démontraient, par une analyse détaillée des données du recensement de 1961, que l'écart de revenus entre Montréalais anglophones et francophones n'était attribuable que pour un tiers à l'éducation (un autre 6% provenait de la distribution d'âge différente des deux groupes). Conclusion: l'écart était dû, à 60%, à la préférence manifeste des employeurs anglophones pour les candidats canadiens-anglais; cette « ségrégation économique » faisait d'ailleurs en sorte que la rémunération du personnel de cadres était beaucoup plus élevée que si on avait voulu recruter des Canadiens français tout aussi qualifiés[5]. (Dans son rapport, la commission fit état de quelques-unes de ces données, mais chercha à minimiser l'importance de la discrimination et des autres facteurs ethniques, les qualifiant de « secondaires ». Elle ne tint pas compte de cette interprétation fort différente[6].)

Déjà au début des années 1970, plusieurs estimaient que la Révolution tranquille et la réforme de l'éducation n'avaient pas tenu leurs promesses quant à l'accès des francophones aux échelons supérieurs de l'économie. De nombreux indices semblaient appuyer cette conclusion; en dépit d'une certaine augmentation, la présence des francophones dans l'économie demeurait restreinte. Poursuivant l'étude de John Porter sur l'élite économique canadienne, Wallace Clement démontrait que la présence des Canadiens français au sein de cette élite n'avait que légèrement augmenté de 1951 à 1972. Alors que Porter estimait cette présence à 6,7% en 1951, Clement, en 1972, arrivait au chiffre de 8,4%[7]. Parallèlement, Robert Presthus, après avoir compilé le *Directory of Directors* de 1971, trouvait que 12 741 cadres appartenant à quelque 2 400 compagnies oeuvrant au Canada, seulement 9,5% étaient des Canadiens français[8]. Clement en concluait que les Canadiens français n'avaient pas progressé, même au sein des PME[9].

Deux études effectuées pour la commission Gendron en 1971 ont montré combien le nombre de francophones diminuait sensiblement dans les secteurs clés de l'économie à mesure qu'on gravissait les échelons de la hiérarchie des compagnies. Dans un échantillon de sièges sociaux québécois, on remarquait que 35% des emplois rémunérés à moins de 10 000$ étaient occupés par des francophones, et que ce pourcentage dans les fourchettes supérieures était le suivant: 10 000$-15 000$ (23%); 15 000$-22 000$ (18%); 22 000$ et plus (15%)[10]. Une étude portant sur quelque 2 000 cadres (y compris les contremaîtres) du secteur manufacturier révéla que 55% des cadres dont le salaire ne dépassait pas 15 000$ étaient francophones et seulement 30% lorsque le salaire était supérieur à 15 000$[11]. La commission découvrit aussi que les francophones étaient relativement absents du monde de la finance et des services publics. Dans un rapport de 1974, le ministère québécois de l'Industrie et du Commerce concluait: « on ne peut prétendre que la participation des Canadiens français à l'économie progresse vraiment de façon significative[12] ».

L'échec de la réforme de l'éducation est encore plus flagrant lorsqu'on sait que peu de diplômés universitaires accèdent au secteur privé. Une étude démontre que, de 1965 à 1969, seulement 22,5% des diplômés de l'Université de Montréal avaient réussi à se trouver un premier emploi dans l'industrie privée et que seulement 12,7% y travaillaient. Presque tous les autres travaillaient dans le secteur public. (L'accès au secteur privé, de 1970 à 1973, n'était que légèrement supérieur[13].)

Certains attribuent ce phénomène à la vieille méfiance des francophones envers les affaires. Une formation technique et administrative, disent-ils, ne peut suffire à faire disparaître cette attitude. D'où la préférence marquée pour le secteur public[14]. D'autres prétendent au contraire que c'est l'attitude des anglophones qui est à blâmer. Ainsi, on a souvent invoqué leur discrimination, directe ou camouflée[15]. Dans les années 1970, on a insisté de plus en plus sur les politiques linguistiques des entreprises canadiennes-anglaises et américaines: en exigeant des francophones qu'ils travaillent surtout en anglais, l'entreprise les désavantageait, disait-on. Les francophones ne pourraient jamais rivaliser avec les anglophones pour les postes de cadres moyens et supérieurs, qui exigent une grande maîtrise de l'anglais écrit et parlé. Cet argument est de taille. Comme l'avait dit le sociologue Nathan Keyfitz plusieurs années auparavant, après un long séjour dans la fonction publique fédérale, « un francophone ne peut vraiment pas s'acquitter aussi bien qu'un anglophone de sa tâche lorsque celle-ci comporte le traitement de données en anglais. Prétendre le contraire reviendrait à dire qu'un Canadien français peut apprendre, penser et parler en anglais, comme un anglophone[16] ».

Le rapport de la commission Gendron, publié vers la fin de 1972, constitue l'analyse la plus importante et la plus exhaustive des pratiques linguistiques dans le milieu du travail au Québec. Il démontre entre autres que dans certains secteurs de l'économie, les francophones, y compris les cadres supérieurs, étaient largement en mesure de travailler dans leur langue. Cela valait pour l'administration publique, les services, le commerce et l'industrie primaire. Mais dans d'autres domaines, c'était différent. Dans la finance et les services publics, l'usage du français était limité à tous les niveaux[17], mais aussi dans le secteur manufacturier, où l'on décelait très nettement un lien entre la langue et l'avancement. Bien qu'ils soient obligés d'utiliser l'anglais, les francophones étaient bien représentés au niveau des contremaîtres et des ouvriers (le rapport francophones/anglophones était de 11 à 1); cependant, ils étaient faiblement représentés aux échelons supérieurs (le rapport des administrateurs et des cadres était de 1,1 à 1[18]), même si l'usage du français par les francophones était plus important à ce niveau[19]. Apparemment, le fait qu'un cadre francophone ait été obligé, de par ses fonctions, de bien maîtriser l'anglais constituait un obstacle à son avancement, contrairement au col bleu. (Bien entendu, la discrimination et les préjugés pourraient également expliquer cette sous-représentation.) Ces obstacles à l'avancement dans l'industrie secondaire remettaient donc sérieusement en question le fameux « Maîtres chez nous ». Non seulement l'industrie secondaire représentait près de 28% des emplois au Québec[20], mais elle constituait sans aucun doute le pivot du développement économique. Et la langue constituait sans doute aussi un obstacle à la participation des francophones au monde de la finance et des services publics[21].

Comme l'a reconnu la commission Gendron, un des principaux fondements de la primauté de l'anglais dans certains secteurs de l'économie était l'intégration étroite des entreprises à l'économie nord-américaine, particulièrement dans le cas des filiales des grandes sociétés américaines[22]. Cette intégration faisait de l'anglais la langue technique: les manuels et la documentation n'étaient disponibles qu'en anglais. De plus, le fait que les sièges sociaux et les autres centres de décision aient été situés aux États-Unis signifiait que toute correspondance devait rédigée en anglais. Mais la commission prétendait que l'usage du français au sein de ces entreprises pourrait malgré tout être accru de façon importante. On soulignait que c'était surtout la présence importante des anglophones dans l'entreprise qui empêchait un plus grand usage du français. Après avoir examiné la situation des filiales américaines en Europe, la commission affirmait qu'il était possible que le français devienne la langue des communications *internes* des entreprises américaines au Québec. D'après les études, la plupart des communications s'effectuaient à l'intérieur du Québec, peu importe le type d'entreprise. Donc, si le français devenait la langue des communications internes, il serait aussi celle du travail. Seulement 10 à 15% du personnel, soit le personnel de cadre, devrait communiquer avec le siège social américain, et donc maîtriser l'anglais. Ainsi, les francophones ne seraient plus désavantagés par rapport aux anglophones. La plupart n'auraient pas besoin de savoir l'anglais pour travailler. Et même si quelques francophones devaient quand même posséder une certaine expérience de l'anglais pour communiquer avec l'extérieur, tous les anglophones, eux, seraient forcés de connaître suffisamment le français pour travailler au Québec.

Il était difficile de voir comment un tel changement pouvait se produire sans un modification majeure des pratiques de recrutement des sociétés. Selon la commission, les pratiques linguistiques ne pouvaient être modifiées uniquement par des programmes de langue pour les cadres anglophones. Non seulement ces programmes n'entraînaient pas une véritable connaissance du français, mais ils ne permettaient pas au français de s'imposer comme langue de communication entre anglophones et francophones. Dans un grand nombre d'entreprises, l'anglais était tellement bien établi que même si la majorité des travailleurs étaient francophones, la principale langue de communication demeurait l'anglais. Ce n'est que lorsque 80% des travailleurs étaient francophones qu'il était utilisé aussi fréquemment que l'anglais. Il fallait donc qu'un grand nombre de francophones soient présents au niveau des postes de cadre et de direction pour que changent les pratiques linguistiques. La commission Gendron faisait donc remarquer que la réalisation de cet objectif nécessitait une « politique de recrutement où les francophones seraient nettement favorisés[23] ».

La persistance de la domination économique canadienne-anglaise et américaine, malgré les réformes de l'éducation et la formation de francophones qualifiés, augmentera le mécontentement et forcera le gouvernement à pousser ses interventions encore plus loin. Le secteur public en pleine croissance pouvait, à court terme, absorber une grande partie de ce personnel nouvellement qualifié, mais pas indéfiniment. Dès les années 1970, les emplois se firent plus rares dans la fonction publique. Les pressions se multiplièrent donc pour que l'État adopte une politique interventionniste auprès des sociétés canadiennes-anglaises et américaines afin de promouvoir l'avancement des francophones. Et, pour plusieurs, la clé de cet avancement était la promotion du français au rang de première langue de travail. Ils pressèrent donc le gouvernement d'agir dans ce sens.

L'anglicisation des immigrants

Vers la fin des années 1960, les Canadiens français allaient se préoccuper davantage des effets de l'immigration sur la collectivité francophone et demander au gouvernement d'intervenir. La plupart des immigrants envoyaient leurs enfants à l'école anglaise, attribuant à l'anglais de plus grands avantages économiques. Aux dires de certains, si la tendance devait se maintenir, les francophones se retrouveraient en minorité à Montréal. L'assimilation serait alors irrésistible. La vieille obsession de la survivance qui avait caractérisé le nationalisme jusqu'à la Révolution tranquille réapparaissait. C'est au nom de la survivance que les francophones s'adressèrent au gouvernement pour qu'il force l'intégration des immigrants à la communauté francophone, en les obligeant à envoyer leurs enfants à l'école française.

Que les immigrants soient davantage attirés par la communauté anglophone n'est pas un fait nouveau au Québec. On s'en rend compte en examinant les données relatives aux enfants d'immigrants qui, à la naissance, faisaient partie d'une des deux communautés linguistiques. D'après le recensement de 1971, 27,4% des Québécois dont l'origine était autre que britannique ou française auraient eu l'anglais comme langue maternelle, et seulement 15,7% le français[24]. Malgré tout, la proportion de francophones au Québec était demeurée constante au fil des ans, se maintenant autour de 80%. Cette stabilité était due en grande partie au taux de natalité traditionnellement beaucoup plus élevé chez les Canadiens français.

Dans le Québec d'aujourd'hui, les choses ont bien changé: il n'y a plus de différence marquée entre les taux de natalité des deux groupes. Pour la communauté francophone, l'avenir dépendra donc de sa capacité d'attirer les immigrants. Et il semble, ce qui n'arrange rien, que cette capacité, déjà faible, diminue de plus en plus. Le changement le plus frappant s'est produit chez les immigrants italiens. Au début du siècle, les Italiens ont été plus attirés vers la communauté francophone que tout autre groupe d'immigrants. Le recensement de 1961 révélait qu'environ les deux tiers avaient le français comme langue maternelle, soit 14 762, tandis que 6 387 avaient acquis l'anglais[25]. Mais cette tendance avait été renversée après la Deuxième Guerre mondiale: seulement 25% des enfants italiens fréquentaient l'école française[26].

Vers la fin des années 1960, il était clair que les tendances démographiques jouaient contre la population francophone. Pour la première fois, sa position était menacée par l'afflux des immigrants. Il semble maintenant que ces tendances ne représentaient pas une aussi grande menace que certains le craignaient. Jacques Henripin, démographe bien connu, et deux de ses collègues procédèrent en 1969 à une analyse qui connut un certain retentissement et qui indiquait qu'en l'an 2001 la population francophone représenterait entre 79,2% et 71,6% de la population du Québec, et entre 52,7% et 60% de la population de Montréal[27]. Cinq ans plus tard, se basant sur les données du recensement de 1971, Henripin corrigeait ses prévisions: 77,1% pour le Québec et 59% pour Montréal[28]. La préférence des immigrants pour la communauté anglophone signifierait bel et bien un déclin pour les francophones. Dans le cas de Montréal, où les francophones représentent actuellement près de 66% de la population, le déclin serait plus important. (Henripin lui-même s'en inquiéta et recommanda l'intervention du gouvernement[29].) Et pourtant, l'analyse d'Henripin et d'autres démographes démontre que les francophones demeureront majoritaires non seulement au Québec mais aussi dans la région de Montréal. Vraisemblablement, l'attraction des immigrants à la communauté anglophone ne met pas directement en danger la survivance du Québec francophone.

Compte tenu de ces conclusions, certains observateurs prétendent que la préoccupation intense et continue des nationalistes à l'égard des immigrants doit avoir d'autres causes que la simple survivance ethnique. Il nous faut donc examiner certaines de ces interprétations.

Ainsi, on a accusé les Canadiens français de xénophobie et même de racisme. Le degré élevé d'homogénéité culturelle, les liens étroits de parenté, l'éloignement forcé de la France ainsi que d'autres facteurs auraient fait du Canada français une « société fermée »; l'afflux « d'étrangers » au Québec serait perçu comme une provocation[30]. Or, cet argument ne tient pas puisque par le passé, les immigrants ont facilement pénétré la société canadienne-française. La xénophobie ne pouvait être bien forte avant la Deuxième Guerre mondiale, puisque les immigrants italiens, par exemple, réussirent à se faire accepter dans le milieu francophone. L'anglicisation de l'après-guerre semble s'expliquer davantage par le choix qu'ont fait les immigrants eux-mêmes que par un changement d'attitude des Canadiens français.

L'analyse la plus détaillée de l'attitude des francophones à l'égard des immigrants nous est donnée par Paul Cappon, dans une étude volumineuse sur les relations ethniques à Montréal[31]. Cappon soutient que l'antagonisme des francophones à l'égard des immigrants ne peut s'apprécier qu'à la lumière de leur perception du système économique nord-américain. Selon Cappon, beaucoup de francophones éprouveraient un grand ressentiment envers les anglophones à cause de leur position de commande dans l'économie, mais peu seraient prêts à condamner le système économique lui-même. Impressionnés par les avantages qu'offre la participation au système économique continental, les francophones se contenteraient de souhaiter une amélioration de leur position au sein des structures existantes. Ils ne seraient pas prêts à risquer une baisse du niveau de vie pour « sortir » le Québec du système; d'où la popularité de la formule: « souveraineté-association[32] ». Cappon prétend que les Canadiens français sont condamnés à éprouver de grandes frustrations tant qu'ils accepteront de participer au système économique continental et que leurs efforts se borneront à vouloir améliorer leurs chances d'avancement dans ce système[33]. Puisque les immigrants sont perçus comme des concurrents, ils servent de boucs émissaires[34]. L'analyse de Cappon fait écho à celle que Everett Hughes consacrait à un ville industrielle du Québec des années trente[35].

Il existe peut-être une raison, toute symbolique celle-là, à la préoccupation continue des nationalistes à l'égard des immigrants. Contrairement aux Canadiens anglais qui ont toujours parlé anglais, les immigrants, eux, font un choix conscient qui va à l'encontre des aspirations de la population francophone. Après la Révolution tranquille, un tel rejet sera particulièrement insultant pour les francophones. La Révolution tranquille avait en effet mis de l'avant l'idée que le Canada français et le Québec ne faisaient qu'une seule et même chose. En choisissant d'appartenir à la communauté anglophone, les immigrants rejettent implicitement cette idée. Ils rejettent également l'idée issue de la Révolution tranquille que les Canadiens français sont des gens dynamiques, ambitieux, capables de bâtir une société moderne et technologiquement avancée.

Un dernier aspect de la question revient de temps à autre dans les discours de certains leaders nationalistes: il s'agit de la peur de voir les Canadiens français eux-mêmes suivre un jour l'exemple des immigrants[36]. Dans cette perspective, les craintes paraissent plus fondée que ne le laisse entrevoir l'étude d'Henripin, qui ne suppose qu'une très faible assimilation de la population francophone.

En somme, on peut citer un certain nombre de facteurs qui ont contribué à faire du phénomène de l'assimilation des immigrants à la communauté anglophone une question politique importante. Le plus important de tous est certainement la crainte que l'anglicisation des immigrants ne menace la survie du Québec français. Cette crainte constitue une force puissante, capable de rallier même ceux qui peuvent être indifférents aux problèmes de la langue de travail (les employés du secteur public et les cols bleus du secteur privé qui n'ont pas vraiment recours à l'anglais). Les projections démographiques démontrent que cette crainte est quelque peu exagérée. Mais toutes les prévisions, y compris les plus optimistes, prévoient tout de même un certain déclin de la population francophone. Ce déclin sans précédent, bien que léger, est suffisant pour éveiller des craintes dans une population qui a toujours été minoritaire sur le continent nord-américain; d'autant plus que, dans toutes les autres provinces, la communauté francophone a déjà connu un déclin très rapide. Si, contrairement aux prévisions démographiques, un grand nombre de francophones décidaient de suivre l'exemple des immigrants, ces craintes seraient plus que justifiées.

Le gouvernement face au problème linguistique

Face aux problèmes de la domination économique et de l'anglicisation des immigrants, les Québécois se sont adressés principalement à leur gouvernement plutôt qu'au gouvernement fédéral. Cela est conforme aux compétences détenues par le gouvernement du Québec. Ainsi, la plupart des experts en droit constitutionnel s'entendent pour dire que la langue d'enseignement est du ressort des provinces, en vertu de leur compétence exclusive en matière d'éducation (nonobstant les dispositions de l'AANB relatives au droit des minorités religieuses dans ce domaine). Mais Ottawa peut aussi jouer un rôle important, grâce entre autres au contrôle qu'il exerce sur l'immigration et aux nombreux pouvoirs économiques qu'il détient. Si les demandes sont presque uniquement adressées au gouvernement du Québec, c'est sans doute que l'on est convaincu que seul un gouvernement élu par un électorat majoritairement francophone peut intervenir directement au nom des Québécois.

La position linguistique du gouvernement fédéral ne peut que renforcer cette conviction et ce, malgré la présence d'un premier ministre francophone à Ottawa. Refusant de reconnaître le français comme langue prioritaire au Québec, le gouvernement fédéral s'est fait le champion de l'égalité des droits linguistiques partout au Canada. Les leaders fédéraux ont affirmé que leurs politiques n'offraient que des avantages pour les francophones. L'implantation du bilinguisme dans la fonction publique fédérale recelait, disaient-ils, des promesses d'avancement; de même que les programmes d'aide aux minorités francophones à l'extérieur du Québec allaient améliorer la position démographique des Canadiens français partout au pays.

Ces programmes n'ont pas empêché les francophones de continuer à réclamer du gouvernement québécois des réformes pour améliorer leur situation au Québec même. C'est que les chances d'avancement dans la fonction publique fédérale ne valaient pas les possibilités d'ouverture dans le secteur privé. Sans compter que le sort des minorités francophones à l'extérieur du Québec ne pouvait susciter qu'un intérêt relatif, d'autant plus que les programmes fédéraux n'ont pas été des réussites.

Contrairement à l'impression répandue au Canada anglais, les réformes qui avaient fait l'objet de tant de publicité, n'ont eu que peu d'effet sur l'accès des francophones aux échelons supérieurs de l'administration publique fédérale. En 1972, *Le Devoir* publiait certains rapports confidentiels préparés par le Conseil du trésor, qui indiquaient que le nombre de francophones détenant des postes de direction dans la fonction publique fédérale était de 14,4%, c'est-à-dire légèrement supérieur au chiffre de 13% de 1966. De 1966 à 1971, les francophones ne représentaient qu'une faible proportion des cadres, tant dans la fonction publique (16%) que dans le secteur privé (19%)[37]. À l'automne 1975, le politicologue Léon Dion affirmait que les réformes de la fonction publique étaient toujours sans effet et que celle-ci était « à peu près aussi anglaise » en 1975 qu'en 1963 ou 1965. Non seulement le nombre de francophones dans les échelons supérieurs n'avait que peu augmenté, notait-il, mais parmi les francophones recrutés, les Québécois étaient largement sous-représentés. Ces constatations sont reprises par le commissaire aux langues officielles dans son rapport annuel de 1978: « En deux mots, le problème reste pratiquement ce qu'il a toujours été. La proportion globale des francophones dans l'administration est à peu près identique à ce qu'elle est à l'échelle nationale: 26% environ, mais leur répartition géographique, hiérarchique et sectorielle est encore bien inégale (...). Les ministres ont ici notre sympathie. Ils sont confrontés à des problèmes humains pour lesquels il n'existe pas de solutions administratives, du moins au sens que cette expression a pris dans les cercles gouvernementaux. En d'autres termes, il faudra bien se rendre compte un jour que les gens découvrent très vite où on les veut et où on ne les veut pas, et qu'ils prennent leurs dispositions en conséquence (...). Nous n'avons pas encore réussi à persuader les francophones qu'ils sont également les bienvenus à Ottawa. » Le rapport montre que les francophones sont toujours mal représentés aux échelons supérieurs de plusieurs ministères, particulièrement ceux de nature économique[38], malgré l'amélioration au niveau de la direction politique.

Pour ce qui est des programmes fédéraux visant à renforcer les communautés françaises à l'extérieur du Québec, il est difficile de voir comment ils pouvaient freiner l'assimilation. L'ampleur des forces assimilatrices fut soulignée lors du recensement de 1971, dans lequel on demandait pour la première fois aux répondants d'indiquer la langue parlée habituellement à la maison. À l'extérieur du Québec, seulement 45% des personnes d'origine française parlaient français à domicile. Par province, les résultats étaient les suivants: Terre-Neuve, 13%; Ile-du-Prince-Édouard, 28%; Nouvelle-Écosse, 32%; Nouveau-Brunswick, 82%; Ontario, 45%; Manitoba, 43%; Saskatchewan, 26%; Alberta, 22%; et Colombie-Britannique, 10%[39]. En fait, d'après le recensement chez les Canadiens de toutes origines à l'extérieur du Québec, seulement 4,3% parlaient régulièrement français à la maison[40]. Les démographes prévoient que cette assimilation se poursuivra au cours des prochaines décennies; il n'y a que dans le nord du Nouveau-Brunswick et dans l'est de l'Ontario que les communautés francophones se maintiendront. D'après le démographe Jacques Henripin, « il semble donc incontestable que la population francophone à l'extérieur du Québec va diminuer dans le futur. Et l'on peut prévoir que vers l'an 2000, 92% à 95% des francophones du Canada vivront dans la province de Québec. Dans les autres provinces, leur pourcentage par rapport à l'ensemble de la population sera toujours inférieur à 4% ou peut-être même à 3%, sauf au Nouveau-Brunswick où il sera compris vraisemblablement entre 25% et 30%[41] ».

Les politiques linguistiques du gouvernement fédéral n'ont pas réussi à atténuer le sentiment des Québécois qu'une société française était impossible ailleurs qu'au Québec. Les programmes gouvernementaux implantés à l'extérieur du Québec étant peu prometteurs, il fallait donc se tourner vers le gouvernement du Québec, seul apte à défendre les intérêts des francophones. Ainsi, les demandes de nature linguistique se multiplièrent. Comme nous l'avons vu, répondre à ces demandes, cela voulait dire intervenir dans l'économie pour modifier les politiques de recrutement et le fonctionnement interne des sociétés privées. Dans la mesure où ces politiques se faisaient attendre, les partisans de l'indépendance ne pouvaient que se faire plus nombreux.

Division des classes chez les francophones

Au moment même où un grand nombre de francophones se préoccupaient de la situation linguistique, certains membres de la classe ouvrière et de la classe moyenne inférieure s'interrogeaient sur leur situation économique. Soulignant l'écart important qui les séparait non seulement des anglophones mais également des francophones des classes supérieures, ceux-ci commencèrent à revendiquer du gouvernement qu'il tienne compte de leurs besoins et de leurs intérêts. Ces divisions de classes, jointes aux divisions ethniques, allaient provoquer un mécontentement croissant, à l'égard des partis politiques et du système politique lui-même.

Les griefs des classes inférieures, tout comme les craintes d'ordre linguistique et culturel, se sont d'abord exprimés sous le gouvernement Lesage. Les programmes du Parti libéral répondaient avant tout aux besoins et aux préoccupations de la classe moyenne bureaucratique. Pour ceux qui appartenaient à la classe inférieure, les avantages étaient moins évidents. En nationalisant les entreprises hydro-électriques et en établissant la Société générale de financement, le gouvernement Lesage déclarait qu'il luttait pour la libération économique des Canadiens français. En réalité, si libération il y avait, elle touchait surtout les professions libérales et les cols blancs. Il en ira de même des réformes de l'éducation, de la santé et du bien-être. Il est certain que les francophones de la classe ouvrière pouvaient aussi espérer de meilleures chances d'avancement et profiter de meilleurs services de santé et de bien-être. Mais ces changements n'étaient pas aussi évidents qu'ils ne l'étaient pour les membres de la nouvelle classe moyenne bureaucratique. Comme le démontre l'étude comparative de Vincent Lemieux, la situation de la classe inférieure n'a pas vraiment progressé de 1960 à 1968. Lemieux a établi un indice qui montre le lien entre le revenu moyen de différents groupes professionnels et le revenu moyen de toute la population. D'après cet indice, entre 1960 et 1968, la situation, déjà bonne, des professions libérales est passée de 269 à 332. Les enseignants ont également été avantagés et sont passés de 87 à 108. Les autres employés du secteur privé, soit la grande majorité des ouvriers, n'ont pratiquement pas connu d'amélioration (95 à 97). Les agriculteurs ont en fait enregistré une *baisse* (107 à 72) et même une diminution en termes absolus de leur niveau de revenu[42]. En d'autres termes, les bénéfices découlant de la Révolution tranquille sont loin d'avoir été distribués également.

Avec le régime Lesage, le gouvernement est devenu un grand employeur: directement ou indirectement, on pouvait compter près de 200 000 salariés en 1970. Le nombre de fonctionnaires s'élevait à 53 700[43]. Les sociétés d'État (comme Hydro-Québec) représentaient 16 366 employés additionnels[44]. Et enfin, puisque le gouvernement avait la mainmise sur l'éducation, la santé et le bien-être, il était en fait l'employeur d'une autre tranche importante de la population. Cela commença à créer des tensions. Graduellement, les employés de l'État en vinrent à prendre des distances et à éprouver de la méfiance à l'égard de « leur » gouvernement.

Les risques de conflit ne pouvaient qu'augmenter avec la syndicalisation croissante du secteur public. Une fois au pouvoir, les libéraux, qui avaient joui de l'appui des syndicats, tentèrent de le conserver. Ils facilitèrent donc la syndicalisation, non seulement des employés de la fonction publique mais des hôpitaux et autres organismes privés alors soumis à l'autorité gouvernementale. Ainsi, en 1970, 40% des travailleurs syndiqués étaient dans le secteur public[45]. La Confédération des syndicats nationaux (CSN) fut particulièrement habile pour recruter ces travailleurs. Centrale québécoise, la CSN put exploiter le nationalisme aux dépens de sa rivale, la Fédération des travailleurs du Québec (FTQ), elle-même affiliée aux syndicats internationaux. Entre 1960 et 1970, les membres de la fonction publique appartenant à la CSN augmentèrent de 30 000, ceux des hôpitaux, de 40 000. En 1970, environ la moitié des membres de la CSN étaient employés dans le secteur public; 15% seulement pour la

FTQ[46]. Grâce à cette percée, les effectifs de la CSN rejoignirent, en 1970, ceux de la FTQ, et atteignirent 200 000 membres. Un troisième grand syndicat, celui des enseignants, recruta tous ses membres dans le secteur public; la Centrale des enseignants du Québec (CEQ) passa de 14 000 membres en 1960 à 71 360 en 1969[47]. En plus de faciliter la syndicalisation du secteur public, le Parti libéral accorda de nouveaux pouvoirs aux syndicats. En dépit de grandes hésitations (si l'on se fie à la fameuse remarque de Lesage à l'effet que la reine ne négocie jamais avec ses sujets), les libéraux accordèrent aux employés du secteur public, non seulement le droit de négocier, mais aussi le droit de faire la grève.

Vers le milieu des années 1960, les relations entre le gouvernement et les syndicats se modifièrent et l'harmonie du début fit place à la discorde: lorsque les négociations échouaient, les syndicats se prévalaient de leurs nouveaux droits et déclenchaient la grève. Le gouvernement recourut souvent à des lois spéciales pour mettre fin aux conflits et imposer des règlements. Les chefs syndicaux commencèrent donc à considérer le gouvernement comme n'importe quel autre employeur. En fait, plusieurs estimèrent que le gouvernement se faisait le complice des entreprises, refusant d'accorder des augmentations de salaire pour ne pas engendrer des effets analogues dans le secteur privé.

Selon Jean-Marc Piotte, les frustrations éprouvées par les syndicats les amenèrent à conclure que le gouvernement était inévitablement hostile aux intérêts de la classe ourvière. Peu importe le parti au pouvoir. « Face à un employeur qui est aussi législateur et qui, par l'intermédiaire de l'État, peut utiliser contre les syndiqués son appareil de répression, les syndiqués du secteur public entraîneront la radicalisation et la politisation des centrales syndicales, en prenant conscience que le gouvernement, qu'il soit libéral ou unioniste, ne peut agir qu'à l'intérieur des normes fixées par l'entreprise privée », écrit Piotte[48]. La CSN semble s'être plus radicalisée que la FTQ. Non seulement la majorité de ses membres étaient dans le secteur public, mais ses dirigeants avaient fait, au cours des années 1960, une critique de plus en plus acerbe de la société capitaliste[49].

Cette « radicalisation » des chefs syndicaux se traduisit, dans les années 1970, par une stratégie et un discours bien particuliers. En 1970, la CEQ et la FTQ, en grande partie à l'instigation de la CSN, se joignaient à cette dernière pour jeter les bases d'un « front commun » des employés du secteur public. Les syndicats espéraient qu'en forçant ainsi le gouvernement à négocier avec un seul représentant, ils parviendraient à obtenir un règlement plus avantageux, et qui s'appliqueraient de façon plus uniforme.

Après l'échec des négociations, le Front commun déclencha en 1972 une grève générale dans le secteur public qui dura deux semaines. Elle prit fin lorsque le gouvernement promulgua une loi spéciale retirant provisoirement le droit de grève aux syndiqués. C'est alors que de nombreux chefs syndicaux (y compris les présidents de la CSN, de la FTQ et de la CEQ) incitèrent leurs membres à ne pas respecter la loi. Un référendum eut lieu chez les syndiqués. Bien que ceux qui votèrent se prononcèrent majoritairement pour la désobéissance, les chefs syndicaux trouvèrent les résultats non concluants et enjoignirent leurs membres de retourner au travail. Ainsi, la grève du Front commun avait amené les syndicats à remettre en question l'autorité du gouvernement, et ce, au nom des travailleurs canadiens-français. Les trois chefs syndicaux furent par la suite accusés d'avoir incité leurs membres à la désobéissance et furent condamnés à un an de prison. Cette condamnation entraîna une autre grève générale qui s'étendit cette fois au secteur privé et conduisit à l'occupation des postes de télévision et de radio et de certains édifices publics dans plusieurs petites villes.

La confrontation entre le mouvement syndical et le gouvernement s'accentua encore davantage lorsque les chefs syndicaux firent circuler chez leurs membres un certain nombre de documents idéologiques[50], tout en lançant des slogans à l'effet qu'il fallait « briser le système ». Le document de la CSN, intitulé *Ne comptons que sur nos propres moyens*, est un bon exemple. On y clamait avec ardeur que le gouvernement était prisonnier des élites économiques canadiennes et américaines. « Étranglé d'une part par la bourgeoisie anglo-canadienne qui réclame sa part de services pour lutter contre la concurrence américaine et d'autre part par les monopoles américains qui exigent de plus en plus de matières premières et d'énergie, l'État québécois est devenu un État de service, comme on parle d'un homme de servitude. Les décisions majeures continuent, pendant ce temps-là à se prendre sur Bay Street et Wall Street[51] ». Ce document est particulièrement vigoureux dans sa condamnation des « erreurs de la Révolution tranquille » et affirme que, dans les années 1960, les capitalistes et technocrates canadiens-français ont simplement utilisé l'État du Québec pour servir leurs propres intérêts.

Après l'épisode du Front commun, on constata que le mouvement syndical n'était pas unanime dans sa critique radicale du gouvernement. C'est en réaction à l'idéologie et à la stratégie du Front commun que les éléments dissidents de la CSN formèrent la Centrale des syndicats démocratiques (CSD). Les audiences de la commission Cliche, en 1974-1975, révélèrent que certains dirigeants de la FTQ entretenaient des liens étroits avec le gouvernement libéral, espérant obtenir son appui contre la CSN dans la quête de nouveaux membres. On se rendit compte aussi que l'opinion publique n'était pas du côté des syndicats lors de la grève du Front commun. Mais cet épisode révéla aussi une certaine coupure entre les classes populaires et le gouvernement. L'empressement à désobéir à la loi, manifesté par un bon nombre d'employés du secteur public, suivi de la grève générale lors de l'emprisonnement des chefs syndicaux, montrent que les déclarations des dirigeants syndicaux trouvaient un écho certain.

Lutte de classes et intégration politique canadienne

La méfiance à l'égard du gouvernement se doublait d'un antagonisme croissant à l'égard de la classe supérieure francophone. Un tel antagonisme n'est pas nouveau au Québec; on l'observe dans les attitudes envers les élites religieuses, sociales et politiques à divers moments de l'histoire du Canada français. À l'époque de la Nouvelle-France et pendant les premières décennies qui ont suivi la Conquête, le clergé connut souvent bien des difficultés à percevoir la dîme des « habitants ». (Ce n'est qu'après 1840 qu'il parvint à s'imposer auprès de la masse, et ce, grâce à un personnel accru et à une organisation plus efficace[52].) Et les « habitants », d'esprit indépendant, n'accordèrent jamais à la classe seigneuriale le statut qu'elle réclamait.

Dans les années 1940 et 1950, certaines entreprises familiales connurent des grèves très dures. Bien souvent, le ressentiment éprouvé à l'égard de ces entreprises était beaucoup plus grand que celui éprouvé à l'égard des anglophones. Pierre Vallières dans son autobiographie *Nègres blancs d'Amérique* nous montre bien l'ampleur de ce ressentiment[53]. Tout au long de ses écrits, il ne fait pratiquement pas allusion aux anglophones. Il semble n'avoir eu que très peu de contacts avec eux. Il s'en prend surtout aux bourgeois canadiens-français. Vallières raconte ainsi ses expériences de commis pour la maison de courtage L.G. Beaubien et Cie: « À l'occasion du Nouvel An, Madame de Gaspé-Beaubien, épouse du défunt fondateur de l'entreprise, venait, dans sa chaise roulante, nous offrir des chocolats et son sourire de vieille cr...! Elle était la présidente de l'hôpital Sainte-Justine (Justine, c'était son prénom) et toutes les infirmières de l'hôpital la détestaient. La maison L.G. Beaubien s'occupait des investissements des bonnes soeurs et le Cardinal-des-pauvres offrait la croix pontificale à la grande chrétienne dont la fortune était faite de l'exploitation et de l'aliénation du peuple. Ah! cette dépouille de notre bourgeoisie "nationale"! À incinérer, camarades, à incinérer[54]! » Dans les années 1960, ce vieux ressentiment se manifesta encore davantage. Il était en partie le fruit des frustrations que la classe ouvrière avait endurées dans ses rapports avec le gouvernement. Composé presque exclusivement de Canadiens français, ce gouvernement ne s'était pas montré moins intransigeants dans ses rapports avec les employés des secteurs public et para-public que ne l'avaient été par le passé les entreprises privées anglophones. En fait, par son refus d'accorder des salaires plus élevés à ces groupes d'employés, il donna plutôt l'impression de se rendre aux désirs de l'élite économique anglophone. C'est dans le secteur public que se produisit la confrontation la plus spectaculaire entre employeurs et travailleurs — confrontation qui, ne l'oublions pas, dressait francophones contre francophones. L'expansion de l'État démontra plus clairement que jamais l'existence d'un conflit de classes. Il n'était plus question de statut et de prestige, comme cela avait été le cas lorsque les élites traditionnelles dominaient. C'était désormais une question de pouvoir et de richesse, et, ultimement, de contrôle d'un gouvernement qui en était le principal dispensateur.

On aurait pu s'attendre, dans les circonstances, à ce que les travailleurs québécois se sentent de plus en plus solidaires de leurs « camarades » canadiens. On aurait pu penser que cette préoccupation transcenderait les questions culturelles et unirait francophones et anglophones au sein d'organisations pancanadiennes. Par le fait même, les similitudes linguistiques et culturelles perdraient de leur importance. En somme, il y avait lieu de penser que le sort de la collectivité francophone et la question de l'autonomie du Québec ne constitueraient pas le principal cheval de bataille des travailleurs québécois.

Plusieurs sociologues sont d'avis qu'un tel processus se produit dans les pays « multinationaux »; ils prédisent que le phénomène de classe, qui va de pair avec le développement économique, s'accentuera de plus en plus, entraînant un déclin des particularismes culturels et régionaux au profit d'une plus grande intégration sociale et politique. Cela n'a pas été le cas au Canada. Plutôt que de collaborer avec les chefs syndicaux du reste du pays, en vue de transformer le système dans son ensemble, la plupart des dirigeants ouvriers québécois ont concentré leurs efforts uniquement au Québec. Dans plusieurs cas, les changements réclamés auprès du gouvernement se sont étendus, implicitement ou explicitement, au désengagement du système fédéral. Ainsi, plutôt que de contribuer à l'intégration au système politique canadien, le militantisme ouvrier québécois a servi à l'affaiblir.

« Classe » et « nation » dans la gauche québécoise

Cette tendance à se préoccuper uniquement de la situation économique et politique québécoise apparaît clairement chez les intellectuels de gauche qui se sont généralement entendus pour dénoncer les anciennes idéologies canadiennes-françaises qui n'auraient reflété que les préoccupations de la bourgeoisie et qui se seraient servi de la question nationale pour masquer les conflits de classes. Mais l'entente est loin d'avoir été faite sur l'idéologie de rechange, en particulier sur la question nationale. Quelle est la place de la nation dans une idéologie fermement axée sur les intérêts de la classe ouvrière? Malgré leurs divergences, la plupart des intellectuels de gauche ont opté pour des stratégies destinées à promouvoir le changement social et économique au Québec, et, ce faisant, ils ont été amenés à défendre l'idée de l'indépendance. Même parmi ceux qui considèrent le problème national comme secondaire, nombreux sont ceux qui, pour une raison ou pour une autre, estiment que l'émancipation des travailleurs passait par celle du Québec.

Les premiers indépendantistes de gauche soutenaient que les travailleurs avaient des besoins culturels qui ne seraient satisfaits que par la libération *nationale*. Ils y voyaient le Québec comme une colonie: les travailleurs francophones souffraient donc des effets culturels de la colonisation. Ces penseurs rejoignaient ainsi l'analyse des nationalistes de droite qui ne voyaient pas de conflit de classes dans la collectivité francophone, mais voyaient eux aussi dans le

Québec une colonie du Canada anglais et des États-Unis, et y décelaient une situation analogue aux pays du Tiers-Monde. Le principe de l'autodétermination, en vertu duquel les peuples déclaraient l'indépendance, devait également être appliqué au Québec. Cependant, les analystes de gauche allèrent encore plus loin. Faisant appel à des écrivains comme Frantz Fanon et Jacques Berque, ils se servirent du modèle colonial pour justifier à la fois la libération du Québec et celle des travailleurs. Un exemple frappant de cette « radicalisation » du principe de l'autodétermination nationale se trouve dans les écrits de Paul Chamberland[55]. « Une telle libération culturelle, écrit-il, serait bien dans l'intérêt des Québécois. Ceux-ci, comme tous les autres peuples colonisés, souffrent de "dépossession" et de "dépersonnalisation", résultat inévitable de "l'universalisation présente", qui n'est qu'uniformisation, déshumanisation et cosmopolitisme[56]. » Mais Chamberland affirme aussi que la classe supérieure francophone a pendant trop longtemps collaboré avec les Canadiens anglais et les Américains pour être en mesure de participer à la culture nationale; ses gestes n'auront toujours pour effet que d'affaiblir cette culture. La vraie culture nationale ne peut être le fait que des classes populaires: « seule la libération sociale et économique des classes populaires réalise l'émancipation de la nation, l'édification d'une société nouvelle, authentiquement québécoise[57] ».

Selon cette analyse, la classe ouvrière francophone a intérêt à acquérir une identité nationale cohérente, au détriment des intérêts qu'elle partage avec les autres ouvriers. Cette étape ne peut se réaliser que si elle se libère des collaborateurs anglophones et francophones. La simple libération économique des travailleurs ne suffit pas à engendrer la libération culturelle. Il doit y avoir libération *nationale*.

Si la gauche des années 1960 mettait l'accent sur les intérêts culturels des travailleurs francophones et sur la nécessité d'une « libération nationale », on ne s'entendait que très peu sur ce qu'étaient ces intérêts. Plus précisément, on n'arrivait pas à se mettre d'accord sur ce que devait être la vraie langue des travailleurs. Pour certains, ce devait être le joual. Plusieurs jeunes écrivains n'avaient-ils pas écrit des romans, des pièces de théâtre et de la poésie en joual, soutenant qu'il s'agissait là de la langue du peuple? D'autres, au contraire, affirmaient que le joual, truffé d'anglicismes, n'était que le symptôme de l'oppression nationale. Plutôt que d'en tirer gloire, disaient-ils, on devrait se rendre compte de ses effets néfastes et tenter de s'en débarrasser. L'indépendance, d'ailleurs, aurait l'avantage de le faire disparaître. Le manifeste de *Parti pris* déclarait en 1965: « Le travailleur québécois est divisé, déchiré entre deux langues et deux cultures, il y a de vastes domaines de la réalité qu'il ne peut plus nommer dans sa langue maternelle (entre autres la technique, par le fait même qu'elle est technique de l'autre); aussi sa langue s'atrophie et, ses possibilités d'expression se réduisant, il en arrive au "joual", langue en décomposition. À force de vivre dans un monde qui ne lui appartient pas, il en vient à ne même plus pouvoir nommer ce monde. Cela entraîne un sentiment d'humiliation, d'infériorité, qui est trop connu pour qu'il soit nécessaire d'insister. Le colonialisme, comme nous l'avons souvent expliqué, amène la désintégration de la personnalité du colonisé[58]. »

La confusion qui régnait parmi les écrivains de gauche quant à la langue et la culture « authentique » de la classe ouvrière a persisté durant les années 1970. Dans un article écrit en 1975 dans une revue marxiste dont il était le co-rédacteur, Léandre Bergeron se prononça ouvertement en faveur du joual comme langue des Québécois; selon lui, le français n'était que l'outil du vieux pouvoir impérialiste. Bergeron attaquait ceux qui voulaient remplacer le joual par le français correct: « Si la nouvelle élite péquiste arrive au pouvoir, la langue québécoise se verra violentée par une élite aussi vieille que l'ancienne qui clamera que nous parlons français, que le Québec doit être français, que la langue québécoise est l'excrément oral de l'ignorance et qu'il faut parler le "français" de Jacques-Yvan Morin, tout comme cette vieille élite nous dira qu'il faut développer le capitalisme québécois pour que notre peuple vienne au monde[59] ». Les autres rédacteurs de la revue refusèrent cependant de signer l'article, se contentant d'affirmer que la question de la langue était extrêmement complexe. Ils espéraient simplement que la publication de l'article stimule la discussion[60].

Il n'est donc pas étonnant qu'au début des années 1970, on ait tenté de faire une équation entre la question nationale et la position d'infériorité économique des travailleurs francophones. Dans un ouvrage publié en 1974, on peut lire: « Plusieurs travailleurs québécois sont nationalistes parce qu'ils voient et vivent à tous les jours des effets de l'oppression nationale telle l'utilisation de l'anglais comme principale langue de travail au Québec, tel le favoritisme dans les promotions pour les anglophones, telles les différences de salaire entre le Québec et l'Ontario, telle l'adoption massive de l'anglais par les immigrants, tels la surveillance et le contrôle spécial de l'État fédéral au Québec à travers son armée, ses lois, ses projets PIL, etc[61]... » Contrairement aux textes de *Parti pris*, on ne discute pas ici la façon dont les travailleurs francophones, colonisés, ont pu subir une aliénation culturelle, une perte d'identité, un avilissement masochiste. L'oppression nationale est vue essentiellement en termes matériels. En fait, on n'a pas recours au modèle colonial; le Québec est plutôt considéré comme une nation, dans un grand État multinational[62]. Les auteurs n'en affirment pas moins que la question nationale est d'une importance capitale pour les travailleurs et se déclarent ouvertement en faveur de l'indépendance[63].

Un autre argument que l'on trouve chez les collaborateurs de *Parti pris* et chez d'autres écrivains est celui de l'oppression économique: le statut colonial aurait entraîné non seulement une aliénation culturelle mais un sous-développement économique accompagné de discrimination envers les travailleurs francophones. Les travailleurs avaient donc intérêt à libérer le Québec du contrôle de la bourgeoisie étrangère, canadienne-anglaise ou américaine, et du gouvernement fédéral qui était son valet. « Cette situation de sous-développement par rapport à l'Amérique du Nord et au reste du Canada s'explique par le fait que l'économie du Québec est contrôlée de l'extérieur: plus des trois quarts des capitaux qui y sont investis et qui fondent son économie sont des capitaux étrangers au Québec, contrôlés par des Canadiens ou des Américains. La nation québécoise vit dans un pays qui ne lui appartient pas, dont elle est dépossédée (...) La nation québécoise, à cause de la confédération, n'a pas le contrôle de sa vie politique ni économique. C'est là un fait primordial; et il faut noter que la confédération est le cadre dans lequel s'exercent toutes les dominations dont souffre le Québec[64]. »

Au milieu des années 1960, la thèse de la « colonie interne » prédominait, comme l'indique le passage précédent. La domination économique étrangère était vue essentiellement comme le fait d'une bourgeoisie canadienne-anglaise, secondée par Ottawa. Mais vers la fin de la décennie, l'attention se déplaçait vers l'Amérique du Nord dans son entier, et le Québec était perçu comme victime de l'impérialisme américain[65].

Le thème de l'exploitation économique des travailleurs servit en même temps à faire ressortir le fait que l'exploitation ne venait pas seulement de l'extérieur. Elle existait au sein même de la nation. Déjà, dans les années 1960, les écrivains de gauche avaient reconnu que la population n'était pas composée uniquement de « travailleurs », qu'elle ne formait pas une « nation prolétaire ». Bien vite, les collaborateurs de *Parti pris* notèrent la force croissante de la nouvelle classe moyenne francophone, issue de la Révolution tranquille. Selon eux, l'indépendance ne pouvait signifier qu'une fausse victoire pour les travailleurs si elle devait simplement remplacer la bourgeoisie « étrangère » par une bourgeoisie francophone renforcée. Ainsi, l'émancipation économique des travailleurs passait non seulement par la fin de la domination étrangère, mais par celle de la domination interne. L'indépendance devait comporter « une révolution nationale démocratique accomplie sous l'impulsion des classes travailleuses[66] ».

Dans les années 1960, le débat se poursuivit quant au rôle de la classe ouvrière au sein du mouvement indépendantiste[67]. Certains étaient prêts à envisager une alliance entre travailleurs et bourgeois indépendantistes. Une fois accomplie la révolution nationale, pensait-on, les travailleurs pourraient reprendre leur révolution sociale. Mais d'autres craignaient que de telles alliances ne puissent qu'entraîner l'hégémonie permanente de la petite bourgeoisie. S'il devait jamais y avoir révolution sociale, les travailleurs devaient maîtriser la situation dès le début. Révolution nationale et révolution sociale ne devaient faire qu'une.

En fait, dès le début des années 1970, l'appréhension devint si grande que l'objectif même de l'indépendance commença à susciter moins d'intérêt. On préférait souligner les différences qui séparaient les travailleurs du reste de la société. La classe, plutôt que la nation, devint le concept premier. Néanmoins, les changements qu'on tentait d'obtenir concernaient uniquement le Québec, qui restait, malgré les divergences, le principal sinon le seul champ d'action.

Ce nouvel intérêt pour la question sociale au détriment de la question nationale s'explique de plusieurs façons. Premièrement, le conflit grandissant entre les syndicats et le gouvernement avait mis en relief les différences de classes. Pour les gens de la gauche, les dirigeants politiques francophones étaient de mèche avec les intérêts canadiens-anglais et américains. Deuxièmement, au début des années 1970, le PQ s'était imposé comme le principal porte-parole du nationalisme. En fait, il exerçait le monopole de la question nationale. Insatisfaits du programme social et économique du PQ, les mouvements de gauche furent donc portés à délaisser la difficile question nationale pour se concentrer sur le terrain plus ferme de la lutte des classes.

Enfin, influencés par le marxisme européen, les jeunes intellectuels des années 1970 éprouvaient un certain malaise face au concept de nation. Les collaborateurs de *Parti pris* avaient eu beau se proclamer marxistes, ils n'avaient pas, en fait, adopté un cadre d'analyse strictement marxiste[68]. (Jean-Marc Piotte a même admis n'avoir jamais terminé la lecture du *Capital*[69].) La situation changea dans les années 1970. On abandonna le modèle de *Parti pris*, basé sur les analyses de Fanon et Memmi, pour adhérer à des théories plus générales, mettant l'accent sur les phénomènes communs des sociétés ayant effectué la transition au capitalisme monopolistique. Très souvent, on appliquait ces théories de façon mécanique, avec une orthodoxie laissant peu de place à la question nationale[70].

L'élection du Parti québécois semble avoir provoqué, même chez les marxistes les plus purs, un regain d'intérêt pour la question nationale. Compte tenu que le PQ était au pouvoir et entendait mobiliser la population autour de la question nationale, les marxistes ne pouvaient plus demeurer indifférents à l'attrait du sentiment national, qui pouvait être à la fois un moteur ou un frein de changement social. Évidemment, certains marxistes demeurèrent fidèles à la ligne qu'ils s'étaient tracée auparavant. Des mouvements comme En lutte ou la Ligue communiste (M-L) continuèrent de dénoncer le sentiment national: ce n'était qu'une invention bourgeoise pour faire échec à la solidarité ouvrière. D'autres, par contre, pensaient encore qu'il fallait situer les intérêts de la classe ouvrière dans le cadre de l'indépendance du Québec. Dans certains cas, on retourna même à des postulats de *Parti pris*, en mettant l'accent sur l'oppression nationale subie par la classe ouvrière et en laissant entendre qu'il serait peut-être avantageux de s'allier à la petite bourgeoisie[71].

L'importance du Québec dans le mouvement syndical

La tendance qui consiste à rechercher les changements au Québec, plutôt que dans le système politique canadien, n'est pas uniquement le fait d'éléments radicaux. Elle est caractéristique du mouvement syndical. Les attitudes adoptées par les syndicats quant aux relations du Québec avec le reste du pays le montrent bien. Pendant les quinze dernières années, les chefs des trois grandes centrales en sont venus à préconiser une autonomie toujours plus grande pour le gouvernement du Québec. De plus, les syndicats se sont déclarés prêts à appuyer directement ou indirectement le Parti québécois dans ses efforts pour renverser le gouvernement Bourassa. Et bien qu'aucune des grandes centrales ne se soit jamais ouvertement prononcée pour la souveraineté (comme nous le verrons, la CSN et la CEQ se sont montrées critiques à l'égard du PQ), les syndicats ont continué à promouvoir l'expansion de l'État du Québec aux dépens d'Ottawa.

Cette orientation se révèle encore davantage dans l'attitude autonomiste des centrales à l'égard des structures syndicales pancanadiennes. Partisan le plus avoué de la lutte des classes, la CSN ne s'est jamais affiliée au Congrès du travail du Canada, pas plus que la CEQ. Quant à la FTQ, elle a tenté de minimiser ses liens avec le CTC et de renforcer son identité en tant que fédération syndicale québécoise. Son président, Louis Laberge, a récemment remarqué que les Québécois se sentent souvent frustrés au sein des syndicats canadiens « parce qu'ils ne peuvent jamais obtenir la majorité afin de répondre à leurs aspirations[72] ».

La nature des relations de classe au Québec peut expliquer en partie pourquoi les syndicats ont préféré concentrer leur action dans la province: la nouvelle classe moyenne francophone avait tout intérêt à tenter de se mériter l'appui de la classe ouvrière. Comme Marcel Fournier l'a noté: « Un des principaux obstacles à la réalisation d'une unité d'action de la classe ouvrière canadienne est l'avantage que la classe ouvrière québécoise semble tirer des réformes mises de l'avant par la petite bourgeoisie québécoise (nationaliste); celle-ci n'a en effet pu mener à terme certaines réformes de la "Révolution tranquille" qu'à la condition de s'assurer l'appui d'éléments du mouvement ouvrier et d'en payer le prix (accès plus facile à l'éducation et aux soins de santé, mise sur pied d'un meilleur système de pensions, syndicalisation de la fonction publique, modification du Code du travail, hausse du salaire minimum, etc.)[73]. »

Pour la CSN et la CEQ, l'arène politique québécoise a revêtu une signification toute particulière. Ayant recruté plus de la moitié des employés du secteur public, on comprend que la CSN ait toujours voulu demeurer une centrale indépendante, basée au Québec. La fortune de ces employés, et donc la sienne, est étroitement liée à celle du Québec et aux succès qu'il obtient dans sa lutte contre le fédéral. La CSN apparaîtra comme un meilleur défenseur des intérêts de ses membres si elle est basée exclusivement au Québec, et peut donc endosser un certain nationalisme. (Le succès qu'a connu la CSN au moment où elle était en concurrence avec le CTC-FTQ pour le recrutement des fonctionnaires est dû en grande partie à ces facteurs.) Le même raisonnement s'applique encore plus dans le cas de la CEQ, dont les membres proviennent exclusivement du secteur public. Dans le cas de la FTQ, qui ne compte pas autant de membres du secteur public dans ses rangs, son désir manifeste de prendre ses distances vis-à-vis du CTC s'explique moins.

Le fait que les syndicats québécois préfèrent orienter leur action au Québec est peut-être aussi une réaction au conservatisme relatif des syndicats canadiens-anglais[74]. Le Congrès du travail du Canada adhère toujours au syndicalisme classique, tandis que les chefs syndicaux québécois le contestent. La CSN et la FTQ, en particulier, ont dépassé le stade de la simple négociation en vue de la conclusion d'une convention collective: elles en sont venues à remettre en cause la société capitaliste. Certaines des tensions qui existent entre la FTQ et d'autres membres affiliés au CTC proviennent du plus grand radicalisme des dirigeants de la FTQ. Les tactiques, et encore plus les discours utilisés lors de la grève du Front commun en 1972, inquiétèrent vivement plusieurs chefs syndicaux du Canada anglais.

Mais le fait que le syndicalisme québécois ne se soit toujours intéressé qu'au Québec semble être plus qu'une simple réaction au conservatisme des chefs ouvriers anglophones. Il correspond à certains traits distinctifs de la clientèle syndicale. Les intérêts des travailleurs francophones sont, à plusieurs égards, différents de ceux des travailleurs anglophones. Il est dans l'intérêt de chaque groupe que sa langue soit adoptée comme langue de travail, même s'il est vrai que les travailleurs québécois ne sont pas tous affectés par les problèmes de langue. Dans le secteur public, qui compte plus de 40% de la main-d'oeuvre syndiquée, on travaille rarement en anglais. Dans le secteur privé, l'exigence de l'anglais et le désavantage qui s'ensuit pour les francophones, existe surtout pour les cols blancs[75]. Mais dans les compagnies anglophones, plusieurs cols bleus doivent connaître certains termes techniques. Ils auront peut-être à consulter des manuels et des documents rédigés en anglais, à faire affaire à des clients anglophones. De plus, la maîtrise de l'anglais fut souvent utilisée par le passé comme prétexte pour masquer une réelle discrimination. Après tout, les Canadiens français ont accédé relativement tard à la société industrielle. Les postes de cols bleus étaient souvent occupés par des anglophones, Canadiens ou immigrants. Les Canadiens français étaient relégués aux postes inférieurs. Les travailleurs anglophones avaient donc de bonnes raisons d'espérer qu'une hiérarchie ethnique se maintienne. Ils pouvaient habituellement compter sur l'appui des contremaîtres et des directeurs anglophones en cette matière. Ces attitudes ont peut-être renforcé la croyance chez les chefs syndicaux et militants francophones que seuls des syndicats québécois pouvaient vraiment défendre les intérêts de leurs membres.

Il est un autre domaine où il y a divergence d'intérêt entre travailleurs anglophones et francophones, et où les syndicats québécois ont été amenés à intervenir: à quel groupe linguistique les immigrants doivent-ils s'intégrer? Dans ce cas-ci, les pressions exercées sur les chefs syndicaux ont été très nettes. L'exécutif de la CSN et de la FTQ ont bien tenté de se tenir à l'écart de la querelle quant au choix de la langue d'enseignement[76]. Le président de la CSN, Marcel Pepin, a même affirmé que cette question ne concernait pas vraiment les syndicats: « Nous ne sommes pas ici principalement un club de Canadiens français mais plutôt un club de travailleurs[77] ». Mais devant les pressions qui se multipliaient, la CSN et la FTQ déclarèrent finalement qu'elles étaient opposées à ce que les immigrants choisissent la langue d'enseignement pour leurs enfants, et donnèrent leur appui au projet d'un Québec unilingue.

Il convient de garder à l'esprit que le phénomène d'appartenance à la collectivité joue un rôle important. La langue et la culture déterminent largement notre façon de voir les choses. Malgré les similitudes de conditions de vie entre travailleurs francophones et travailleurs anglophones, c'est en français et au Québec que les chefs syndicaux et les militants en ont vécu l'expérience. Il est normal qu'ils interprètent cette expérience en des termes qui leur sont propres, cherchant à distinguer les ennemis des alliés dans un monde qui leur est familier. De plus, dans la mesure où les travailleurs ont des contacts réguliers avec les employeurs anglophones, les griefs qui surgissent peuvent facilement s'étendre aux anglophones en général, rendant encore plus difficile la solidarité avec les travailleurs du reste du pays.

En résumé, le développement économique et la modernisation politique ont amené un nombre croissant de francophones à défendre les intérêts de la classe ouvrière, et à en conclure qu'il fallait s'opposer non seulement aux anglophones, mais aussi à la bourgeoisie francophone. Pourtant, ce nouveau militantisme de classe n'a pas servi à les intégrer au système politique canadien, comme on aurait pu s'y attendre. Il n'a pas non plus suscité de collaboration avec les organisations ouvrières au Canada anglais ni diminué l'importance du sentiment national.

La modernisation entraînée par la Révolution tranquille a entraîné un grand déséquilibre dans la vie politique du Québec. Ce nouveau dynamisme a non seulement favorisé une expansion de l'action gouvernementale, il a aussi intensifié les divisions ethniques et de classes au sein de la société. Bref, l'un des résultats de la modernisation politique a été l'intensification de conflits non seulement au sein du système politique, mais dans la société dans son ensemble. Et ce phénomène a pu avoir des conséquences que les initiateurs de la modernisation politique n'avaient pas prévues, et n'auraient peut-être pas souhaitées.

Chapitre 8

La montée du Parti québécois

Comme nous venons de le voir, les attentes suscitées au cours des années 1960 et 1970 ont souvent été déçues. Les réformes de la Révolution tranquille eurent pour effet de développer et de renforcer certaines catégories sociales, relativement peu importantes jusque-là, qui avaient de bonnes raisons d'être insatisfaites de l'ordre existant. Ces catégories incluaient les technocrates de la nouvelle classe moyenne pour qui seule l'action concertée d'un État québécois fort pouvait assurer un développement économique et social convenable. Il y avait aussi les diplômés d'université qui n'entrevoyaient que très peu de chances de s'intégrer aux entreprises dominées par les anglophones et qui se tournaient vers le secteur public québécois. Il y avait enfin les cols blancs et les cols bleus du secteur public, qui dépendaient du gouvernement pour gagner leur vie, et les chefs syndicaux, qui en vinrent de plus en plus à considérer le gouvernement comme hostile à leurs intérêts et à ceux de leurs membres.

Ces diverses formes de mécontentement s'exprimèrent davantage au niveau provincial qu'au niveau fédéral: c'était surtout le gouvernement du Québec qui avait engendré ces attentes et auquel le sort d'un grand nombre d'employés était lié. Quant au fédéral, on le percevait comme hostile ou on l'ignorait purement et simplement. Ainsi, on considérait que la plupart des programmes de changement passaient par le transfert de pouvoirs et de ressources à Québec. À la limite, ils nécessitaient l'accession à l'indépendance.

Pour répondre aux nouvelles attentes, il aurait fallu modifier considérablement les pouvoirs du gouvernement et l'utilisation qu'il en faisait. Or, rien de tel ne se produisit sous le régime unioniste de Daniel Johnson (1966-1968) et de Jean-Jacques Bertrand (1968-1970), ou sous le régime libéral de Robert Bourassa (1970-1976). Non seulement le Québec bénéficia-t-il d'un transfert de pouvoirs moins grand, mais les gouvernements réfusèrent d'utiliser leurs pouvoirs de la façon dont on l'exigeait. L'Union nationale et le Parti libéral tentèrent tous deux de transiger sur la question de la langue, cherchant des politiques acceptables pour tous. Ni l'un ni l'autre ne réussirent à satisfaire les demandes syndicales et s'obligèrent à imposer d'autorité des règlements dans le secteur public et à rechercher la confrontation directe avec les chefs syndicaux. Ces échecs ne pouvaient que renforcer l'attrait de l'indépendance chez les francophones.

L'administration de l'Union nationale sous Johnson et Bertrand

Le retour au pouvoir de l'Union nationale ne signifia pas la rupture avec le programme de modernisation politique que plusieurs observateurs avaient prévue, et que Daniel Johnson avait promise durant la campagne électorale de 1966. Le gouvernement poursuivit les réformes du système d'éducation: il donna suite à la recommandation du rapport Parent d'établir un cours collégial de deux ans et le premier collège d'enseignement général et professionnel (CEGEP) fut fondé en 1967. Au moment où l'Union nationale perdit le pouvoir, en 1970, le Québec comptait déjà trente cégeps et le réseau de l'Université du Québec était lancé. L'Union nationale réalisa également le projet libéral d'un complexe sidérurgique québécois: en 1968, le gouvernement acquit les usines de la Dominion Steel Corporation et il les confia à la société d'État SIDBEC, à qui il accorda une subvention de 60 000 000$, étalée sur cinq ans.

Dans l'ensemble, cependant, le niveau de modernisation politique ne se compare pas à celui du régime Lesage. L'Union nationale n'a pas poursuivi la réalisation de tous les programmes hérités des libéraux; par exemple, elle laissa complètement tomber le vaste programme de la réforme municipale. De plus, elle mit de l'avant très peu de nouveaux programmes; aussi l'augmentation des dépenses publiques fut-elle remarquablement moins élevée. Au début des années 1960, les dépenses du gouvernement avaient grimpé de façon constante, jusqu'à atteindre leur sommet, en 1965, avec une augmentation considérable de 29,6% (en dollars constants). L'année suivante, alors que l'Union nationale était au pouvoir, les dépenses n'augmentèrent que de 9,6%. Elles augmentèrent de 13,8% en 1967, pour plafonner à 10% les années suivantes. En 1970, il y eut en fait diminution de 0,3% (en dollars constants)[1]. Entre 1960 et 1965, le nombre d'employés du gouvernement avait augmenté de 53%; au cours des cinq années suivantes, ce nombre n'augmenta que de 24%[2]. Bref, la période de l'Union nationale en fut une de déception pour ceux qui avaient commencé à compter sur un gouvernement fort et actif.

Ce sont bien sûr le leadership unioniste et la clientèle électorale du parti qui expliquent que les administrations Johnson et Bertrand aient marqué le pas dans les réformes. Contrairement au Parti libéral, l'Union nationale n'avait pas de liens très étroits avec les classes moyennes urbaines. Elle recueillait ses votes dans les mêmes milieux que dans les années cinquante. Les membres des professions libérales et les petits entrepreneurs des régions rurales continuaient de jouir d'une forte représentation au sein du leadership du parti. Les députés unionistes continuaient à se méfier des villes. Bien que la réforme de la carte électorale ait permis une augmentation importante du nombre de circonscriptions urbaines, il reste qu'en 1966, seulement 47% des députés unionistes furent élus dans des comtés à 60% urbains, et seulement 15% à Montréal et à Québec[3]. (Aux élections de 1962, les députés libéraux venaient à 59% de comtés urbains, à 29% de Montréal et de Québec.) Dans les régions urbaines, l'Union nationale trouvait sa clientèle dans la classe ouvrière francophone plutôt que dans les classes moyennes[4]. Bref, elle était toujours liée à ces éléments de la société québécoise les moins attachés aux valeurs de la Révolution tranquille. Certains chefs unionistes s'étaient d'ailleurs inquiétés de la faiblesse du parti chez les jeunes et chez les citadins des classes moyennes. Daniel Johnson avait réussi à recruter quelques jeunes technocrates. Voulant atteindre une clientèle électorale plus large, il avait même adopté des slogans indépendantistes. Mais, c'était encore les éléments traditionnels de la société canadienne-française qui demeuraient le centre de gravité du parti.

Après la mort de Johnson et son remplacement par Jean-Jacques Bertrand, ces éléments furent en mesure de regagner le terrain perdu.

Il est vrai que la situation financière du gouvernement, qui n'était pas aussi bonne qu'auparavant, avait restreint ses possibilités d'action. Dès 1965, l'administration Lesage s'était vue obliger de retarder certains projets. Mais c'est plutôt le manque de volonté politique qui a freiné le processus de modernisation. Comme l'a noté Vincent Lemieux, les programmes de la Révolution tranquille qui ont été poursuivis sous l'administration unioniste (comme la réforme de l'éducation) reflètent beaucoup moins une volonté d'agir de la part des dirigeants que l'influence de certains hauts fonctionnaires, particulièrement dans le ministère de l'Éducation. Dans d'autres ministères, comme celui des Affaires municipales, où les hauts fonctionnaires ne jouissaient pas d'un même prestige, les dirigeants politiques firent prévaloir leurs idées et les programmes établis sous l'administration Lesage ne furent pas menés à terme[5].

D'après plusieurs analystes, le déclin prononcé qui suit une période de croissance exceptionnelle de l'appareil gouvernemental se traduit généralement par une aliénation politique profonde. C'est ce qui semble s'être produit au Québec à la fin des années 1960. La période unioniste ne pouvait que décevoir ceux qui s'attendaient à une poursuite de l'expansion de l'État. On finit donc par s'en prendre non seulement à l'Union nationale, mais aux structures gouvernementales elles-mêmes[6]. Plusieurs jetèrent le blâme sur le système fédéral; ce dernier, pensait-on, ne permettait pas au Québec d'assumer le rôle qu'il s'attendait désormais à jouer. Ce n'est donc qu'en devenant indépendant que le Québec pouvait espérer jouer le rôle qui lui revenait.

La logique indépendantiste se trouva renforcée par le fait que pendant la seconde moitié des années 1960, le transfert des pouvoirs au Québec ne connut pas la même ampleur que pendant la période précédente. Au plan des relations fédérales-provinciales, également, l'impulsion de le Révolution tranquille se faisait moins sentir. L'Union nationale, peu engagée dans des programmes coûteux, exigea moins du fédéral. Sa position vis-à-vis d'Ottawa s'en trouva affaiblie. En général, ses demandes étaient plutôt vagues. Elles tournaient autour d'une nouvelle constitution, appelée à se développer au cours des années suivantes. Elles n'avaient pas trait, comme celles de l'administration Lesage, au transfert immédiat de certains responsabilités et de certaines ressources fiscales. C'était plutôt une série d'objectifs qui devaient se discuter au cours de conférences fédérales-provinciales. Elles étaient orientées vers l'avenir, plutôt que vers le présent.

La seule véritable exigence porta sur le rôle international du Québec. Pour un gouvernement comme celui de l'Union nationale, qui n'entendait pas développer l'appareil étatique et désirait éviter toutes nouvelles dépenses, les relations étrangères représentaient l'un des rares domaines susceptibles de changement. Le Québec demanda donc de participer aux conférences internationales traitant de sujets sous sa compétence et, ce qui est plus important, réclama le droit de conclure des traités. Les affrontements entre Québec et Ottawa à cet égard furent souvent violents; on se disputait sur la question de la hauteur des mâts de drapeaux, sur la répartition des sièges des délégués à une conférence quelconque. En termes purement symboliques, ces demandes étaient très significatives: le Québec tentait d'obtenir ce que plusieurs considéraient comme les signes extérieurs de la souveraineté. Mais, en dépit du symbolisme, on ne remettait pas aussi directement en question le partage des pouvoirs, comme cela avait été le cas avec le gouvernement Lesage, notamment quant au régime des rentes.

Au plan constitutionnel, Daniel Johnson réclamait des réformes très substantielles. Partant du postulat que le Québec représentait une des « deux nations » canadiennes, le gouvernement tenta d'obtenir un transfert massif des pouvoirs et des ressources. Pour Johnson, il fallait choisir entre une révision complète de la constitution et la séparation. C'est un véritable ultimatum qu'il présenta dans son livre *Égalité ou indépendance*[7]. Mais une fois Bertrand au pouvoir, ces demandes perdirent beaucoup de leur force et de leur crédibilité. Il était évident que les leaders unionistes ne comptaient pas vraiment s'engager dans la voie de la modernisation politique. L'Union nationale semblait retourner au discours des années 1950. L'entourage de J.-J. Bertrand ne laissait pas de doute quant à son adhésion au système fédéral, aussi ses demandes de réformes ne pouvaient pas avoir le même impact auprès des Canadiens anglais que celles de Johnson ou de Lesage: on pouvait se permettre de les ignorer ou de remettre la discussion à plus tard.

Le recul du Québec s'explique également par un durcissement du gouvernement fédéral. Sous la direction de Pierre Elliott Trudeau, l'attitude du gouvernement fédéral à l'égard du Québec devint nettement plus rigide. Trudeau était convaincu que seule une forte présence fédérale au Québec pouvait freiner la dérive vers le séparatisme. Plus question d'« États associés » ou même de statut particulier: le Québec n'allait demeurer qu'une province comme les autres. L'Union nationale ne s'était pas engagée à élargir le rôle du gouvernement et n'ayant jamais envisagé le transfert immédiat de pouvoirs précis, le gouvernement fédéral eut la partie facile.

En somme, durant la seconde moitié des années soixante, non seulement le gouvernement du Québec vit-il s'amortir l'élan de sa modernisation, mais il ne réussit plus à arracher à Ottawa de nouveaux pouvoirs et à acquérir de nouvelles ressources. L'impasse des relations fédérales-provinciales laissait croire qu'on avait atteint les limites du changement à l'intérieur du système fédéral. Certains partisans de l'idéologie de la Révolution tranquille en conclurent que, s'il voulait poursuivre son action, le gouvernement du Québec n'avait plus qu'une solution: quitter la confédération. La bataille s'engagea au sein du Parti libéral. Mais Jean Lesage et Eric Kierans tinrent bon: le Québec devait demeurer dans la confédération et renoncer même au statut particulier. Plusieurs libéraux, comme Pierre Laporte, Robert Bourassa et Paul Gérin-Lajoie, qui avaient déjà proposé des réformes constitutionnelles importantes, se rallièrent à la nouvelle ligne du parti. D'autres le quittèrent, notamment René Lévesque, qui incarnait peut-être le mieux l'esprit de la Révolution tranquille. Se déclarant ouvertement contre le fédéralisme existant, les dissidents fondèrent le Mouvement souveraineté-association qui, l'année suivante, devint le Parti québécois.

L'Union nationale avait également déçu les critiques de la Révolution tranquille qui réclamaient de nouvelles politiques linguistiques et sociales. En premier lieu, elle avait préféré, malgré de nombreuses pressions, ne pas intervenir dans le choix linguistique des nouveaux immigrants. Lorsque, en 1967, la Commission des écoles catholiques de Saint-Léonard avait forcé les enfants des immigrants à s'inscrire à l'école française, le ministre de l'Éducation, Jean-Guy Cardinal, avait d'abord refusé de prendre position, mais en 1968, J.-J. Bertrand fit adopter une loi qui accorderait aux parents le droit de choisir la langue d'éducation de leurs enfants. Les groupes francophones s'y opposèrent si vivement que le premier ministre Bertrand fut obligé de céder et de mettre le projet au rancart. (La surprise de Bertrand et des autres dirigeants du parti devant cette opposition montre à quel point ils étaient peu sensibles au conflit linguistique.) Bertrand revint néanmoins à la charge et, une fois son leadership confirmé à la tête du parti, il présenta un second projet de loi destiné à garantir le choix de la langue d'enseignement (le « bill » 63). Cette fois, en dépit d'une opposition encore plus forte (50 000 personnes manifestèrent devant le Parlement), le projet fut adopté; seuls s'y opposèrent deux députés indépendants (Lévesque et Aquin), deux députés unionistes et un député libéral. Tentant vainement d'apaiser les adversaires francophones du projet, Bertrand avait ajouté à la loi certaines dispositions qui exigeaient des diplômés anglophones une certaine connaissance du français et il avait créé une commission d'enquête qui, sous la direction du linguiste Jean-Denis Gendron, avait pour mission d'étudier la situation de la langue française au Québec. Ces concessions importaient peu aux adversaires de la loi: la question de la langue ne pouvait faire l'objet d'un compromis. Permettre aux enfants des immigrants de fréquenter l'école anglaise, c'était favoriser les intérêts de la communauté anglophone au détriment de la communauté francophone. L'appui de l'opposition libérale n'avait fait qu'empirer les choses et aggraver le sentiment général d'aliénation que ressentait une partie de la population face aux structures gouvernementales.

Durant le mandat de l'Union nationale, les relations entre le gouvernement et les syndicats (particulièrement ceux du secteur public) se détériorèrent considérablement. En 1967, le gouvernement retira de facto le droit de grève aux membres de la CEQ et fit adopter une loi spéciale qui forçait le retour au travail des grévistes du transport en commun de Montréal. En 1968, le gouvernement intenta une poursuite contre le dirigeants d'un second syndicat d'enseignants (le Syndicat des professeurs de l'État du Québec) qui avaient refusé d'obéir en 1966 à une injonction leur ordonnant de retourner au travail, et fit emprisonner treize d'entre eux pour une période de vingt jours[8]. L'Union nationale ne tenta même pas de corriger les programmes qui, depuis la Révolution tranquille, favorisaient nettement la classe moyenne. Elle fut même incapable de restaurer le patronage qui, sous Duplessis, avait aidé les classes défavorisées.

Ces échecs ne pouvaient qu'accroître l'attrait de l'indépendance. Pour ceux qui voulaient que le gouvernement épouse ouvertement les intérêts des francophones, l'indépendance aurait au moins le mérite de clarifier la situation. Les francophones du Québec constitueraient *la* majorité. Pour ceux qui défendaient les intérêts de la classe ouvrière, l'indépendance saurait réduire le poids des intérêts économiques anglophones et mettre *tous* les pouvoirs du gouvernement au service des intérêts de la classe ouvrière francophone.

C'est ainsi que put s'élargir, vers la fin des années soixante, le soutien à l'idée d'indépendance. Déçus par les échecs de l'Union nationale, qui n'avait pas su continuer la modernisation entreprise par le gouvernement Lesage, et choqués par l'intransigeance de plus en plus marquée du gouvernement fédéral, de nombreux partisans du néo-nationalisme passèrent dans le camp indépendantiste. La question linguistique et la question sociale s'étant nettement politisées, l'indépendantisme vit ses bases s'élargir au-delà du noyau de la nouvelle classe moyenne. Un sondage de 1968 montre que les griefs économiques et les idées gauchisantes avaient poussé un grand nombre de travailleurs francophones à appuyer l'idée d'indépendance[9]. Le durcissement du conflit linguistique et les politiques de l'Union nationale à l'égard des immigrants contribuèrent également à renforcer cette tendance[10].

Le régime libéral de Robert Bourassa

On aurait pu s'attendre, après le retour au pouvoir des libéraux en 1970, à un attitude plus conciliante de la part du gouvernement. En tant que parti de la Révolution tranquille, le Parti libéral pouvait a priori se montrer plus réceptif à l'idée d'un gouvernement actif et dynamique et favoriser les intérêts francophones. Il n'en fut rien. Le Parti libéral de 1970 n'avait rien de commun avec « l'équipe du tonnerre » de 1960. Bourassa et ses collègues ne partageaient pas le postulat fondamental de la Révolution tranquille qui voulait que la seule façon de promouvoir le développement du Québec fût d'étendre les pouvoirs et les activités du gouvernement. Au contraire, ils se faisaient plutôt les défenseurs du libre jeu des forces économiques.

La nouvelle attitude des libéraux trouve son origine dans le changement de leadership du parti. Quelques-uns des personnages clés de la Révolution tranquille avaient quitté la scène politique: Georges-Émile Lapalme, Eric Kierans, Paul Gérin-Lajoie et, officiellement, Jean Lesage. Mais surtout, René Lévesque et certains innovateurs néo-nationalistes avaient abandonné le parti pour fonder le Mouvement souveraineté-association et, plus tard, le Parti québécois. Dès 1965, Lévesque et la faction « technocratique » du Parti libéral comprirent qu'ils ne pourraient obtenir l'appui à leurs programmes de modernisation de la part des autres groupes du parti, plus étroitement liés aux intérêts économiques des élites francophones et anglophones. De plus, l'impossibilité d'obtenir la moindre concession de la part du gouvernement fédéral et d'acquérir les pouvoirs nécessaires les avaient convaincus que la modernisation du Québec ne pourrait jamais s'effectuer à l'intérieur du système fédéral. D'autres technocrates importants de la Révolution tranquille, oeuvrant dans le domaine des relations fédérales-provinciales, étaient parvenus aux mêmes conclusions (entre autres, Claude Morin, Louis Bernard, Jacques Parizeau). De plus en plus, la modernisation politique du Québec était liée à un changement constitutionnel radical. Le réalignement des élites politiques qui s'ensuivit contribua à affaiblir la faction réformiste au sein de Parti libéral. Bien plus que ne l'avait été le régime Lesage, on associa le régime Bourassa aux intérêts économiques privés.

Les politiques économiques du gouvernement Bourassa

C'est dans le domaine économique que s'est manifesté le plus ouvertement le rejet de l'étatisme du régime Lesage. Dès le départ, Bourassa et ses collègues s'en remirent à l'entreprise privée qu'ils jugeaient seule capable de promouvoir le développement économique. Il fallait désormais consacrer les énergies du gouvernement à encourager l'investissement privé. C'est pourquoi Bourassa s'opposa si vivement aux législations fédérales visant à filtrer et à contrôler les investissements étrangers, législations qui, selon lui, mettaient en question les politiques économiques traditionnelles du Québec[11].

La grande préoccupation du régime Bourassa fut de créer le climat apte à favoriser les investissements américains. Ce qui aux yeux de Bourassa dévaluait le plus l'idée d'indépendance et l'interventionnisme de l'État en matière linguistique, c'était que de telles orientations ne pouvaient que décourager ces investissements. C'est dans l'attitude de Bourassa envers les sociétés d'État que se manifeste le plus son rejet de l'étatisme: il avait une nette préférence pour l'entreprise privée qu'il considérait plus efficace. Il se garda donc de lancer d'autres sociétés comme Hydro-Québec ou SIDBEC. Alors que le gouvernement Lesage avait confié à Hydro-Québec la totalité du projet Manicouagan, c'est à Bechtel, une corporation privée, que Bourassa confia le gigantesque projet de la baie James. Ce parti pris pour l'entreprise privée, surtout pour les compagnies américaines, l'amena même, durant les premières années de son mandat, à remettre en question le soutien de l'État aux entreprises privées francophones. On invoquait le bilan décevant de la Société générale de financement pour justifier la nouvelle stratégie. Implicitement, on accordait ainsi une plus grande importance à la croissance économique générale qu'à la participation des francophones aux postes de commande de l'économie.

Mais les libéraux de Bourassa ne pouvaient poursuivre une telle politique sans se mettre à dos une partie de la bureaucratie. Le Parti libéral avait peut-être modifié ses doctrines, mais les technocrates n'avaient pas renoncé aux leurs. Plusieurs pionniers de la Révolution tranquille occupaient toujours des postes importants dans la fonction publique et certains d'entre eux favorisaient des politiques d'intervention, telles que la nationalisation de l'industrie de l'amiante, par exemple. Irrités par cet « étatisme », les dirigeants libéraux n'avaient pas toujours tort de soupçonner que ces fonctionnaires sympathisaient avec le Parti québécois. Deux études commandées par le gouvernement démontrent à quel point les technocrates adhéraient à des politiques économiques étatistes qui contredisaient directement les doctrines économiques du régime.

La première étude, connue sous le nom de rapport Tetley et préparée sous la direction d'un sous-comité du Cabinet, est une analyse des investissements américains au Québec. Ce rapport concluait que le Québec ne dépendait pas autant qu'on le croyait du capital américain: en temps normal, l'épargne locale suffisait à financer les investissements[12]. Le rapport affirmait en outre que l'investissement américain n'avait pas autant bénéficié au Québec qu'on le croyait. Reprenant les conclusions d'études canadiennes-anglaises comme le rapport Gray[13] et *La capitulation tranquille*[14] de Kari Levitt, il démontrait comment les investisseurs américains s'étaient le plus souvent contentés d'acquérir des entreprises québécoises existantes, sans investir de nouveaux capitaux ni apporter d'innovations technologiques. Il soulignait également le fait que les entreprises américaines s'étaient mal intégrées au « circuit économique du Québec » et limitaient ainsi l'accès des francophones aux grands postes de direction dans l'économie. « Le "management gap" des Québécois tient non pas, d'abord, à des carences au niveau de la formation (l'école ou la faculté), mais davantage à l'isolation de la grande entreprise étrangère[15]. » Le rapport recommandait en conséquence une série de mesures destinées à assurer un meilleur usage du capital engendré au Québec et à renforcer la présence de Québécois à l'intérieur des entreprises étrangères. Visiblement décontenancé par de telles conclusions, le Cabinet retarda longtemps la publication du rapport, bien que *Le Devoir* en eût publié (grâce à des fuites) de longs extraits. Il fut finalement publié, mais amputé de ses 96 recommandations. William Tetley, ministre des Institutions financières, prétexta que ces recommandations risquaient d'être mal interprétées. Il alla même jusqu'à affirmer que « tous les investisseurs au Québec doivent être traités sur un même pied et les mêmes règles doivent valoir pour tous[16] ».

Une seconde étude, le rapport Descoteaux, préparée par les économistes du ministère de l'Industrie et du Commerce, analysait elle aussi les investissements au Québec et aboutissait, avec encore plus d'insistance, aux mêmes conclusions. Le rapport affirmait que le niveau d'investissement général au Québec était très faible et qu'il le demeurerait si le gouvernement n'intervenait pas. Il précisait entre autres que l'industrie manufacturière ne s'était pas adéquatement modernisée. Dans un appel éloquent au gouvernement, le rapport affirmait que le secteur privé n'avait pas su exploiter pleinement toutes les ressources disponibles et que le gouvernement québécois représentait, pour les francophones, l'instrument principal qui puisse leur permettre de réaliser leurs aspirations[17].

Dans les dernières années du régime Bourassa, le gouvernement prit certaines mesures d'importance pour aider les entreprises québécoises. La Société générale de financement acheta Marine Industries au prix de 4 000 000$. Elle investit 6 800 000$ dans la division des transports lourds de Bombardier (qui comprend aujourd'hui la Montreal Locomotive Works). Lucien Saulnier, président de la Société de développement industriel, déclara ouvertement que les fonds de la SDI serviraient au développement et au financement des entreprises francophones. La SDI finança de petites corporations francophones qui n'auraient pu autrement se procurer les fonds nécessaires[18]. Mais le gouvernement Bourassa résista aux pressions qui l'enjoignaient de nationaliser, par exemple, l'industrie de l'amiante.

Les politiques sociales du gouvernement Bourassa

Dans les domaines qui ne concernaient pas directement les intérêts économiques privés, tels que l'éducation, la santé et le bien-être, le régime Bourassa poursuivit les politiques du gouvernement libéral de la Révolution tranquille. Il favorisa l'expansion du secteur post-secondaire de l'éducation, malgré le malaise qu'il éprouvait face au « radicalisme » social et politique que l'éducation universitaire semblait inculquer aux jeunes francophones et le désenchantement avoué que lui inspirait la qualité de l'éducation dans les nouvelles institutions publiques d'enseignement. Le ministre de l'Éducation, François Cloutier, alla même jusqu'à dire que certains pays francophones d'Afrique auraient tort d'adopter le système québécois des cégeps. Il ne trouvait pas particulièrement heureux le mélange hybride, au sein de la même institution, de l'éducation technique et de l'éducation professionnelle[19]. En outre, le régime Bourassa ne semblait pas du tout désapprouver le fait qu'un nombre considérable d'étudiants, 51 000 en 1973, fréquentaient les institutions privées. En 1973, le gouvernement assuma 80% des coûts de 181 écoles privées et 60% des coûts de 36 autres[20].

Ce fut surtout dans les secteurs de la santé et du bien-être que le gouvernement Bourassa chercha à étendre son autorité, sous la direction énergique de Claude Castonguay, un des jeunes technocrates du régime Lesage. En mettant sur pied le système provincial d'assurance-santé, Castonguay imposa au corps médical des conditions nettement plus dures que celles des autres provinces. Les médecins se virent obligés d'adhérer au barème des honoraires fixés par le gouvernement et leur menace de grève n'ébranla pas la détermination du ministre. Ce conflit ouvert qui opposait le gouvernement à une profession à majorité francophone contrastait nettement avec l'attitude de Bourassa envers les élites économiques anglophones. Il démontrait également à quel point le pouvoir était passé de l'ancienne petite bourgeoisie professionnelle à la nouvelle petite bourgeoisie technocratique.

Les relations Québec-Ottawa

L'adhésion du gouvernement Bourassa à une politique de dépendance économique qui s'en remettait à l'initiative et aux capitaux privés colora ses rapports avec le fédéralisme canadien. Pour Bourassa et ses collègues, la séparation ne pouvait qu'entraîner un déclin abrupt des investissements privés et constituait par le fait même une dangereuse aventure à éviter à tout prix. Certes, on ne fit jamais appel à un esprit de solidarité nationale avec le reste du Canada, non plus qu'on ne mit de l'avant l'État multinational que préconisaient Trudeau et les autres anti-nationalistes de sa génération. Le système canadien fut simplement présenté comme un arrangement pratique, économiquement rationnel, un fédéralisme rentable. Quels que fussent les mérites du statu quo, les dangers de la solution séparatiste étaient totalement inadmissibles.

Par ailleurs, le régime Bourassa, voulant miner l'appui que recevait la cause indépendantiste, adopta certains des slogans du Parti québécois, ce qui ne pouvait que rendre encore plus confuse son adhésion au système canadien. À une occasion, Bourassa alla même jusqu'à définir le Québec comme un État français à l'intérieur du marché commun canadien, comme si le programme du Parti québécois était déjà une réalité. (Trudeau et certains de ses collègues fédéraux rétorquèrent que la confédération canadienne était beaucoup plus qu'un marché commun.) Bourassa n'hésita d'ailleurs pas à parler de souveraineté dans ses négociations avec Ottawa; mais il ne s'agissait bien sûr que de *souveraineté culturelle.* Cette expression, pour le moins floue et obscure, ne recouvrait en pratique que la compétence en matière de communication et de culture, ainsi que la préséance du provincial sur le fédéral en matière d'immigration. Le Parti libéral demeurait malgré tout fermement et clairement lié au fédéralisme canadien.

Le régime Bourassa ne réussit à obtenir d'Ottawa aucun transfert important de pouvoirs et de ressources. Pour plusieurs, cela ne faisait que confirmer le blocage du Québec à l'intérieur du système fédéral. L'échec relatif de Bourassa dans les négociations fédérales-provinciales provenait en partie de son adhésion explicite au fédéralisme. Il lui était impossible d'appliquer les mêmes tactiques que les gouvernements précédents. Plus question de brandir de vagues menaces de séparation, comme l'avaient fait Daniel Johnson et certains membres de l'équipe Lesage. De telles menaces ne seraient pas prises au sérieux et, du point de vue du gouvernement lui-même, elles risquaient de miner la confiance des investisseurs privés. Ayant vanté les mérites du fédéralisme, le gouvernement pouvait difficilement accuser le fédéral et les autres gouvernements provinciaux de ne pas accorder aux exigences du Québec l'attention qu'elles méritaient: cela n'aurait fait que confirmer les arguments du Parti québécois. Et finalement, Bourassa devait négocier avec un gouvernement fédéral fermement convaincu que l'érosion du pouvoir central à l'avantage du Québec (et des autres provinces) était allée trop loin et fermement décidé à y mettre un terme.

Les négociations fédérales-provinciales portant sur la sécurité d'emploi démontrèrent à quel point le gouvernement Bourassa fut contraint d'accepter des arrangements nettement moins avantageux que ceux qu'il espérait et de les présenter comme des victoires. À la conférence fédérale-provinciale de Victoria, en juin 1971, le Québec n'exigea rien de moins que la priorité législative dans tout le secteur de la sécurité sociale. Le Québec proposait entre autres que les programmes fédéraux d'allocations familiales, de recyclage de la main-d'oeuvre et des suppléments accordés aux personnes âgées ne soient appliquées dans une province qu'avec l'accord du gouvernement provincial; en cas de désaccord, la province serait pleinement indemnisée par Ottawa. Quant aux prestations versées aux jeunes et aux assistés sociaux, à l'assurance-chômage, aux pensions de vieillesse et aux pensions de survivants, une loi fédérale ne pouvait affecter les programmes provinciaux en cours; les provinces devaient en garder la responsabilité première.

Cette priorité législative, prétendait le Québec, n'était que l'aboutissement logique du transfert fragmentaire de certains pouvoirs amorcé durant les années soixante[21]. Ottawa rejeta les demandes du Québec et s'entendit avec toutes les autres provinces sur les termes d'une nouvelle constitution (la charte de Victoria) qui ne prévoyait aucun domaine où un province aurait pu bloquer un programme fédéral et en être compensée. La charte stipulait seulement que, en matière de pensions de vieillesse, d'allocations familiales et d'aide à la jeunesse ou à la main-d'oeuvre, les programmes fédéraux ne devaient pas affecter les lois provinciales existantes et que les provinces devaient être consultées avant que ne soit mis en vigueur tout nouveau programme fédéral[22]. Le Québec, qui n'approuvait pas les termes des dispositions relatives à la sécurité sociale, refusa de signer la charte.

À la suite de cet échec de réforme constitutionnelle, Bourassa déclara dans une interview que le Québec adopterait une nouvelle stratégie. Dorénavant, il se contenterait de négocier des arrangements administratifs et législatifs ayant trait à des programmes spécifiques. « Dans un régime fédéral, on ne peut s'attendre à tout gagner, à ne rien négocier, à ne faire aucune concession. C'est pourquoi je dis qu'il faut trouver des solutions concrètes hors des sentiers constitutionnels en matière de sécurité sociale. Quand cela sera fait, il sera beaucoup plus simple de s'entendre sur une nouvelle constitution[23]. »

Dans le cadre de cette nouvelle stratégie, le Québec s'était fixé comme premier objectif d'en arriver à de nouveaux accords au sujet des allocations familiales. À la conférence de Victoria, le Québec avait exigé la priorité législative dans ce secteur. Il ne demandait plus maintenant qu'Ottawa, tout en maintenant son programme d'allocations familiales, permette aux provinces de déterminer, selon certaines normes nationales, les critères de paiement des allocations à ses citoyens. Selon Bourassa, « si Ottawa rejetait cette proposition, autant dire qu'on veut un fédéralisme unitaire, un fédéralisme rigide[24] ». Cela n'empêcha pas le gouvernement fédéral de rejeter cette nouvelle proposition. Une nouvelle loi fédérale modifia le système fédéral d'allocations familiales de façon à permettre aux provinces de fixer certains critères relatifs aux paiements des allocations. Mais les normes « nationales » établies par Ottawa étaient si sévères que cette prérogative provinciale ne put s'appliquer qu'à 40% des fonds totaux[25]. Québec qualifia néanmoins cet accord de victoire importante. Claude Castonguay déclara qu'ayant atteint son objectif premier en matière de relations fédérales-provinciales, il quitterait sous peu son poste au sein du Cabinet.

Par la suite, le Québec et les autres provinces commencèrent à négocier avec Ottawa les termes d'un nouveau programme intégré d'assurance sociale. Ottawa soumit un plan de sécurité du revenu et de supplément au revenu où les provinces ne jouaient qu'un rôle secondaire — semblable à celui du Québec dans le nouveau système des allocations familiales. Les provinces pouvaient déterminer les critères de certains paiements fédéraux à leurs concitoyens, mais elles devaient respecter les normes et les contraintes établies par le gouvernement fédéral[26]. Bref, aucune des stratégies appliquées, ni la réforme constitutionnelle ni les négociations fragmentaires, ne rapprocha le Québec de son objectif fondamental de priorité législative dans le secteur de la sécurité sociale. En fait, Claude Ryan, rédacteur en chef du *Devoir* à l'époque, affirma en 1975 que les propositions fédérales en matière de sécurité du revenu *réduiraient* la position du Québec: « Non seulement Ottawa conserverait-il sa prépondérance fiscale présente, mais on verrait des points d'impôt laborieusement acquis par le Québec sous MM. Pearson et Lesage reprendre éventuellement la route d'Ottawa[27] ».

Le gouvernement Bourassa connut encore moins de succès dans le deuxième domaine où il chercha à modifier le système fédéral: les communications. Par l'entremise de son dynamique ministre des Communications, Jean-Paul L'Allier, considéré comme le membre le plus nationaliste du cabinet Bourassa, Québec réclama une plus grande juridiction en matière de communications. Reliant une telle juridiction à l'intégrité culturelle du Québec, L'Allier soutenait qu'elle ne pouvait revenir de droit qu'au gouvernement du Québec, qui devait devenir « le maître d'oeuvre de la politique des communications sur son territoire[28] ». En termes plus concrets, Québec exigeait la juridiction totale de la radio-télévision, des installations de communication (telles que le téléphone) et de la câblodistribution. À première vue, ses chances de succès semblaient bonnes: le Québec jouissait de l'appui de plusieurs provinces, contrairement aux occasions précédentes. Grâce à plusieurs conférences interprovinciales, L'Allier avait soigneusement formé une coalition de toutes les autres provinces. Mais l'opposition fédérale demeura ferme et la coalition s'écroula. Presque toutes les provinces, à l'exception du Québec, acceptèrent l'offre fédérale de participer à une nouvelle agence fédérale de réglementation. Pour L'Allier, accepter une telle offre, c'était trahir les objectifs du Québec. À son retour, il rendit le dossier des communications au premier ministre et conseilla au gouvernement de remettre sérieusement en question son objectif de « souveraineté culturelle[29] ». Il fut peu après transféré à un autre poste.

Les années 1970 furent marquées par les échecs répétés du Québec dans ses rapports avec le gouvernement fédéral. La nouvelle distribution des pouvoirs à laquelle avaient abouti les conférences constitutionnelles ne faisait presque aucune concession au Québec dans le domaine de la sécurité sociale. Par son veto, le Québec frustrait la volonté des autres provinces et celle du gouvernement fédéral. Les négociations de certains programmes spécifiques furent également des échecs et forcèrent le Québec à abandonner ses objectifs. Échouèrent également les tentatives de forcer la main fédérale par une stratégie de coalition avec les autres provinces, comme dans le domaine des communications. Si par moments les autres provinces se ralliaient aux demandes du Québec, elles le faisaient sans tenir compte des soucis de survie et de développement culturel qui animaient ses demandes. Un tel engagement superficiel ne put résister aux pressions d'un gouvernement fédéral agressif. Compte tenu de l'hostilité de ce dernier, refusant catégoriquement de concéder quoi que ce soit de plus au Québec, le gouvernement Bourassa, qui avait sans équivoque lié le destin du Québec à celui de la confédération canadienne, fut impuissant à obtenir de nouveaux pouvoirs. Le bilan des années Bourassa ne pouvait dès lors que confirmer encore plus l'opinion de plusieurs francophones qui jugeaient que la modernisation politique du Québec ne pouvait se réaliser à l'intérieur du système fédéral. Seule l'indépendance allait permettre au gouvernement québécois de reprendre le rôle dynamique de moteur principal qu'il s'était fixé lors de la Révolution tranquille.

Le gouvernement Bourassa et la question linguistique

Le gouvernement Bourassa déçut plusieurs francophones qui croyaient trouver en lui un appui dans les luttes qui les mettaient aux prises avec les divers groupes ethniques du Québec. Cette déception ne fit que renforcer l'attrait de l'indépendantisme. À première vue, on pourrait s'étonner d'un tel degré d'insatisfaction chez les francophones. Le gouvernement Bourassa fut, en effet, le premier gouvernement du Québec à faire adopter une loi qui définissait de façon globale le statut du français au Québec. Le premier article de la loi 22 faisait du français la seule langue officielle du Québec, retirant ainsi à l'anglais le statut d'égalité dont il avait joui jusque-là. Dénonçant la loi avec virulence, certains représentants de la communauté anglophone et des autres communautés linguistiques accusèrent le gouvernement d'utiliser des « tactiques nazies » et d'imposer un « génocide culturel ». Des groupes anglophones tentèrent (en vain) de faire annuler la loi par le gouvernement fédéral et entreprirent des poursuites judiciaires pour la faire déclarer inconstitutionnelle[30]. Et pourtant, nombreux furent les francophones qui trouvaient que, malgré les apparences, la loi 22 n'améliorait pas la situation du français au Québec. Deux sections de la loi, entre autres, suscitaient leur mécontentement: l'accès des enfants d'immigrants non anglophones aux écoles anglaises et le statut de la langue française comme langue de travail dans le secteur privé de l'économie. Les nationalistes auraient voulu que, dans ces deux cas, le gouvernement fasse plus clairement sentir son poids en faveur des francophones.

Les articles de la loi concernant l'accès à l'école anglaise étaient effectivement ambigus. Ne voulant surtout pas donner l'impression qu'il adoptait les objectifs des nationalistes, c'est-à-dire forcer les enfants d'immigrants non anglophones à fréquenter l'école française, le gouvernement Bourassa refusa d'accéder aux demandes qui voulaient que l'école anglaise soit strictement réservée aux enfants dont la langue maternelle était l'anglais. Il préférait appliquer cette mesure de façon détournée et sous le couvert de préoccupations pédagogiques: ne seraient admis à l'école anglaise que les enfants ayant prouvé qu'ils possédaient une connaissance suffisante de la langue anglaise et qu'ils étaient ainsi aptes à recevoir un enseignement en anglais[31]. La question de la langue d'enseignement, question essentiellement politique à l'origine, se transformait en question technique.

En apparence, le gouvernement ne prenait pas parti pour les revendications des francophones, mais s'assurait que les enfants admis à l'école anglaise possédaient la compétence linguistique nécessaire. Et, en principe, les parents conservaient le droit de choisir la langue d'enseignement de leurs enfants. Mais les nationalistes ne se contentèrent pas de cette demi-mesure qui, craignaient-ils (avec raison), pouvait être aisément contournée par des cours privés d'anglais. Ils ne se contentèrent pas non plus d'une seconde disposition de la loi qui stipulait que toute augmentation des services éducatifs de langue anglaise envisagée par une commission scolaire devait être approuvée par le ministre de l'Éducation et que seul le nombre d'élèves dont la langue maternelle était l'anglais pouvait justifier cette approbation[32]. Un ministre zélé aurait pu se servir de cette disposition de la loi pour restreindre l'accès des enfants d'immigrants à l'école anglaise (c'était là le but précis que visait Jérôme Choquette qui avait introduit cet amendement), mais rien ne garantissait qu'il le ferait.

Le gouvernement dut abandonner par la suite cette stratégie des tests de compétence linguistique pour restreindre l'accès à l'école anglaise. En avril 1975, le ministre de l'Éducation déclara que le nombre d'admissions dans les écoles anglaises ne pouvait dépasser certaines limites, sauf dans le cas d'enfants dont la langue maternelle était l'anglais[33]. Un certain nombre d'enfants d'immigrants qui avaient subi avec succès les tests de compétence linguistique se virent refuser l'accès à l'école anglaise. Le gouvernement du Québec venait, ni plus ni moins, d'abroger par décret le droit des parents de choisir la langue d'enseignement de leurs enfants. Il avait finalement adopté les mesures exigées dès le départ par les nationalistes: discrimination ouverte basée sur la langue maternelle plutôt que sur la compétence linguistique. Les nationalistes ne furent pas satisfaits pour autant; seule était acceptable à leurs yeux une loi qui stipulerait clairement que l'accès à l'école anglaise était réservé aux enfants dont la langue maternelle était l'anglais.

Le gouvernement Bourassa se refusait d'envisager une telle loi, dans l'espoir que l'accent placé sur les tests de compétence linguistique saurait satisfaire et les anglophones et les francophones. Puisque les libéraux dépendaient électoralement des deux groupes, ils ne pouvaient que chercher à les accommoder tous deux. Mais cet espoir s'avéra illusoire: privés d'une déclaration d'intention qui aurait défini sans équivoque les dispositions de la loi relatives à l'enseignement, les deux groupes s'estimaient lésés.

Les dispositions de la loi concernant l'usage du français dans l'entreprise étaient également ambiguës. Elle réduisait la question à un système de certificats de « francisation » que devraient se mériter les entreprises privées si elles voulaient être éligibles aux subventions, profiter de certains avantages ou traiter avec le gouvernement[34]. Mais si la loi tenait compte de plusieurs critères à prendre en considération pour chaque entreprise, elle ne disait rien de la rigueur avec laquelle la Régie de la langue française allait évaluer la francisation. Le mandat de la régie était défini de façon très large, lui enjoignant de tenir compte de la situation et de la structure de chaque entreprise, de son siège social, de ses filiales et de ses succursales[35]. (Il est à noter que ces dernières nuances furent introduites dans la loi par le ministre de l'Industrie et du Commerce, Guy Saint-Pierre, soucieux de créer et de maintenir un climat favorable à l'investissement privé.) Encore une fois, l'impact final des mesures relatives à la langue du travail reposait sur les décisions de la régie. Et compte tenu des liens étroits qui unissaient le régime Bourassa au capital anglophone, tout portait à croire que la régie ne ferait pas preuve de trop de zèle. Elle aurait certes pu le faire, mais son mandat ne l'y obligeait pas précisément. Une telle ambiguïté ne pouvait que confirmer les doutes des francophones qui se rendaient bien compte que, comme dans la question de l'accès à l'école anglaise, le gouvernement Bourassa refusait de se servir des pouvoirs du gouvernement du Québec pour renforcer le fait français.

Et enfin, nous avons déjà vu comment le régime Bourassa avait adopté une attitude de confrontation vis-à-vis du mouvement syndical. Il maintint la position intransigeante adoptée lors de la grève dans le secteur public en 1972, à l'occasion de laquelle il avait fait voter une loi spéciale et fait emprisonner les trois chefs syndicaux. Durant la campagne électorale de 1973, Bourassa se vanta à plusieurs reprises du courage et de la fermeté dont son gouvernement avait fait preuve durant cette grève[36]. En 1975, fort des conclusions de la commission Cliche sur la corruption et la violence dans les syndicats de la construction, Bourassa imposa la tutelle gouvernementale à ces syndicats pour préserver la « paix sociale ». N'hésitant pas à se présenter comme le féroce adversaire des syndicats, le gouvernement s'aliéna encore davantage ceux qui s'identifiaient aux intérêts de la classe ouvrière.

En somme, les politiques du gouvernement Bourassa poursuivaient, au fond, celles de l'Union nationale: elles renonçaient au grand mouvement de modernisation mis en branle par la Révolution tranquille et niaient à l'État un rôle de premier plan dans l'économie québécoise. Bourassa refusa d'accéder aux demandes des nationalistes et d'obliger les enfants d'immigrants à fréquenter l'école française et d'intervenir activement dans le secteur privé pour faire du français la langue de travail. En s'opposant fermement aux syndicats, il ne fit que renforcer chez les militants ouvriers l'idée que son gouvernement était fondamentalement hostile à leurs intérêts. Certes, le refus de la part du gouvernement fédéral de permettre un certain transfert des pouvoirs et des ressources au Québec dicta en partie la ligne générale de ces politiques. Ces dernières trahissent néanmoins une nette préférence du régime Bourassa pour les initiatives économiques du secteur privé et une volonté de créer le climat social favorable aux investissements. Et, enfin, lorsque le gouvernement refusa d'instituer le salaire hebdomadaire minimum de 100$ (une des demandes du Front commun), il le faisait moins à cause de restrictions budgétaires qu'en réponse aux pressions des entreprises privées.

La montée du Parti québécois

Il aurait été difficile pour n'importe quel gouvernement de vaincre l'aliénation politique d'un nombre croissant de Québécois. On trouvait ailleurs, en Amérique du Nord et en Europe, des échos de cette situation. Partout les gouvernements croulaient sous le poids des demandes et des exigences qu'ils avaient eux-mêmes suscitées le plus souvent. La récession économique internationale et la rareté croissante des ressources obligeaient plusieurs gouvernements occidentaux à réduire en quantité et en qualité les services publics et la gestion économique. On ne parlait plus que de « société ingouvernable », de « surcharge », de « crise fiscale de l'État », de « politique de la pénurie[37] ».

Mais dans le contexte spécifique du Québec, l'aliénation politique trouvait un terrain plus que favorable. La rapidité de la modernisation politique avait taxé bien plus qu'ailleurs la transformation qu'exigeaient les structures des institutions publiques; elle n'avait laissé que très peu de temps pour redéfinir les rapports entre l'État employeur et ses fonctionnaires, tout en augmentant considérablement les attentes des citoyens envers le gouvernement. De plus, cette modernisation s'était produite dans un contexte affecté à la fois par une dépendance envers des forces extérieures et par une « division culturelle du travail ». Il s'ensuivit un renforcement et une expansion de classes sociales particulièrement méfiantes de l'ordre sociopolitique existant: une nouvelle petite bourgeoisie de technocrates qui désiraient voir s'étendre les activités du gouvernement et une nouvelle génération de diplômés universitaires que les structures économiques étaient incapables d'intégrer. Enfin, tout cela se produisait dans une collectivité qui se voyait comme une nation. Bref, l'aliénation politique prenait ici une forme et une intensité qui aggravaient le défi qu'elles posaient aux élites gouvernementales.

Comme nous l'avons vu, le régime de l'Union nationale et le régime Bourassa poursuivirent des politiques qui, le plus souvent, ne firent qu'empirer cette aliénation. Leur ferme volonté de défendre le système de l'entreprise privée et leur acceptation explicite de la dépendance du Québec envers les capitaux américains et canadiens-anglais ne pouvaient qu'exaspérer les partisans de l'intervention gouvernementale. Les déclarations publiques de J.-J. Bertrand et de R. Bourassa qui s'engageaient à garder le Québec dans la confédération canadienne affaiblissaient sérieusement leur pouvoir de négociation vis-à-vis d'Ottawa. Les lois 63 et 22, tentatives futiles d'escamoter le sérieux problème linguistique, aggravèrent le ressentiment des nationalistes. Quant à la confrontation de Bourassa avec le secteur public, elle ne fit, bien entendu, qu'augmenter l'hostilité des militants syndicaux.

La stratégie du gouvernement Bourassa

Le gouvernement Bertrand avait succombé aux effets de l'aliénation grandissante de la population. Le gouvernement Bourassa connut plus de succès. Jusqu'au milieu des années soixante-dix, il réussit à maintenir une base électorale assez forte, malgré son incapacité à réduire cette aliénation. En fait, on peut dire que l'appui que recevaient les libéraux provenait en grande partie du refus même de tenir compte des griefs de ceux qui se sentaient aliénés. Que ce soit en matière de langue, de politiques économiques, de relations de travail ou de fédéralisme, le gouvernement Bourassa se présentait comme le champion du statu quo et le seul parti capable de contenir les forces du changement social et politique.

Cette stratégie le servit parfaitement lors des élections de 1973 où il obtint 55% des voix et, grâce au système électoral, 102 des 110 sièges de l'Assemblée nationale — la plus forte majorité parlementaire de l'histoire du Québec. Durant la campagne, les libéraux accusèrent le Parti québécois de vouloir entraîner le Québec dans l'« aventure dangereuse » de l'interventionnisme étatique dans le secteur économique, des politiques linguistiques radicales, de la soumission aux syndicats et surtout du séparatisme. Le public ressentait une certaine appréhension devant les objectifs du Parti québécois et les libéraux exploitèrent adroitement ces craintes. Dans l'analyse d'un sondage administré durant la campagne électorale, Hamilton et Pinard démontrent que même les chômeurs, dont on aurait pu s'attendre à ce qu'ils votent contre le parti au pouvoir, votèrent à 63% pour les libéraux s'ils étaient opposés à l'indépendance[38]. Selon un autre sondage, réalisé après l'élection, 49% des répondants qui étaient insatisfaits des libéraux mais opposés à l'indépendance votèrent libéral[39]. Un autre chiffre révélateur de l'analyse de Hamilton et Pinard nous apprend que 60% des électeurs, qui trouvaient que le programme du Parti québécois était le meilleur, voteraient quand même pour les libéraux[40]. L'opinion entretenue, qui voulait que le Parti libéral fût le seul parti en mesure de défaire le PQ, fit des ravages chez les autres partis de l'opposition; 49% des répondants qui avaient voté pour ces autres partis en 1970 passèrent au Parti libéral en 1973[41].

Du moins à court terme, la stratégie libérale semblait être la bonne: il s'agissait d'écarter ou de limiter toute initiative majeure dans les domaines de l'économie, de la question linguistique ou des rapports avec Ottawa et se présenter comme le seul rempart contre le chaos du séparatisme et des syndicats gauchistes. Cette stratégie reflétait les besoins et les préoccupations des partisans les plus sûrs du parti: les élites économiques et les professions libérales francophones, la population anglophone et le capital canadien-anglais et américain[42]. Mais à long terme cette stratégie ne pouvait que renforcer les pressions qui s'exerçaient en faveur du changement politique.

Tout d'abord, la stratégie de Bourassa nourrissait les arguments de ceux qui rejetaient la faute des échecs du gouvernement, non sur les politiciens élus, mais sur l'establishment économique et l'ordre politique. L'élection des libéraux en 1970 n'avait rien changé à la direction fondamentale du gouvernement. Dans plusieurs domaines, les politiques appliquées ne faisaient que continuer celles du régime Bertrand. Il fallait donc, disait-on, qu'une force extérieure empêche effectivement le gouvernement québécois de prendre ses responsabilités. Comme nous l'avons vu, les intellectuels de gauche y voyaient une force de nature économique: le gouvernement du Québec était le prisonnier du système capitaliste et de son centre impérialiste américain. Fait révélateur, 59% des francophones croyaient en 1973 que la haute finance contrôlait le Parti libéral[43]. Pour d'autres, le problème était de nature politique: un système fédéral rigide et centralisé empêchait le Québec d'obtenir les pouvoirs additionnels nécessaires. Mais quel que fût le diagnostic proposé, la continuité politique de l'Union nationale au gouvernement Bourassa fournissait des arguments à ceux qui prétendaient que seule une restructuration de l'ordre existant pouvait provoquer les changements désirés.

La stratégie de Bourassa menaçait, d'une manière plus indirecte, l'ordre politique établi. En clamant partout que l'élection du Parti québécois plongerait le Québec dans l'anarchie économique et sociale et en prétendant être les seuls à pouvoir empêcher la catastrophe, les libéraux avaient sapé les bases électorales des tiers partis. Comme le démontrèrent les résultats de l'élection de 1973, le système politique du Québec se trouva polarisé entre le Parti libéral, au pouvoir, et le Parti québécois, dans l'opposition. Les libéraux avaient obtenu 55% des voix et 102 sièges à l'Assemblée; le Parti québécois n'avait récolté que 6 sièges mais 30% du vote populaire. D'autre part, l'Union nationale (rebaptisée temporairement Unité-Québec) n'avait obtenu que 4% des voix et aucun siège; et le Ralliement créditiste, 6% des voix et 2 sièges. Mais comme l'appui de ces deux partis provenait des régions rurales et semi-rurales, les électeurs de la région montréalaises et des autres villes du Québec qui cherchaient une solution de rechange viable au Parti libéral n'avaient d'autre choix que le Parti québécois[44].

Celui-ci offrait de nombreux attraits aux insatisfaits. C'était un nouveau parti, sans attache avec les partis existants (les anciens libéraux du parti avaient été expulsés du Parti libéral). Capable d'amasser d'énormes fonds grâce à ses membres, il pouvait légitimement prétendre ne pas être à la solde des intérêts privés. Son chef était, depuis longtemps, réputé pour sa franchise et son indépendance. Son programme était « social-démocrate » ou du moins « populiste ». Il jouissait de la faveur de la plupart des journalistes et des intellectuels (sauf des professeurs et des intellectuels marxistes). Sa seule faiblesse, pleinement exploitée par les libéraux, était son engagement à réaliser l'indépendance du Québec. Le parti corrigea cette faiblesse en promettant, à l'automne de 1974, de tenir un référendum sur la question de l'indépendance s'il était élu. Une résolution fut ratifiée en ce sens lors d'un congrès du parti: tout gouvernement péquiste devrait tenir un référendum populaire sur la question de l'indépendance avant d'y procéder[45]. Dorénavant, les électeurs mécontents pouvaient voter pour le Parti québécois sans pour autant approuver l'indépendance du Québec. C'est ainsi qu'un parti officiellement engagé à restructurer radicalement l'ordre politique existant devint également le point de ralliement de tous les mécontents que s'attire normalement le parti au pouvoir.

Le déclin du gouvernement Bourassa

Le Parti québécois s'étant assuré le monopole de l'opposition et la défaite des libéraux devant se produire tôt ou tard, l'ordre politique était directement menacé. Les circonstances se précipitèrent vers le milieu des années soixante-dix. Tout d'abord, les libéraux éprouvaient de plus en plus de difficulté à maintenir un consensus interne sur les grandes questions. Les divisions qui, jusque-là, les séparaient des péquistes se mirent à apparaître au sein même du parti. Les tentatives pour les surmonter ne firent souvent qu'aggraver le conflit. Plusieurs membres francophones du parti étaient insatisfaits de la loi 22 et de l'ambiguïté dont il entourait la question de l'accès à l'école anglaise. Jérôme Choquette, ministre de l'Éducation, évoqua les insuffisances de la loi pour remettre sa démission. Certaines dispositions de la loi avaient néanmoins aliéné les anglophones du parti, y compris certains députés (deux d'entre eux votèrent contre la loi). Voulant se gagner les autonomistes québécois en adoptant le slogan de la « souveraineté culturelle » ou en qualifiant le Québec d'État français à l'intérieur du marché commun canadien, le parti ne réussit qu'à heurter ses fédéralistes intransigeants tout en légitimant la cause souverainiste.

De plus, vers le milieu des années 1970, le gouvernement (et plus particulièrement Bourassa lui-même) n'arrivait plus à assumer ses responsabilités courantes. L'augmentation du chômage et de l'inflation démentait ses prétentions de compétence en matière économique. Les rumeurs de scandales et de corruptions atteignaient le cabinet. Henry Milner attribue l'aggravation du favoritisme politique à la méfiance justifiée des libéraux envers les fonctionnaires, qui ne leur pardonnaient pas d'avoir rejeté l'étatisme. Le gouvernement Bourassa voyait le favoritisme comme un moyen de reprendre le contrôle de l'appareil d'État et de s'assurer de l'application de ses politiques[46]. Mais son image soigneusement entretenue de compétence administrative fut ternie par les dissensions internes sur les questions linguistique et constitutionnelle. Le mépris avoué que Bourassa inspirait aux libéraux d'Ottawa — Pierre Trudeau alla jusqu'à ridiculiser publiquement la position de Bourassa sur la question du rapatriement de la constitution — ne pouvait qu'affaiblir l'image du premier ministre.

Tous ces facteurs jouèrent contre le gouvernement durant la campagne de 1976. Le Parti québécois continua de se présenter comme le parti de toutes les oppositions et refusa de discuter en profondeur de l'indépendance. Les dissensions à l'intérieur du Parti libéral et chez ses partisans émergèrent rapidement. Les candidats libéraux dénonçaient la loi 22; certains sa modération, d'autres son radicalisme. Trois personnages influents de la scène fédérale (Jean Marchand, Bryce Mackasey et André Raynault) firent renaître des allégations à l'effet que le parti fût dirigé d'Ottawa. Ainsi, Mackasey et Marchand exprimèrent publiquement leur désaccord sur la politique linguistique et constitutionnelle.

On peut penser que cette association avec les libéraux d'Ottawa fut particulièrement coûteuse, à un moment où le gouvernement fédéral refusait aux pilotes francophones le droit de communiquer en français avec les contrôleurs aériens du Québec. Il ne s'agissait pas, dans ce cas-ci, d'une politique linguistique fédérale touchant l'usage du français dans le secteur public fédéral ou la disponibilité de services français à l'extérieur du Québec, mais bien d'une politique touchant l'usage du français à l'intérieur même du Québec. Ottawa était pris en flagrant délit de vouloir restreindre l'usage du français plutôt que de le favoriser. Mais plus important encore, Ottawa donnait nettement l'impression de se soumettre à des pressions provenant du Canada anglais. Même s'il n'affectait qu'une poignée de travailleurs, l'incident prit des proportions symboliques très importantes.

Les bases élargies du Parti québécois

Dans un sens, on peut attribuer l'ampleur de la victoire péquiste de 1976 à un retour en force de l'Union nationale. Ce retour se produisit surtout dans l'ouest anglophone de Montréal où les libéraux ne purent garder qu'un seul siège. Mais il se produisit également dans les comtés francophones, particulièrement à l'extérieur de Montréal. Dans certains de ces comtés (jusqu'à 28 selon une analyse), l'Union nationale enleva suffisamment de votes aux libéraux pour permettre au Parti québécois de se faufiler entre les deux[47].

Toutefois, le facteur décisif de la victoire péquiste demeure l'énorme soutien populaire dont il jouissait. Le PQ avait obtenu 30% du vote populaire en 1973; en 1976, il obtint 41% des votes et 71 sièges. (La représentation libérale fut réduite à 34% du vote populaire et à 26 sièges; celle de l'Union nationale, à 18% et 11 sièges; le Ralliement créditiste, à 5% et 1 siège; et le Parti national populaire, à 1% et 1 siège.)

Au sens le plus concret, le Parti québécois sortit de l'élection comme *le* parti du Québec français. Il jouissait manifestement de l'appui d'une majorité de la population francophone. Un sondage réalisé à mi-chemin de la campagne répartissait ainsi le choix des francophones québécois: 54% pour le PQ, 26% pour les libéraux et 14% pour l'Union nationale[48]. Dans presque toutes les régions du Québec, à l'exception de l'ouest montréalais, dominé par les anglopones, le PQ obtint la plus haute proportion de votes[49]. Un autre sondage révélait que 50% ou plus des répondants qui favorisaient le PQ provenaient de toutes les catégories professionnelles à l'exception des « fermiers » et des « administrateurs et propriétaires d'entreprise » (ces pourcentages comprennent les répondants francophones et anglophones). Le Parti québécois était particulièrement fort dans la catégorie des « professionnels et semi-professionnels », où il obtint la faveur de 64% des répondants, pourcentage nettement plus élevé que dans toutes les autres catégories, y compris celle des ouvriers. Ce dernier chiffre semble confirmer l'argument voulant que le Parti québécois soit un parti de la classe moyenne, encore qu'il faille tenir compte du soutien relativement faible obtenu dans la catégorie des administrateurs et propriétaires d'entreprise. Mais l'appui obtenu auprès de la classe ouvrière infirme cette thèse, les sondages montrant que 49% de la main-d'oeuvre spécialisée et 51% de la main-d'oeuvre non spécialisée appuyaient le PQ, c'est-à-dire plus du double obtenu par le Parti libéral dans chaque catégorie. Les pourcentages étaient encore plus élevés chez les francophones. On peut en conclure que l'appui péquiste, loin d'être un phénomène de la classe moyenne, constituait plutôt une grande coalition franchissant toutes les frontières des classes sociales. C'est en termes d'âge que cette coalition se définit le mieux, puisque le PQ était nettement plus populaire chez les jeunes francophones[50].

L'appui péquiste et la question de l'indépendance

Compte tenu de la diversité de l'appui péquiste et des nombreux facteurs susceptibles de l'avoir mobilisé, on peut se demander si les partisans péquistes étaient nécessairement en faveur de l'indépendance. Au lendemain de l'élection de 1976, la question se posait avec une pertinence toute spéciale. Durant la campagne, le Parti québécois s'était efforcé par tous les moyens de convaincre les électeurs qu'il ne cherchait pas à obtenir un mandat pour l'indépendance du Québec et qu'un tel mandat ferait l'objet d'un référendum spécial. Il ne faudrait pas cependant accorder trop d'importance à cet aspect de la campagne. Si les électeurs rejetèrent le Parti libéral et favorisèrent le Parti québécois, pour bien d'autres raisons que l'indépendance, ils ne purent y être complètement réfractaires. Il n'y avait certainement aucune confusion dans leur esprit quant à la vocation indépendantiste du PQ; le Parti libéral s'était abondamment chargé de le leur rappeler. Le PQ lui-même avait ouvertement admis que s'il obtenait le pouvoir, il tenterait de prouver aux Québécois que l'indépendance était à la fois désirable et possible.

L'idéal serait de pouvoir résoudre ce débat en s'en remettant aux sondages d'opinion. Depuis la fondation du PQ, de nombreux sondages avaient tenté de déterminer à quel point l'appui péquiste représentait un appui à l'idée d'indépendance[51]. Malheureusement, les conclusions étaient le plus souvent contradictoires: selon certains sondages, le vote péquiste était essentiellement un vote indépendantiste; selon d'autres, il était surtout un vote de protestation. Ces interprétations divergentes s'expliquent, dans une large mesure, par le genre de questions posées. La réponse pouvait varier, suivant que l'on parlait de « séparation » ou d'« indépendance »[52]. Une nuance qui semble avoir été très importante concernait la possibilité d'une association économique entre un Québec indépendant et le reste du Canada. On put constater l'importance de ces nuances dès la campagne électorale de 1970: lors d'un sondage, on posa deux questions différentes au sujet de l'indépendance. À la première question, appuyez-vous « une séparation politique et économique du Québec avec le Canada? », 14% seulement répondirent oui et 76%, non. Même parmi les partisans du PQ, 39% dirent oui et 50%, non. À la seconde question, êtes-vous en faveur d'« une séparation politique du Québec moyennant une association économique avec le Canada? », l'on obtint cette fois 35% de oui, contre 55% de non, et parmi les partisans du PQ, une majorité de 70% se prononcèrent en faveur, 24% seulement s'y opposant[53]. En somme, la plupart des partisans du PQ approuvaient l'indépendance mais uniquement assortie d'une association économique avec le reste du Canada.

Durant les élections de 1973, par contre, la campagne s'était polarisée autour de la question de l'indépendance et cette polarisation limita l'appui péquiste aux inconditionnels de l'indépendance, avec ou sans association. Dans deux sondages différents qui ne mentionnaient pas l'association économiques, les partisans péquistes semblent nettement indépendantistes. Dans un de ces sondages, on demanda aux répondants s'ils favorisaient la séparation du Québec: 71% des partisans francophones du PQ répondirent par l'affirmative, alors que seulement 16% s'y opposaient[54]. Dans le second sondage, où la question ne faisait que mentionner l'indépendance du Québec, 77% des partisans péquistes répondirent positivement et 13%, négativement[55].

Comme nous l'avons vu, la campagne de 1976 évita cette polarisation. Le PQ s'étant engagé à tenir un référendum, les non-indépendantistes pouvaient plus facilement se joindre au PQ. Un sondage effectué durant la campagne confirma la chose: parmi les partisans du PQ, seulement 49% favorisaient l'indépendance et 26%

s'y opposaient. Mais la question posée ne mentionnait que la séparation du Québec et non l'association économique[56]. Un sondage effectué en octobre 1977 posait par contre la question de l'indépendance dans le contexte d'une association économique et ses résultats laissent croire qu'en 1976, la grande majorité des partisans du PQ favorisaient l'indépendance. On demanda aux répondants s'ils étaient en faveur de « la souveraineté-association, c'est-à-dire l'indépendance politique du Québec accompagnée d'une association économique avec le Canada ». Des répondants qui avaient voté pour le Parti québécois en 1973 *ou* en 1976, 60% répondirent oui. De ceux qui avaient voté pour le parti en 1973 *et* en 1976, 80% étaient en faveur[57]. (Il est bien sûr possible que certains de ces citoyens n'étaient pas en faveur de l'indépendance lorsqu'ils votèrent pour le PQ et qu'ils y furent convertis par la suite.) Il faut souligner également le fait que le PQ réussit à convaincre plus d'indécis (59% selon une estimation) que d'adversaires de la souveraineté-association (27%)[58].

Quel que fût le rôle joué par les non-indépendantistes dans la victoire du Parti québécois en 1976, un sondage de 1978 révèle que la grande majorité de ceux qui continuaient à appuyer le PQ favorisaient l'indépendance. Cette fois-ci, 78% de ceux qui affirmèrent vouloir voter pour le PQ approuvaient l'indépendance politique avec une association économique. Seulement 35% des partisans péquistes étaient prêts à appuyer « l'indépendance du Québec, c'est-à-dire, l'indépendance politique et économique complète[59] ». Ce sondage révéla également que parmi les partisans du PQ régnait une grande confusion quant à la forme précise qu'allait prendre la souveraineté. Pour certains, elle n'impliquait pas un désengagement politique aussi complet que le laissait entendre la direction du PQ: 47% des répondants préféraient que dans le cadre de la souveraineté-association, le Québec continue d'élire des députés au Parlement fédéral. En outre, plusieurs partisans péquistes ne considéraient apparemment pas la souveraineté politique comme un but irrévocable: 68% de ces partisans affirmaient également être favorables à « un fédéralisme renouvelé par lequel le Québec et les autres provinces obtiendraient plus de pouvoirs au sein de la confédération canadienne[60] ».

Les partisans ont donc toujours été sympathiques, de façon générale, à l'objectif de la souveraineté du Québec, à l'exception possible de l'élection de 1976. Mais cet appui à l'indépendance avait toutefois ses limites. La majorité des partisans péquistes ne favorisaient l'indépendance qu'accompagnée de l'association économique. De plus, comme l'indique le sondage de 1978, il ne s'était formé aucun consensus véritable quant aux relations politiques entre un Québec souverain et le reste du Canada. Quelques partisans péquistes semblaient préférer le maintien de certains liens politiques. Il est donc impossible d'expliquer l'attrait exercé par le Parti québécois uniquement en termes d'indépendance. Celle-ci ne constituant pas une condition suffisante, d'autres facteurs durent jouer. En 1970, une proportion considérable des partisans de la souveraineté-association appuyaient d'autres partis: 41% des partisans de l'Union nationale appartenaient à ce groupe[61]. Selon une analyse des élections de 1973, l'appui à l'indépendance constituait une condition suffisante pour un vote péquiste à Montréal (ce qui n'avait pas été le cas en 1970), mais non dans le reste de la province[62]. On peut néanmoins affirmer que la plupart des partisans du PQ appuyaient l'indépendance du Québec.

Le Parti québécois et l'idée d'indépendance ne pouvaient exercer un aussi large attrait qu'en exploitant une grande diversité d'aspirations et en devenant chez les électeurs le symbole de plusieurs visions différentes de changement. Tant que le PQ n'était pas parvenu au pouvoir et n'avait pas commencé sa campagne référendaire, le parti et la cause de l'indépendance pouvaient continuer à signifier différentes choses pour différentes personnes. Mais, comme le séjour du PQ au pouvoir le démontre, le gouvernement pouvait difficilement satisfaire toutes les attentes. Il avait à relever le défi de transformer les appuis qu'il avait obtenus aux élections en un appui concret pour une conception particulière de l'indépendance. Il fallait, de plus, pour obtenir la victoire au référendum, que le PQ présente une conception de l'indépendance qui puisse également convaincre les Québécois qui n'avaient pas participé à la vague péquiste — vraisemblablement par peur de l'indépendance.

Avant de nous pencher sur la stratégie que le PQ, une fois au pouvoir, s'est efforcé de suivre, il nous faut tout d'abord étudier le développement du parti lui-même. Comment s'équilibrent les forces sociales et économiques à l'intérieur du parti? Quelle conception d'un Québec indépendant se dégage des programmes et des recommandations adoptés par le PQ pendant ses années dans l'opposition? Après avoir répondu à ces questions, nous serons plus en mesure de comprendre avec quels modèles de changement social et politique les chefs du parti accédèrent au pouvoir, et nous pourrons mieux déterminer à quel point les inévitables contraintes de l'exercice du pouvoir les ont forcés à redéfinir leurs objectifs et à revoir leurs stratégies.

Au cours des huit années qui précédèrent la victoire de 1976, le parti avait su préserver l'unanimité de ses membres grâce à un programme qui définissait très précisément les actions qu'il entendait entreprendre une fois parvenu au pouvoir, et qui explicitait la réorganisation de la société québécoise au lendemain de l'indépendance. Ce programme demeurait toutefois vague quant à la nature précise des liens qu'un Québec indépendant entretiendrait avec le reste du Canada. L'engagement des membres du parti envers l'indépendance était beaucoup plus profond que les vagues sympathies indépendantistes qui animaient la clientèle péquiste. La base électorale du parti était socialement et économiquement très diversifiée, mais la composition des membres du parti demeurait relativement homogène. Les suppositions et les priorités du programme du parti reflétaient dans une large mesure l'influence prédominante des éléments de la « nouvelle classe moyenne » parmi ses membres et surtout son leadership.

La prédominance de la nouvelle classe moyenne au sein du Parti québécois

Comme c'est le cas des autres partis au Québec et même ailleurs, les membres du Parti québécois proviennent surtout de la classe moyenne. Les chiffres concernant les professions de ses membres, que le parti publia en 1971, le confirment: professions libérales (y compris enseignants et administrateurs), 37,2%; cols blancs, 22,1%; cols bleus, 12,6%; étudiants, 14,6%; ménagères, 8,9%[63]. Ce qui distingue le Parti québécois des autres partis du Québec, ce sont les catégories professionnelles particulières de ces membres: la nouvelle petite bourgeoisie des administrateurs, des bureaucrates, des spécialistes en sciences sociales, des enseignants et des experts en mass-media. L'influence de ces nouveaux éléments et l'absence relative des élites économiques privées et des professions libérales traditionnelles (droit, médecine, etc.) se reflètent dans l'éventail des professions des candidats péquistes en 1970, 1973 et 1976. Quarante-sept pour cent des candidats péquistes proviennent de la nouvelle classe moyenne (salariés, diplômés universitaires et enseignants), 21% proviennent des professions libérales et 19%, du milieu des affaires. Dans le Parti libéral, par contre, seulement 23% des candidats proviennent de la nouvelle classe moyenne, alors que 26% appartiennent à des professions libérales et 39% au milieu des affaires[64]. Il faut souligner ici la présence particulièrement importante, parmi ces éléments de la nouvelle classe moyenne, des professeurs, des enseignants et des étudiants du niveau universitaire. En 1970 et 1973, par exemple, 47 des 218 candidats péquistes étaient des enseignants, alors que le Parti libéral n'en comptait que 9, le Ralliement créditiste, 10, et l'Union nationale, 13[65]. En 1976, les enseignants constituaient la catégorie majoritaire des candidats péquistes[66].

Comme le souligne Marcel Fournier, les professeurs et les enseignants manifestent de façon particulièrement prononcée un trait propre à la nouvelle classe moyenne: la préoccupation de manipuler le savoir et l'information. Qu'ils soient enseignants, administrateurs ou journalistes, ils possèdent « un fort capital culturel » qui s'exploite le mieux en français. Il est normal que ces « travailleurs du langage » soient préoccupés du statut de la langue française au Québec et de la vigueur et de l'autonomie des institutions francophones, qu'il s'agisse de l'État, des institutions d'enseignement, des services sociaux, des sociétés publiques ou des mass-média[67].

On ne peut toutefois pas réduire le parti à cette présence prédominante de la nouvelle classe moyenne et à ses préoccupations particulières. Il ne faut pas oublier que le parti est la résultante d'une fusion de trois organisations distinctes. La plus importante des trois, le Mouvement souveraineté-association, reflétait la vision technocratique des politiciens et des bureaucrates néo-nationalistes qui abandonnèrent le Parti libéral après que ce dernier eût refusé d'adopter leur plan de séparation politique du Québec et d'association économique avec le reste du Canada. Le Ralliement pour l'indépendance nationale, quant à lui, adhérait à une tradition nationaliste différente, qui visait la séparation complète et la prédominance totale du français au Québec, et dont le style démagogique choquait les modernistes de la Révolution tranquille[68]. Quant au Ralliement national, il était associé de très près au mouvement créditiste et en partageait le populisme, le conservatisme social et la méfiance envers l'État. Sur des questions comme le traitement de la minorité anglophone, la définition de l'indépendance et la promesse formelle d'un référendum, les anciens membres du RIN et du RN mirent à rude épreuve l'autorité de René Lévesque et de ses collègues.

De plus, bien que les rapports entre le PQ et les chefs syndicaux aient été souvent tendus, le parti ne compte pas moins dans ses rangs plusieurs militants syndicalistes. Certains d'entre eux, membres de la CEQ et de la CSN, appartiennent à la nouvelle classe moyenne. Mais le secteur privés et les cols bleus sont aussi présents. Jean Gérin-Lajoie, chef du Syndicat des métallurgistes unis d'Amérique, et Michel Bourdon, chef de la fédération de la construction de la CSN, par exemple, sont des péquistes de longue date. Des représentants de la FTQ furent candidats péquistes et aux élections de 1976, cette centrale donna officiellement son appui au PQ[69]. Ces militants syndicalistes ont, à plusieurs reprises, cherché à créer entre le PQ et le mouvement syndical un lien plus étroit que le leadership du PQ n'était prêt à accepter. Certains ont proposé des mesures sociales qui gênaient manifestement les technocrates du PQ. Enfin, le parti est étroitement lié à des groupes nationalistes traditionnels tels que la Société Saint-Jean-Baptiste, dont les membres proviennent surtout des professions libérales et des couches sociales conservatrices.

Une absence remarquable dans le PQ: l'élite économique privée. Nous avons vu que les hommes d'affaires francophones, nombreux au sein du Parti libéral, sont presque absents du Parti québécois. On observe les mêmes proportions si l'on compare les cabinets Lévesque et Bourassa. Certains analystes prétendent que, malgré cette absence relative de l'élite économique francophone, cette dernière n'en conserve pas moins des liens étroits avec le parti. Leur argumentation s'appuie sur l'analyse des intérêts que sert le parti plutôt que sur sa composition interne.

Gilles Bourque et Anne Legaré soutiennent que le Parti québécois représente les intérêts de presque toute l'élite économique francophone. Selon eux, le PQ est le parti de la bourgeoisie québécoise non monopoliste. Cette bourgeoisie compte non seulement les directeurs des entreprises d'État et du mouvement coopératif, mais aussi la majeure partie du capital privé francophone: « La bourgeoisie québécoise est massivement concentrée dans les entreprises dont les établissements comptent cinq cents employés et moins. Elle s'assure cependant une présence significative dans les secteurs bancaire et agro-alimentaire, ainsi que dans certaines grosses entreprises manufacturières le plus souvent contrôlées et soutenues par l'État[70]. »

Tout cela n'est pas évident. Les intérêts de ces groupes seraient mieux servis, il nous semble, par le maintien du statu quo fédéral. Car une fois leurs limites commerciales atteintes au Québec, les entreprises francophones visent le marché canadien et achètent souvent des compagnies dans les autres provinces. La chaîne alimentaire

Provigo, par exemple, est devenue propriétaire de M. Loeb, d'Ottawa et s'est assuré le contrôle de Horne and Pitfields, d'Edmonton, ainsi que de Market Wholesale Grocery, de Californie. Avant de former la Banque nationale, la Banque provinciale et la Banque canadienne nationale (les deux deux plus grandes banques francophones), avaient toutes deux cherché à étendre leurs activités au reste du Canada. La Banque provinciale avait déjà acquis le contrôle de la Unity Bank of Canada de Toronto et de la Laurentide Financial Corporation de Vancouver. Si ces deux banques fusionnèrent, c'est surtout qu'elles cherchaient à renforcer et augmenter leurs activités dans les autres provinces. Comme le souligne Jorge Niosi: « En somme, pour la bourgeoisie canadienne-française, la séparation du Québec ne peut que tronçonner son marché principal, la forcer à réorganiser ses entreprises et l'affaiblir sur le plan canadien et international[71] ».

Certes, le Parti québécois prétend ne pas vouloir la séparation, mais plutôt la souveraineté nationale, accompagnée de l'association économique. Mais il ne peut promettre qu'une telle association puisse se négocier. Et il existe toujours la possibilité qu'une fois mis en branle, le mouvement souverainiste prenne une telle ampleur que la souveraineté du Québec soit déclarée même sans association. Compte tenu de leurs intérêts dans tout le Canada, on s'attendrait à ce que les grandes firmes francophones ne voient pas d'un bon oeil la souveraineté du Québec. La Banque nationale, par exemple, fit don de 100 000$ à l'organisation Pro-Canada, formée pour convaincre les Québécois de voter « non » au référendum.

Quant aux petites firmes francophones, que leur taille contraint à demeurer au Québec, la souveraineté peut leur paraître moins menaçante. En fait, celles qui dépendent dans une large mesure des contrats du gouvernement auraient avantage à voir les ressources de l'État québécois augmenter substantiellement. D'autre part, plusieurs de ces entreprises se méfient profondément des tendances étatistes du PQ et, partant, du projet souverainiste. Quoi qu'il en soit et quelles que soient leurs attitudes, cette fraction de l'élite économique francophone est trop faible pour qu'on puisse la considérer comme une force « hégémonique » à l'intérieur du Parti québécois.

Bref, les éléments les plus sûrs de l'appui péquiste et souverainiste demeurent les élites ancrées dans les structures de l'État québécois ou qui y sont étroitement liées, comme le mouvement coopératif, par exemple. Il est beaucoup plus difficile de trouver un tel appui dans l'entreprise privée francophone. Les technocrates péquistes croient sans doute que le capital privé se joindra volontiers aux entreprises publiques et que le mouvement coopératif réussira, sous la direction de l'État souverain du Québec, à bâtir un capitalisme québécois distinct. Il est permis de douter toutefois qu'une telle vision soit partagées par les élites économiques francophones du secteur privé. La sociologue Nicole Laurin-Frenette a tranché cette question d'une manière particulièrement mordante: « Le mythe de la bourgeoisie nationale (entière et fractionnée) accédant au pouvoir via l'indépendance a la vie dure, mais on peut se demander combien de temps il pourra résister à l'épreuve des faits. En effet, les accointances personnelles, familiales et professionnelles notoires des membres des gouvernements précédents avec le milieu des affaires et de la finance, pouvaient servir à étayer l'argumentation sur laquelle s'appuie la thèse de la complicité intentionnelle entre l'État et la classe dominante, et son application au contexte québécois. Il faut admettre que les professeurs, poètes, curés et communicateurs nouvellement promus au rang d'hommes d'État, font des valets de la bourgeoisie assez peu convaincants[72]. »

Le programme du PQ: indépendance et État technocratique

Durant les huit années qui précédèrent son accession au pouvoir, le Parti québécois avait exposé en détail plusieurs aspects de l'organisation sociale, économique et politique d'un Québec souverain, tant dans son programme que dans une série de documents spéciaux[73]. Le plus grand soin y est apporté à la réorganisation économique du Québec. On y prend pour acquis la continuité du système capitaliste ainsi que la présence continue de l'initiative et du capital américains. Mais on y prétend que le passage à la souveraineté éliminera les pires effets de la dépendance économique du Québec — économie plus dynamique et plus développée où les francophones joueraient un rôle accru. La clé de cette transformation serait fournie par les nouvelles capacités qu'entraînerait la souveraineté: l'État québécois posséderait les pleins pouvoirs et l'autorité constitutionnelle pour planifier et réglementer l'activité économique, ainsi que les ressources fiscales pour intervenir plus directement et soutenir les entreprises privées.

Au cours des années, les documents du parti en sont venus à

refléter une attitude plus critique envers la société capitaliste: renforcement des mesures destinées à assurer un revenu adéquat, à prévoir des avantages sociaux et à protéger les consommateurs, et surtout, mise en garde contre les dangers de la concentration du pouvoir des élites politiques et économiques. Dans cette poussée « participationniste », on a réclamé une plus grande participation des travailleurs dans la gestion des entreprises privées et publiques et dans l'expansion des mouvements coopératifs. Néanmois, malgré ces réserves, le modèle fondamental demeure celui du capitalisme d'État. Le participationnisme était éclipsé par le technocratisme, sa passion de l'efficacité et de la rationnalité économique, et sa confiance illimitée dans la capacité de l'État à provoquer les changements désirés. Un passage du document intitulé *Quand nous serons vraiment chez nous* (1972), qui expose l'essentiel du programme, illustre parfaitement cette attitude: « À condition qu'une ferme et lucide volonté politique en ait la gouverne, nous sommes convaincus pour notre part que des changements proprement miraculeux peuvent en sortir (de la souveraineté) et que nombre d'obstacles présentement insurmontables ne seront plus que problèmes techniques parfaitement solubles[74]... »

Le Parti québécois explique généralement la dépendance économique du Québec par une mauvaise organisation du capital. À maintes reprises, il s'est efforcé de démontrer que l'économie québécoise génère suffisamment de capitaux pour en assurer le développement, mais qu'une grande partie de ce capital quitte la province. L'indépendance changerait cet état de choses. Premièrement, les institutions de l'État auraient un impact très différent. Le gouvernement fédéral ne tirerait plus de revenus du Québec, dont seule une partie, prétendument, retournait au Québec. La Caisse de dépôt et placement, qui administre présentement les fonds de pension des fonctionnaires provinciaux, étendrait ses activités au secteur parapublic et au secteur privé. Une Banque du Québec serait également créée, qui surveillerait les institutions financières, qui servirait d'agent financier au gouvernement et qui veillerait à la création éventuelle et à la régulation d'une monnaie québécoise.

D'autre part, les institutions financières privées n'appartiendraient plus à des intérêts étrangers. C'est ici que les plans de réorganisation économique du PQ sont les plus osés et sans doute les plus contestés. Selon le programme, toutes les banques, les compagnies de fiducie et les compagnies d'assurance seraient obligées, dans un Québec indépendant, non seulement d'avoir une charte au Québec, mais également de s'assurer que pas plus de 25% de leurs actions n'appartiennent à des étrangers. Fidèle à la philosophie participationniste du parti, le programme prévoit aussi qu'aucun individu ou groupe ne pourra posséder plus de 10% des actions d'une institution financière. Une ou peut-être deux banques seraient étatisées. Les coopératives d'épargne et de crédit pourraient acheter la plupart des actions qui seraient vendues par suite de ces nouvelles mesures. En outre, les institutions financières seraient encouragées ou même tenues de réinvestir au Québec les épargnes obtenues des Québécois[75].

Un autre élément de cette stratégie d'autonomie économique consisterait à accroître le rôle planificateur de l'État. Un plan détaillé de développement économique serait produit conjointement par des « représentants, en nombre égal, des travailleurs et des autres parties de la population, des entreprises et des pouvoirs publics[76] ». Les sociétés publiques existantes seraient renforcées et de nouvelles seraient créées. Des politiques d'achat préférentielles seraient adoptées dans le secteur public. Une Société de réorganisation industrielle entièrement financée par les deniers publics, aurait pour mission de créer des complexes économiques viables en devenant l'actionnaire majoritaire des entreprises faibles, en les modernisant et en les intégrant à d'autres entreprises existantes ou créées par elle. Une fois ces nouveaux complexes rendus viables, ils seraient vendus, surtout aux coopératives, et avec une certaine participation de la Caisse de dépôt et placement[77].

Une fois complétées ces modifications structurelles, le Québec pourrait, dit-on, se libérer de la dépendance économique. Les « centres de décision » seraient rapatriés. Quant au transfert des actions appartenant à des intérêts étrangers, les plans prévus sont plutôt limités. Grâce à la souveraineté, l'État québécois s'assurerait la propriété des entreprises publiques fédérales, notamment dans les domaines des communications et des transports. Le Canadien Pacifique perdrait le contrôle des chemins de fer et Bell Canada, celui de ses réseaux de communication[78]. Au-delà de cette mainmise sur les transports et les communications, toutefois, le parti ne s'est pas explicitement engagé au transfert de la propriété des entreprises privées étrangères que dans le secteur financier. La réorganisation de la propriété dans les autres secteurs serait laissée aux contraintes d'un code d'investissement qui distingue, en termes très larges, les différents secteurs économiques et y limite la participation étrangère.

Cette dernière serait interdite dans les secteurs considérés comme « vitaux », c'est-à-dire les activités culturelles où la présence non québécoise est déjà très limitée, et dans les « secteurs industriels où il importe de modifier le comportement des entreprises pour le rendre conforme à l'intérêt public [on cite le cas de la sidérurgie, dans laquelle est déjà implantée SIDBEC[79]] ». Seule une participation minoritaire (49% ou moins) serait permise dans le secteur manufacturier lorsque « le personnel technique disponible et l'expérience acquise permettraient la constitution de groupes majoritairement québécois[80] ». Dans les autres domaines, la propriété étrangère serait permise jusqu'à 99%. Ce code s'appliquerait immédiatement à toutes les entreprises non encore établies au Québec, mais son application aux firmes existantes serait « sujette (...) à des périodes de transition tenant compte à la foi d'un souci de procéder dans l'ordre et des moyens financiers dont nous pourrons disposer sans mettre en péril le financement de nouveaux programmes et de nouveaux travaux[81] ». En principe, les firmes étrangères seraient liées par une disposition voulant que leurs dividendes ne représentent pas plus de la moitié de leurs profits après déduction d'impôt; mais dans la pratique une telle mesure serait difficile à faire respecter[82].

Certaines des mesures envisagées n'exigent pas la souveraineté — par exemple: l'extension de la Caisse de dépôt et placement au secteur para-public, la création d'une Société de réorganisation industrielle, et le développement d'une politique plus structurée d'achats préférentiels dans le secteur public. La souveraineté n'est pas non plus un préalable à la régulation de la propriété dans la plupart des secteurs de l'économie. Comme nous l'avons vu, les plus radicaux des changements entrevus se concentrent dans trois domaines: institutions financières, transports et communications. Il est révélateur du reste que dans les deux premiers domaines, où les changements seraient les plus énormes, les principaux intérêts affectés sont canadiens-anglais et non américains. Contrairement à l'industrie primaire et secondaire, le domaine des finances et des transports était celui où l'élite économique canadienne-anglaise avait été historiquement en mesure d'empêcher la domination américaine, grâce à diverses politiques fédérales. Certains observateurs en ont conclu que le Parti québécois se préoccupait surtout d'éliminer la domination économique canadienne-anglaise et, pour ce faire, était parfaitement prêt à dépendre encore plus des Américains. C'est mal comprendre les intentions du Parti québécois et se tromper complètement sur les effets probables des mesures proposées. On ne peut douter de l'authenticité du désir d'autonomie et de la volonté de ne plus dépendre des intérêts « étrangers », canadiens ou américains, et il est fort probable que certaines de ces mesures augmenteront l'autonomie générale des institutions québécoises, ne serait-ce que de façon marginale. Quant à savoir si le Québec peut échapper à la dépendance économique en s'en tenant au secteur financier, sans affecter la propriété dans les autres secteurs dominés par les Américains, c'est une tout autre histoire.

L'impact des forces « participationnistes » à l'intérieur du parti apparaît nettement dans le contenu et l'étendue de son programme social: salaire minimum garanti, régime complet d'assurance-maladie, garderies gratuites, droit à la retraite anticipée, quatre semaines de vacances annuelles, réglementation plus sévère de l'industrie pharmaceutique, protection du consommateur, amélioration du logement[83]... Selon certains observateurs, et selon des militants péquistes, un tel programme ne peut être que celui d'un parti « social-démocrate ». Les mesures sociales sont certainement « social-démocrates », mais les rapports du parti avec les syndicats ne le sont pas entièrement. Le programme contient des mesures qui favorisent la syndicalisation ainsi que des mesures qui assurent davantage l'exercice du droit de grève, comme la loi « anti-scab ». Mais à la différence de presque tous les partis social-démocrates, le Parti québécois n'entretient aucun rapport structurel privilégié avec les syndicats. Ses dirigeants ont même, à plusieurs reprises, démontré qu'ils n'étaient pas prêts à s'identifier complètement au mouvement syndical. Dès le début du parti, son Conseil exécutif fit approuver par le Conseil national la déclaration suivante: « Avec les syndiqués et leurs organismes, nous partageons un objectif fondamental qui est celui de changer et d'humaniser la situation sociale et économique. Chaque fois qu'il s'agit d'actions clairement reliées à ce but, nous devons chercher à les conduire aussi solidairement que possible. Mais il ne faut jamais perdre de vue — et les syndicats eux-mêmes n'ont pas à le faire — que nos échéances ne sont pas les mêmes, nos moyens non plus, que leur démarche demeure essentiellement revendicatrice si la nôtre est essentiellement persuasive, et surtout que l'action syndicale est le plus souvent morcelée et sectorielle alors que la nôtre doit forcément être aussi globale que possible[84]. »

En d'autres termes, le Parti québécois se définit d'abord et avant tout comme parti de la collectivité nationale québécoise plutôt que comme celui d'un des éléments de cette collectivité; son approche est « globale » plutôt que « sectorielle ». Les diverses mesures sociales sont présentées comme relevant de la responsabilité de la collectivité envers ses membres ou comme conditions nécessaires à la dignité ou à l'épanouissement de l'individu. Elles ne sont pas définies comme la tentative d'une classe particulière (désavantagée par le passé) d'améliorer sa condition relative. Inutile de dire que cette idéologie universaliste a suscité de fortes réactions de la part de la gauche du parti. On peut voir dans cette insistance sur la collectivité nationale la stratégie logique de la nouvelle classe moyenne cherchant à exercer son emprise sur le parti et sur le Québec. Mais elle nous indique également à quel point le PQ représente une coalition de forces dont le statut et les intérêts économiques immédiats diffèrent considérablement et qui ne peuvent trouver de consensus que dans l'idée d'une nation québécoise.

Mais les désaccords ont souvent été profonds quant aux moyens à prendre pour parvenir à l'indépendance et quant à la forme d'indépendance que l'on veut donner au Québec. Durant la première moitié des années 1970, les dirigeants, notamment René Lévesque et Claude Morin, manoeuvrèrent pour que le parti s'engage à consulter la population dans un référendum avant de déclarer l'indépendance. Le parti ne s'était engagé au début qu'à tenir un référendum sur la constitution du Québec. Mais durant la campagne électorale de 1973, certaines annonces publicitaires du parti laissaient entendre que le référendum porterait sur la question de l'indépendance elle-même. Lors d'un congrès subséquent, Claude Morin réussit finalement à faire ajouter au programme une résolution selon laquelle le parti s'engagerait à tenir un référendum sur l'indépendance; mais cet engagement était conditionnel: le parti ne serait tenu d'organiser un référendum que si échouaient les négociations avec Ottawa et si le Québec décidait alors de déclarer unilatéralement l'indépendance[85].

Mais comme nous l'avons vu, le leadership du PQ, lors de la campagne électorale de 1976, transforma cette résolution en engagement inconditionnel qui obligeait le PQ à tenir un référendum sur la question de l'indépendance. En fait, malgré ces efforts, les membres du parti étaient plutôt réticents à l'idée d'un référendum. Les avantages électoraux d'un tel engagement inconditionnel étaient évidents (comme la victoire de 1976 l'a confirmé), mais il comportait des risques que certains s'empressèrent de souligner. Non seulement une victoire au référendum pouvait-elle s'avérer impossible à obtenir, mais le fait de dissocier l'élection du PQ au pouvoir et l'accès à l'indépendance pouvait entraîner à long terme des conséquences néfastes, la plus grave étant la mise en veilleuse de l'objectif principal du parti.

Le lien précis qu'un Québec indépendant allait entretenir avec le reste du Canada constitua également un sujet de dispute. Bien qu'il fût généralement pris pour acquis (certaines déclarations le laissaient entendre) qu'un gouvernement péquiste chercherait à établir avec le Canada une sorte de marché commun, les propositions avancées par le programme d'avant 1979 ne contenaient presque rien qui ressemblât à un marché commun — qui implique la libre circulation des marchandises, de la main-d'oeuvre et du capital. Le parti ne s'engageait qu'à proposer une union douanière qui éliminerait les tarifs internes et établirait des tarifs externes communs. Le programme indiquait que le Québec et le Canada pouvaient, s'ils le désiraient, procéder à « l'harmonisation et la coordination d'une nombre plus grand de politiques économiques de même que la mise en commun de services incluant les mécanismes monétaires[86] ». Cependant, il ne précisait pas la forme que ces mesures pourraient prendre. En fait, une profonde division régnait dans le parti quant au caractère désirable d'une telle collaboration, au-delà d'une simple union douanière. L'idée d'une union monétaire fut particulièrement attaquée. On s'en rend compte à la lecture du document *Quand nous serons vraiment chez nous* (1972), qui déclare qu'une union monétaire « demeure hautement problématique[87] » et que « la coordination des politiques économiques ou fiscales peut attendre (...) Une fois diverses réorganisations majeures opérées au Québec, une fois relancée l'activité économique et terminées certaines opérations de modernisation, il serait temps d'y repenser[88] ».

L'absence de consensus au sein du parti peut expliquer pourquoi les articles du programme portant sur les relations Québec-Canada sont à la fois ambigus et brefs. Ce mutisme contraste vivement avec la profusion de détails accordée aux politiques économiques internes d'un Québec indépendant. Faute de consensus, on pouvait avoir intérêt à cultiver l'ambiguïté, quoique d'autres facteurs ont dû certainement jouer. Premièrement, il eût été sans doute dangereux de révéler l'ensemble des propositions du Québec avant même de négocier avec le Canada, bien que l'on voie mal comment le PQ pouvait espérer gagner un référendum sur l'indépendance sans expliciter sa propre option. Il se peut fort bien aussi que, pour une raison ou une autre, le parti ne se soit tout simplement pas donné la peine d'explorer en profondeur les questions soulevées par les relations Québec-Canada, ce qui l'empêcha d'adopter une position claire sur ce point. Cette interprétation fut au moins partiellement confirmée après la victoire de 1976, alors que le parti fit faire plusieurs études sur la question.

Conclusion

Durant ses huit années d'opposition, le Parti québécois développa un programme qui reflète de près les postulats fondamentaux de la Révolution tranquille, période où plusieurs des dirigeants commencèrent leur carrière politique. Fidèle à l'esprit des années soixante, le programme témoigne d'une foi totale en la capacité de l'État québécois de provoquer les changements souhaités. La faiblesse des secteurs industriels du Québec, sa dépendance à l'égard de l'Ontario, l'absence de francophones dans les échelons supérieurs de l'économie, le déclin démographique des francophones sont vus comme autant de problèmes causés par la faiblesse de l'État québécois. Pour régler ces problèmes il fallait que l'État québécois exerce lui-même les pouvoirs dont Ottawa continuait de disposer au Québec. Il fallait une redéfinition radicale de l'ordre politique canadien, prélude indispensable à l'incarnation de la grande promesse de la Révolution tranquille: la création d'un État québécois moderne.

Certes, des voix s'étaient élevées vers la fin des années 1960 et au début des années 1970 pour mettre la population en garde contre les excès du pouvoir de l'État, qui risquait de ne profiter qu'à un petit nombre. Aussi le programme du Parti québécois insistait-il sur la « décentralisation » et la « participation ». Il n'en continuait pas moins à témoigner d'une foi technocratique exigeant la présence d'un État fort et dynamique. Incapables de s'entendre sur les modalités précises de son intervention, les péquistes partageaient une conviction fondamentale: il fallait libérer l'État québécois des chaînes fédérales.

Le 15 novembre 1976, huit ans après la fondation du parti, à leur grande suprise, les péquistes se retrouvèrent au pouvoir. Le temps était venu d'appliquer leur programme et de transformer le gouvernement provincial en État souverain.

La population leur avait nettement donné un mandat de changement. Mais les termes en étaient confus et pouvaient difficilement s'interpréter comme un endossement complet du programme. Premièrement, certains Québécois ne considéraient pas leur vote comme un feu vert donné à la souveraineté. Ils avaient pris le PQ au mot et attendaient le référendum pour se décider. Entre-temps, ils avaient donné au parti le mandat d'être un « bon » gouvernement provincial, exempt des scandales qui avaient terni le régime Bourassa et plus apte à administrer l'économie québécoise. Deuxièmement, à supposer que la majorité des électeurs péquistes aient été favorables à la souveraineté, il n'existait aucun consensus quant à la forme qu'allait prendre cette souveraineté. Certains (probablement une minorité) attendaient du gouvernement qu'il obtienne l'indépendance politique et économique totale. Les autres, par contre, n'acceptaient l'indépendance qu'accompagnée d'une association économique; sans quoi, ils préféraient une forme quelconque de « fédéralisme renouvelé ».

Dans une certaine mesure, cette confusion pouvait être attribuée aux dirigeants du parti, qui n'avaient pas su proposer un modèle cohérent et précis de la souveraineté et des rapports Québec-Canada. Mais elle reflétait également la diversité des facteurs qui avaient porté les Québécois à épouser la cause de la souveraineté. Pour certains, la souveraineté était reliée à une vision précise des pouvoirs et des ressources dont disposerait un État souverain et à la façon dont ce dernier devrait en faire usage pour restructurer l'ordre social et économique. La plupart des Québécois, cependant, approuvaient l'objectif de la souveraineté, moins en lui-même que par insatisfaction envers le statu quo.

Vers la fin des années 1960 et au début des années 1970, l'inflexibilité d'Ottawa ainsi que l'abandon par le gouvernement québécois des objectifs de la Révolution tranquille avaient provoqué malaise et mécontentement. On reprochait à l'Union nationale et au Parti libéral de n'avoir su ni défendre la cause du français, ni traiter avec les syndicats de la fonction publique, ni prendre en charge les intérêts des groupes défavorisés. La souveraineté apparaissait ainsi comme la condition essentielle de tout changement. L'échec de la réforme constitutionnelle confirmait l'impression grandissante que le système fédéral était incapable de répondre aux aspirations du Québec. Les politiques presque identiques de l'Union nationale et des libéraux dans certains domaines critiques démontraient que ce n'étaient pas les politiciens au pouvoir qui faisaient obstacle au changement, mais bien l'ordre politique lui-même. De plus, en se prétendant les seuls défenseurs de la cause fédéraliste au Québec, les libéraux poussèrent les forces diverses de l'opposition à se regrouper derrière le Parti québécois et donc à appuyer la cause souverainiste. Mais ce regroupement, tout en élargissant les bases de l'appui souverainiste, contribua à en diluer le sens.

Les défis qui attendaient le Parti québécois au lendemain de sa victoire imprévue de 1976 étaient énormes. Dans le prochain chapitre, nous examinerons les gestes du gouvernement Lévesque. Nous verrons de quelle façon il s'est efforcé d'être un « bon » gouvernement à l'intérieur des structures d'un gouvernement provincial et quelle stratégie il tenta d'appliquer pour gagner la population à la cause souverainiste. Au chapitre 10, nous aborderons la vision péquiste de la souveraineté et les réactions qu'elle a suscitées au Canada anglais. Ce faisant, nous verrons comment les postulats étatistes et les objectifs souverainistes du programme du PQ ont résisté à l'épreuve du pouvoir.

Chapitre 9

Le Parti québécois au pouvoir: orientations et stratégies

L'arrivée au pouvoir du Parti québécois laissait présager des changements sans précédent. Pour plusieurs, c'était la promesse d'une réforme en profondeur des institutions et l'espoir de voir se réaliser l'émancipation nationale tant attendue. D'autres, au contraire, redoutaient des bouleversements sociaux et la désintégration du Canada. En fait, les trois premières années de gouvernement péquiste seront marquées moins par le changement que par la continuité.

Au lieu d'agir en hâte, le gouvernement Lévesque a adopté une attitude prudente — conscient de l'aversion des Québécois pour le changement radical et du désir des élites économiques (en particulier celle des États-Unis) d'une continuité des politiques gouvernementales. Adoptant une stratégie « étapiste », il a cherché à dissiper les craintes qu'inspirait une rupture en liant la souveraineté à une association économique étroite avec le reste du Canada.

Cette attitude était lourde de conséquences. Pour s'assurer de la réussite du plan souverainiste, on allait renoncer à des aspects importants du programme et la stratégie étapiste allait entraîner des contradictions internes qui, à long terme, risquaient de compromettre l'objectif même de la souveraineté. Par ailleurs, lier la souveraineté à une association économique, c'est un peu renoncer aux avantages éventuels d'une véritable souveraineté.

On aurait pu s'attendre à ce que la victoire du Parti québécois inaugure une période comparable à celle des années 1960. Après tout, la promesse essentielle de la souveraineté était que l'État québécois pourrait changer la condition des francophones. Pendant des années, les dirigeants péquistes avaient dénoncé la passivité et l'indécision des libéraux; les Québécois, prétendait-on, avaient besoin d'un « vrai gouvernement ». Par ailleurs, le cabinet péquiste, solidement enraciné dans la « nouvelle classe moyenne » francophone, était un produit de la Révolution tranquille. Les enseignants, les professeurs et les administrateurs représentaient plus de 60% du nouveau cabinet, alors qu'ils constituaient moins de 25% du dernier cabinet de Bourassa. Alors que les médecins et les avocats représentaient à eux seuls presque la moitié (42%) du cabinet Bourassa, ils ne constituaient que 25% de celui de R. Lévesque. Et pour la première fois dans l'histoire du Québec, le cabinet ne comprenait aucun anglophone[1].

Malgré le changement d'élites gouvernementales, les premières années de l'administration péquiste n'ont pas amené une expansion très importante de l'État. Les dépenses publiques ont en fait augmenté à un rythme plus lent que durant les années du régime Bourassa: le taux de croissance des dépenses est passé de 24% en 1974-1975 à 11,1% en 1978-1979[2]. Les budgets du gouvernement péquiste ont permis la création de nouveaux programmes: 175 000 000$ y ont été affectés en 1977-1978; 150 000 000$ en 1978-1979; et 300 000 000$ en 1979-1980[3]. Relativement peu de nouvelles structures étatiques ont été créées et les entreprises publiques existantes ont elles-mêmes été l'objet de critiques de la part des leaders péquistes. Outre la Régie de l'assurance automobile, la seule nouvelle entreprise publique, la Société nationale de l'amiante, a vu son projet de nationalisation de l'Asbestos Corporation retardé par des négociations prolongées et des batailles devant les tribunaux. De nouvelles politiques ont été élaborées mais, dans la plupart des cas, elles ne représentaient que des changements partiels. Les nouveaux programmes n'ont souvent été implantés qu'en partie (l'assurance-automobile) ou encore ils ont été atténués (la politique linguistique et culturelle et la législation contre les briseurs de grève).

Le gouvernement du PQ et la création d'une « bourgeoisie nationale »

De portée limitée, les politiques du gouvernement Lévesque ne semblent pas non plus répondre à une orientation ou à des priorités bien définies. On a dit que la préoccupation fondamentale de ce gouvernement était de renforcer la présence francophone dans l'économie[4]. Guidés par leur projet de créer une bourgeoisie nationale, les dirigeants péquistes auraient renforcé les trois formes du pouvoir économique francophone: la petite entreprise, le mouvement coopératif et l'entreprise publique. Et il est vrai que ces institutions revêtaient une très grande importance dans les documents préparés par le PQ avant son accession au pouvoir. Or, les mesures adoptées par le gouvernement ne révèlent pas une telle stratégie. D'autres objectifs et d'autres préoccupations ont souvent eu plus de poids.

Le pattern des dépenses publiques est très révélateur[5]. Parmi les quatre « missions globales » définies par le gouvernement (économique, éducative et culturelle, sociale, gouvernementale et administrative), la mission économique vient au quatrième rang quant au taux de croissance des dépenses pour chaque année budgétaire entre 1976 et 1980[6]. Dans le cadre de missions plus spécifiquement définies, appelées « domaines », les domaines économiques semblent avoir le taux de croissance le plus lent (celui des transports étant le plus lent de tous et, fait intéressant, l'industrie secondaire se classant troisième)[7]. Enfin, les dépenses du ministère directement chargé de renforcer l'élite économique francophone, celui de l'Industrie et du Commerce, ont connu un des taux de croissance les plus lents de tous les ministères entre 1976 et 1980 (25,5%); en 1979-1980, elles diminuaient de 2,6%[8]. Bref, la tendance des dépenses semble indiquer que le renforcement de la présence francophone au sein de l'élite économique n'a pas constitué la grande priorité de l'administration péquiste. Il est possible d'arriver à la même constatation en examinant les initiatives prises par le gouvernement Lévesque.

Peu après son élection, le gouvernement établit une nouvelle politique, en vertu de laquelle les entreprises québécoises seraient favorisées au niveau des achats effectués dans le secteur public et para-public[9]. Il créa aussi un « fonds de relance industrielle » de l'ordre de 30 000 000$ pour venir en aide aux petites et moyennes entreprises (PME)[10]. La Société de développement industriel, chargée d'aider les PME francophones, a joué un rôle de plus en plus actif. En particulier, la SDI a augmenté le montant des fonds destinés aux entreprises de moins de 20 employés: en 1978-1979, les subventions de la SDI accordées à ces entreprises avaient triplé par rapport à l'année précédente et s'élevaient à 8 600 000$[11]. Le gouvernement institua également la Société de développement de l'entreprise afin de fournir des capitaux aux PME[12].

Il y a cependant quelques exceptions très frappantes à cette politique de soutien des entreprises francophones. La première est le contrat accordé, en 1977, à General Motors pour la construction de 1 200 autobus. Le gouvernement écarta la soumission de Bombardier-MLW, affirmant que l'expansion de GM au Québec entraînerait un niveau plus élevé d'exportations à long terme. Pour répondre à une protestation écrite du président de Bombardier, René Lévesque déclarait, dans une lettre ouverte, que: « même si elle est transnationale, GM a cependant, à Sainte-Thérèse, une implantation d'importance, à laquelle elle vient d'ajouter 36 000 000$ en investissements nouveaux. En cette période de lenteur économique tout particulièrement, la politique d'achat ne nous permet donc pas de considérer GM comme concurrent du dehors, à moins d'établir un critère de pure « préférence culturelle » qui nous amènerait vite à la création d'un véritable ghetto économique[13] ». En d'autres mots, la principale préoccupation était de stimuler une économie stagnante et cette stimulation pouvait provenir tout aussi bien d'une société multinationale que d'une entreprise francophone. La deuxième exception, c'est le régime public d'assurance automobile, qui a privé les compagnies d'assurance francophones et leurs agents d'une source importante de revenus. Cette politique a soulevé la colère d'une grande partie du monde des affaires francophone (aussi bien qu'anglophone). La ministre Lise Payette en était réduite à accuser les hommes d'affaires de « chantage honteux ». Comme Jorge Niosi l'a noté, si « l'administration péquiste voulait représenter la bourgeoisie francophone, elle a raté encore une fois l'occasion de le faire[14] ».

Comme on pouvait s'y attendre, étant donné l'importance que le Parti québécois a toujours attachée au mouvement coopératif, le gouvernement s'est montré très favorable au Mouvement Desjardins et aux autres coopératives francophones. Il a créé un nouvel organisme, la Société de développement coopératif; cependant, le budget de 1 400 000$ par année, accordé à la SDC, est tout au plus « symbolique »[15]. Le gouvernement a aussi défendu vigoureusement les efforts des caisses populaires pour échapper à la juridiction fédérale et ne pas être tenues de déposer des réserves auprès de la Banque du Canada[16]. Mais, compte tenu de sa préoccupation de favoriser une plus grande autonomie provinciale, il aurait pu difficilement ne pas adopter une position très ferme sur cette question.

Il était à prévoir que le secteur économique que ce gouvernement favoriserait avant tout serait celui des sociétés d'État. L'expansion du rôle de l'État dans l'économie était un thème central dans le programme du parti depuis longtemps; déjà, en 1971, Jacques Parizeau déclarait: « Au Québec, il faut faire intervenir l'État. C'est inévitable. C'est ce qui nous donne une allure plus à gauche. Si nous avions, au Québec, 25 entreprises Bombardier, et si nous avions des banques très importantes, la situation serait peut-être différente. Nous n'avons pas de grosses institutions, il faut donc les créer[17] ». Néanmoins, à part la Régie de l'assurance automobile (qui était une mesure sociale plutôt qu'une tentative pour renforcer le pouvoir économique francophone), une seule grande entreprise d'État a été créée, à savoir la Société nationale de l'amiante. La SNA devait prendre en main l'exploitation d'une filiale de la firme américaine General Dynamics, Asbestos Corporation, à Thetford Mines. L'État du Québec serait donc directement engagé dans l'exploitation et la transformation de l'amiante. Mais même cette mesure constitue un recul par rapport au programme du parti, qui exigeait le contrôle majoritaire de toute l'industrie de l'amiante. Les leaders péquistes ont à maintes reprises déclaré, lors des discussions sur la nationalisation, qu'ils n'entreprendraient aucune autre nationalisation[18].

Quant aux sociétés d'État existantes, elles n'ont pas reçu de traitement de faveur de la part du gouvernement péquiste. En fait, celui-ci n'a pas manqué de critiquer sévérement leur gestion et leur rendement, et ces critiques ont eu une portée beaucoup plus considérable que sous le régime Bourassa. Dans son discours du budget en 1978, Parizeau admettait ouvertement que plusieurs entreprises n'étaient pas à la hauteur de la situation: « Si certaines des entreprises d'État ne seront, de par leur nature même, jamais rentables, il faut reconnaître que, pour la plupart de celles qui sont appelées à le devenir, les espoirs ne sont guère traduits dans la réalité. Des entreprises à caractère nettement commercial, plusieurs années après leur création, sont incapables d'emprunter à la banque sans la garantie de l'État, et ne bouclent leur fin d'année qu'avec l'aide du Fonds consolidé. Dans certains cas, le recours à l'État, qui devait être exceptionnel, est devenu une bonne habitude qui n'est plus remise en cause.

On commence à voir apparaître dans le secteur public une cour des miracles commerciaux et industriels, qui est coûteuse pour le contribuable et injuste pour le secteur privé qui lui livre concurrence[19] ».

En résumé, on ne décèle pas dans les relations du gouvernement péquiste avec les entreprises francophones, avec les sociétés d'État et même avec les coopératives, d'effort concerté et soutenu pour renforcer la présence francophone dans le secteur économique et pour établir les trois bases d'une « bourgeoisie nationale ». Le gouvernement n'a pas donné priorité aux programmes économiques lorsqu'il s'agissait d'allouer des dépenses supplémentaires. Le soutien accordé aux entreprises francophones a grandement été conditionné par d'autres priorités, qu'il s'agisse de la création d'emplois (rejet de la soumission de Bombardier), de mesures sociales (nationalisation de l'assurance-automobile) ou du freinage des dépenses publiques (les sociétés d'État). La grande préoccupation de l'administration péquiste a été la croissance de l'économie, peu importe la forme de propriété. L'effort soutenu qu'elle a déployé pour tenter de convaincre un fabricant américain d'automobiles de venir établir une nouvelle usine au Québec témoigne de cette préoccupation. Dans ce cas précis, le gouvernement était prêt à entrer en concurrence avec l'Ontario et plusieurs États américains pour offrir les termes les plus favorables à Ford Motors. Cette tentative n'ayant pas réussi, il s'est en vain tourné vers General Motors. Bref, l'administration péquiste s'est vue entraînée dans une concurrence pour obtenir le capital des multinationales, chose qu'elle avait fortement dénoncée durant le régime Bourassa.

Contredisant la thèse voulant que le gouvernement péquiste viserait à créer une « bourgeoisie nationale », une autre interprétation qualifie ce gouvernement de « social-démocrate ». C'est d'ailleurs l'étiquette que préfèrent les dirigeants péquistes eux-mêmes[20]. Mais, comme nous allons le voir, le mot ne convient pas tout à fait.

Le gouvernement du PQ et la « social-démocratie »

Le gouvernement du Parti québécois peut se targuer d'une série de mesures qui ont profité aux petits salariés. Peu après son arrivée au pouvoir, il a porté le salaire minimum à 3$ l'heure, le plus élevé en Amérique du Nord. De plus, il a indexé le salaire minimum au coût de la vie (une tentative de retirer le projet, par la suite, s'est heurtée aux pressions des syndicats). Étant donné le caractère régressif des taxes de vente, ce sont les petits salariés qui ont le plus profité de l'abolition de la taxe sur le vêtement, les meubles et les chaussures (c'est néanmoins la bataille constitutionnelle plutôt qu'un souci de redistribution des revenus qui a incité le gouvernement à adopter cette mesure). En 1979, un programme, plutôt modeste, prévoyait un complément de revenu pour les travailleurs pauvres. L'année précédente, les petits et moyens salariés avaient pu se réjouir de la décision d'indexer l'impôt sur le revenu au coût de la vie pour les salaires inférieurs à 30 000$[21]. Le ministre des Finances Jacques Parizeau, devant les protestations des hauts-salariés, s'empressait de placer le gouvernement sous la bannière social-démocrate. Dénonçant « l'espèce de révolte des bien-nantis à laquelle on assiste depuis un an » Parizeau déclarait: « La courbe d'impôt sur le revenu des particuliers au Québec va demeurer très progressive. Elle correspond aux objectifs d'un gouvernement social-démocrate et on s'étonne toujours de constater que, dans certains milieux, on se surprend de ne pas y voir les objectifs d'un gouvernement de droite[22] ». Le gouvernement Lévesque a adopté d'autres mesures en faveur des plus démunis: médicaments gratuits pour les personnes de plus de 65 ans, soins dentaires gratuits pour les enfants de moins de 16 ans, interdiction de la publicité destinée aux enfants, garantie des droits des handicapés et, la plus importante de toutes, l'établissement d'un régime public d'assurance-automobile contre les blessures personnelles (ce régime n'indemnisant pas les dommages aux automobiles).

Bien que ces mesures permettent de qualifier le gouvernement péquiste de « social-démocrate », il faut quand même s'interroger sur ses rapports avec le mouvement syndical. Nous avons déjà noté que le Parti québécois n'a pas de lien organique avec les syndicats, ce qui le distingue d'un parti « social-démocrate ». Le gouvernement n'a pas non plus le genre de rapport qu'aurait avec les syndicats un gouvernement social-démocrate. La CEQ aussi bien que la CSN ont régulièrement dénoncé les politiques gouvernementales, particulièrement celles qui avaient trait aux relations ouvrières. Seule la FTQ (et la minuscule CSD) ont régulièrement approuvé les mesures du gouvernement. La CEQ et la CSN ont attendu jusqu'au dernier moment pour prendre position sur la « question nationale », ne voulant pas que leur position soit interprétée comme un appui au régime péquiste[23].

Durant les premiers mois qui ont suivi son arrivée au pouvoir, le gouvernement a pris des mesures qui ont eu l'entière approbation des syndicats. Il a retiré les accusations que le gouvernement Bourassa avait portées contre les trois chefs syndicaux et il a cessé de participer au programme de contrôle des prix et des salaires, qui avait été fortement dénoncé par les chefs syndicaux. Mais le gouvernement se heurta aussitôt à l'opposition de la CSN et de la CEQ à propos du projet de loi 45 visant à réformer le Code du travail, conformément à sa promesse électorale de légiférer contre les briseurs de grève. La première version de la loi avait été approuvée par les organisations syndicales. Mais face à la vive opposition du monde des affaires, on procéda à la modification de certains articles. Plus précisément, les dispositions relatives à l'embauchage d'ouvriers pour remplacer les grévistes furent modifiées de façon à permettre aux employeurs d'engager des personnes pour maintenir les services essentiels et pour protéger les biens. Aussitôt, la CSN et la CEQ retirèrent leur appui et exigèrent le retrait pur et simple du projet de loi. Mais cela n'empêcha pas le gouvernement d'aller de l'avant[24].

Ce qui complique les relations du gouvernement avec la CSN et la CEQ, c'est qu'il est l'employeur de la plupart des membres de ces centrales. Comme nous l'avons vu, les difficultés inhérentes à un « État-employeur » avaient donné lieu à des confrontations très dures sous le régime Bourassa. Dans l'opposition, le Parti québécois était apparu comme un allié de la CSN et de la CEQ par ses attaques contre le gouvernement. (Comme nous l'avons vu, même à ce moment-là, le parti avait pris soin de toujours maintenir une certaine distance, entre autre en refusant de participer à de grandes manifestations organisées par les syndicats.) Une fois au pouvoir, le PQ devait nécessairement jouer un rôle différent. Toute possibilité de maintenir des relations harmonieuses avec les syndicats disparut lorsque le gouvernement décida de diminuer la hausse des dépenses publiques. En fait, le gouvernement ne fit que reprendre l'argument de Bourassa qui voulait que les salaires du secteur privé servent de point de référence au secteur public. Alors que R. Bourassa faisait valoir que les hausses de salaires exigées par les syndicats créaient des pressions insupportables sur le secteur privé, Jacques Parizeau invoque plutôt le simple sens de l'équité pour dire que les salaires du secteur public ne devaient pas dépasser ceux du secteur privé[25]. De plus, le gouvernement péquiste a fait modifier le régime des relations de travail, notamment avec la loi 59, qui a été vigoureusement dénoncée par la CSN et la CEQ.

Le gouvernement Lévesque est pourtant plus avantagé que son prédécesseur dans ses relations avec les syndicats du secteur public. La majorité des militants syndicaux du secteur public, particulièrement ceux de la CEQ, ont appuyé le Parti québécois dans le passé. Et il n'existe aucun autre parti vers lequel les syndicalistes désillusionnés puissent se tourner. Il est donc probable que ce gouvernement réussisse à éviter les graves ennuis qui ont marqué les relations ouvrières sous Bourassa[26].

Le fait demeure cependant que les relations entre le gouvernement du Parti québécois et les dirigeants (voire les militants) de la CSN et de la CEQ sont des relations entre adversaires. Elles ne reflètent pas le genre de solidarité qui pourrait être attendue en régime « social-démocrate ». En fait, les dirigeants péquistes ont même contesté la prétention des leaders syndicaux à représenter les aspirations des travailleurs. René Lévesque a déjà déclaré: « Très souvent, j'ai l'impression que nous sommes plus proches de cette base des travailleurs, dans notre action politique, que ceux qui, officiellement, parlent en leur nom. Cela a été très clair dans les résultats des élections de 1976. Et notre gouvernement doit maintenir un préjugé favorable à l'égard des travailleurs[27] ». En d'autres termes, le « préjugé favorable » du gouvernement envers les travailleurs s'exprime directement par ses programmes sociaux. Il ne s'exprime pas par l'entremise des organisations ouvrières, avec lesquelles ni le gouvernement ni le parti n'ont de liens particuliers.

Cette répudiation publique de liens préférentiels avec tout groupe ou organisme privé est en fait la marque du gouvernement péquiste. L'État du Québec doit être un agent autonome, libre de répondre aux besoins et aux aspirations de tous les Québécois. L'administration Lévesque s'enorgueillit tout particulièrement d'avoir fait disparaître le favoritisme politique. Les contrats publics, prétend-on, sont accordés sans égard à l'affiliation partisane. Et grâce à la loi 2, le financement des partis politiques est soigneusement réglementé. Seuls les individus peuvent verser des cotisations à un parti; les sociétés et (il est bon de le noter) les syndicats ne peuvent le faire. Cette conception d'un État autonome, dédié uniquement à l'intérêt général, se manifeste dans le penchant du gouvernement pour les sommets économiques, où l'État est censé agir comme simple médiateur entre les principaux agents économiques. Les sommets de La Malbaie en 1977 et de Montebello en 1979 rassemblaient les représentants du milieu des affaires, des syndicats et du mouvement coopératif. D'autres mini-sommets ont eu lieu en rapport avec différents secteurs économiques. Dans ces réunions, chaque groupe jouissait d'un statut égal à la table de discussion et les membres du gouvernement agissaient à titre d'animateurs.

En somme, la façon dont le gouvernement péquiste s'est comporté publiquement vis-à-vis des principaux agents économiques concorde avec les mesures qu'il a mises en oeuvre. Le pouvoir péquiste a bien pris soin de se présenter comme le gouvernement de tous les Québécois, libre de toute obligation envers le monde des affaires (y compris le monde des affaires francophone) ou envers les organisations syndicales qui constituent, pour employer les mots de René Lévesque des « groupes de pression légitimes, mais trop souvent portés à l'exagération[28] ». Le résultat net des initiatives sociales et économiques du gouvernement est, comme l'a montré Jorge Niosi, « passablement équidistant des positions des uns [le monde des affaires] et des autres [les syndicats][29] ».

Le gouvernement du PQ et la nouvelle classe moyenne

Pour plusieurs observateurs, la politique péquiste reflète la domination de la nouvelle classe moyenne francophone au sein du parti et plus particulièrement au sein du gouvernement[30]. Située à mi-chemin dans l'échelle des classes sociales et n'appartenant ni au monde des affaires ni au mouvement ouvrier, cette nouvelle classe moyenne ne peut facilement s'identifier à l'un ou l'autre. Elle a aussi tout intérêt à ce que l'État du Québec, principal instrument de son émancipation, devienne de plus en plus autonome par rapport au monde des affaires, des syndicats ou de tout autre groupe de pression. Mais la nouvelle classe moyenne péquiste a dû s'appuyer sur des éléments des classes ouvrières pour se bâtir une clientèle électorale. Elle a donc une dette à payer dont elle s'acquitte par des mesures « social-démocrates ». Par contre, elle ne se reconnaît aucune dette envers les syndicats.

Le gouvernement du PQ et le « populisme nationaliste »

Malgré tout, le Parti québécois n'est pas seulement un parti de la classe moyenne ou de la petite bourgeoisie, quelle que soit la pertinence de ces termes. C'est également un parti nationaliste qui, au nom de la nation, a réussi à bâtir une grande coalition qui transcende les classes. Les mesures du gouvernement doivent également être vues dans cette optique — c'est-à-dire comme l'expression d'une logique fondamentalement nationaliste. En tant que gouvernement de tous les Québécois, ce gouvernement doit continuellement peser et concilier les intérêts particuliers, qu'il s'agisse d'intérêts patronaux ou syndicaux. C'est donc dans l'ordre des choses que le gouvernement invite les principaux agents économiques à des conférences au sommet, où, au nom de la solidarité nationale, il cherche à obtenir un consensus qui transcende les intérêts particuliers. Tout « préjugé favorable » à l'égard des travailleurs ne peut s'exprimer que par des mesures favorisant l'ensemble de la nation. Dans cette optique, on peut donc en effet qualifier les orientations du gouvernement péquiste de « populistes nationalistes[31] ». Comme certains observateurs l'ont déjà noté[32], elles ne concordent peut-être pas entièrement avec d'autres manifestations du populisme, comme par exemple en Amérique latine, mais elles reflètent quand même l'idée d'une relation sans intermédiaire entre l'État et la population, corps de la nation.

La loi 101: les contraintes

La loi 101, seule grande initiative péquiste que nous n'avons pas encore examinée, reflète clairement deux traits que nous venons d'esquisser: mobilisation autour d'une logique essentiellement nationaliste et prédominance de la perspective de la nouvelle classe moyenne chez les dirigeants du parti. Il était normal que durant sa première année au pouvoir, le gouvernement soit absorbé par la mise sur pied d'une politique générale destinée à affirmer la prééminence du français au Québec. Cette politique reflète étroitement les préoccupations de la nouvelle classe moyenne, dont les membres sont qualifiés de « travailleurs du langage »: la force et la vitalité du système scolaire francophone; le rôle de la langue française et des francophones dans l'économie; le statut symbolique du français au sein du Québec, etc.[33]. D'autre part, malgré l'opinion générale, la loi 101 constitue également l'exemple le plus frappant de la modération des réformes péquistes.

La version finale de la loi 101 diffère des principes et des modalités de la loi 22 sur au moins deux points qui portent la marque du Parti québécois. Premièrement, la loi exige que l'affichage et les autres formes de publicité commerciale ne soient faits qu'en français[34]. Les divers règlements visant à implanter cette mesure ont soulevé la colère des anglophones, mais, dans la plupart des cas, ils ne constituent que des sources d'irritation. Cette mesure indique néanmoins que le gouvernement se préoccupe de la définition symbolique de la vie quotidienne. Ce genre de préoccupation ne peut être que celle d'un parti engagé à fond à faire valoir la présence française. Deuxièmement, dans la question de l'accès à l'école anglaise, la loi 101 utilise les frontières du Québec comme point de référence, refusant à toute fin pratique l'accès à l'école anglaise aux enfants venant d'autres provinces canadienne, y compris à ceux dont la langue maternelle est l'anglais[35]. On a réduit l'effet de cette mesure particulière en prévoyant certaines dispositions qui accordent une autorisation temporaire de fréquenter l'école anglaise. De plus, advenant que les autres gouvernements provinciaux acceptent la réciprocité, cette mesure disparaîtrait complètement. Malgré tout, une telle mesure reflète une détermination de la part du gouvernement à montrer que la communauté première est le Québec, non le Canada. Une distinction aussi rigide ne serait certainement pas venue d'un des gouvernements précédents. En fait, certains membres du gouvernement étaient eux-mêmes mal à l'aise devant cette vision des choses[36]. (Il s'agit du seul aspect de la loi 101 qui n'ait pas suscité l'approbation de la population francophone du Québec[37].) Mais, en restreignant aussi soigneusement l'accès à l'école anglaise, la loi reflète les préoccupations d'une force importante parmi les « travailleurs du langage » du PQ: les enseignants francophones. Ces derniers manifestent non seulement une loyauté à toute épreuve au système scolaire francophone mais ils éprouvent une vive inquiétude face au nombre décroissant de nouveaux élèves.

Par ailleurs, la loi 101 ne fait qu'adapter et amplifier les principes qui avaient déjà été établis en vertu de la loi 22. Celle-ci avait déjà fait du français la langue officielle du Québec. La loi 101 en a étendu l'application: elle fait du français la seule langue dans laquelle les lois sont rédigées, présentées et adoptées à l'Assemblée nationale; elle compte renforcer le français au sein de l'administration publique (y compris dans les municipalités) et dans plusieurs institutions parapubliques; et elle fait du français la langue du système judiciaire, y compris les procédures qui impliquent des personnes morales (à moins que les parties ne s'entendent pour utiliser l'anglais[38]). La loi 22 avait déjà empiété sur le principe du libre choix de la langue d'enseignement puisqu'elle ne laissait ce choix qu'aux parents dont les enfants possédaient une « connaissance suffisante » de l'anglais. La loi 101 comporte encore plus de restrictions, puisqu'elle ne laisse le choix de la langue d'instruction qu'aux enfants dont la langue maternelle est l'anglais (adoptant ainsi ouvertement ce que plusieurs avaient déclaré être l'intention secrète de la loi 22[39]). La loi 101 garde les mesures de francisation des grandes entreprises que la loi 22 avait établies[40]. Elle aussi a un programme de certificats de francisation, mais le certificat est obligatoire pour les entreprises de 50 employés et plus, et non facultatif comme dans le cas de la loi 22. La loi 101 stipule comme la précédente que les sièges sociaux dont l'activité s'étend hors du Québec peuvent être traités différemment des entreprises dont l'activité est limitée au Québec. Pour se prévaloir de cette clause, les entreprises sont maintenant obligées de s'adresser à l'Office de la langue française et de négocier une entente particulière, alors qu'en vertu de la loi 22, elles y avaient droit d'office. Mais les règlements sur les sièges sociaux sont à toutes fins utiles les mêmes que ceux de la loi 22[41]. Les dispositions de la loi 101, tout comme celle de la loi 22, visent l'expansion du français comme langue de travail plutôt que l'augmentation du nombre de personnes dont la langue principale est le français.

Le fait que les rédacteurs de la loi se soient ainsi concentrés sur le rôle du français comme langue de travail constitue apparemment une déviation de leur première intention. Peu de temps après avoir été nommé, le ministre d'État au développement culturel, Camille Laurin, déclarait que le gouvernement tenterait non seulement la francisation des entreprises, mais également leur « francophonisation[42] ». Cet objectif a été évoqué dans le livre blanc sur la langue alors qu'il était question de préciser le sens des termes « la présence francophone » (qui, chose intéressante à noter, a été traduit par « *presence of French-speaking personnel* ») dans le monde des affaires: « L'expression est sans ambiguïté lorsqu'on la replace dans son contexte social. Mais lorsque, dans l'entreprise, on soutient que l'environnement physique (manuels, formules ou machines à écrire pourvues d'accents) s'identifie avec la « présence francophone », alors, évidemment, l'expression est obscure et les interprétations qu'on en donne se multiplient en l'obscurcissant encore. Pour ne point se perdre dans des querelles de mots, les entreprises pourraient se fixer clairement les objectifs suivants: refléter, dans leur personnel, à tous les niveaux et dans toutes les fonctions, la composition ethnique de la population québécoise. Rien là de révolutionnaire. Il s'agit d'un principe de justice sociale si élémentaire que les États-Unis, paradis de l'entreprise privée, l'ont adopté pour fonder leur politique sociale d'embauche[43] ».

Mais sous les pressions venant des hommes d'affaires et de la communauté anglophone, Laurin ainsi que d'autres membres du gouvernement ont par la suite mis davantage l'accent sur le rôle d'instrument de « promotion linguistique » que d'instrument de « promotion sociale » de la loi[44]. Dans la version finale de la loi, on précise que la francisation des entreprises exige « l'augmentation du nombre de personnes ayant une bonne connaissance de la langue française de manière à en assurer l'utilisation généralisée[45] ». (Il n'est plus question d'origine ethnique et encore moins de contingentement.) L'Office de la langue française a fait savoir que l'on pouvait ainsi désigner des personnes dont la langue principale n'est pas le français mais qui en ont une bonne connaissance. (Un représentant de l'Office a convenu, au grand étonnement de Maurice Sauvé, vice-président de Consolidated Bathurst que même la reine Elizabeth répond à cette description![46]) Cette interprétation est conforme à la définition opérationnelle de « francophone » que la défunte Régie de la langue française avait élaborée pour appliquer la loi 22 — et à laquelle Camille Laurin s'était opposé[47]. Le président de l'Office de la langue française a lui-même déclaré que la loi avait pour but de promouvoir la langue française plutôt que les Canadiens français comme tels[48]. Et le questionnaire, au moyen duquel l'Office entend administrer son programme de certificats de francisation, est à toutes fins pratiques identique à celui de la Régie de la langue française[49].

À la suite de ces diverses modifications, la loi 101 est devenue de moins en moins insupportable au monde des affaires anglophone. Or, en janvier 1978, dans un article intitulé « Give Quebec's language law yet another long, cool look », le correspondant du *Financial Post* écrivait: « De jour en jour, il devient plus évident, compte tenu plus particulièrement du désir de la Sun Life de quitter le Québec, que c'est l'intention tacite de la Charte de la langue française de la province qui a soulevé les émotions, provoqué des réactions violentes et qui a entraîné une appréhension généralisée. Son implantation réelle, du moins au stade initial, ne produira que des changements relativement mineurs (...) "L'usage généralisé" du français est un concept qui s'éloigne de beaucoup de ce que les législateurs avaient un jour envisagé (...) Maintenant tous peuvent se débrouiller — même si quelques-uns en sont maintenant malheureux — pourvu qu'ils aient une *certaine* connaissance du français. Quel que soit l'esprit de la loi, en d'autres mots, ses exigences techniques ne sont vraiment pas aussi onéreuses que plusieurs le pensent ou le craignent[50] ». Et à la fin du printemps 1978, l'attention des cadres anglophones était plutôt retenue par l'augmentation de l'impôt provincial sur les revenus élevés. Les dirigeants d'entreprises ont alors fait savoir que l'impact de cette hausse serait « pire » que celui de la loi 101[51].

À première vue, il semble donc que le gouvernement ait abandonné la « francophonisation » des entreprises pour se contenter de la « francisation ». Les promoteurs de la loi 101 s'attendent sans doute à ce que la « francisation » entraîne la « francophonisation ». L'usage du français s'accroissant, les francophones accéderaient plus facilement aux postes de commande dans les entreprises. De plus, certaines entreprises pourraient tout simplement en venir à la conclusion que la meilleure façon d'accroître l'usage du français est d'augmenter le nombre de personnes qui le parlent. Mais une étude sur le recrutement professionnel au Québec montre que ces espoirs sont peu fondés, particulièrement au niveau des cadres supérieurs. Arnaud Sales soutient que l'accès aux principaux postes de l'économie québécoise est déterminé par l'origine ethnique plutôt que par la langue: « C'est l'appartenance nationale ou ethnique du principal actionnaire qui détermine l'appartenance nationale ou ethnique des plus hauts dirigeants (...) l'appartenance linguistique (des candidats) a relativement peu d'importance...[52] » Dans cette optique, une entreprise pourrait bien préférer « franciser » ses cadres en leur donnant la chance d'acquérir une plus grande connaissance du français plutôt que de recruter des francophones. Le seul moyen efficace d'augmenter le nombre de francophones serait alors d'instaurer le système de contingentement — système que le gouvernement péquiste n'a pas cru bon d'adopter. (Chose intéressante à noter: la commission Gendron a ouvertement prôné un système de recrutement qui favoriserait les francophones[53].) En somme, comme le fait remarquer Yvan Allaire, un observateur bien au fait de la politique linguistique au Québec, le gouvernement en serait venu à la conclusion que la loi 101 devrait être utilisée simplement pour accroître l'usage du français dans le milieu du travail plutôt que de servir de moyen de « promotion sociale[54] ».

Il existe à coup sûr un mouvement parmi certaines entreprises pour augmenter le nombre de francophones aux postes de direction. Mais cela s'explique moins par la nouvelle politique linguistique que par la menace de l'indépendance. Les concessions de ces entreprises visent à rendre l'indépendance moins attrayante. (Bien entendu, elles perdraient leur raison d'être si la menace disparaissait.) Somme toute, on peut penser que certains changements sont moins le résultats des nouvelles politiques que de la menace d'un changement beaucoup plus global. À court terme, l'administration péquiste ne s'éloigne guère de la direction prise par le gouvernement Bourassa.

Ainsi, le gouvernement péquiste a dû faire preuve de modération même dans le domaine linguistique, c'est-à-dire là où le parti était unanime à réclamer une intervention radicale. Dans ce cas particulier, il n'est pas facile de savoir si le changement de direction a été dicté par l'opposition des intérêts économiques anglophones ou par ce que Allaire a appelé les « difficultés et les limites d'une loi de promotion sociale[55] ». Quoiqu'il en soit, le résultat est le même.

Le gouvernement péquiste: le changement et les contraintes

De ce qui précède, on peut dégager deux conclusions. D'abord, on peut dire que les réformes du gouvernement péquiste relèvent davantage d'un « populisme nationaliste » que d'une démarche « social-démocrate » ou d'un mouvement concerté pour créer une « bourgeoisie nationale ». En deuxième lieu, et fait peut-être plus significatif, la portée des nouvelles politiques est assez limitée. Le gouvernement n'a pu procéder à des changements profonds et globaux comme au temps de la Révolution tranquille. La politique linguistique en est un exemple. Les mots « contraintes » et « restrictions » jalonnent le discours des dirigeants depuis leur arrivée au pouvoir. Ainsi, même lorsqu'ils n'impliquaient pas la souveraineté, plusieurs éléments du programme n'ont été que partiellement appliqués: on a nationalisé une seule entreprise dans l'industrie de l'amiante; le nouveau régime d'assurance-automobile ne couvre que les blessures corporelles; les subventions aux écoles privées n'ont pas été réduites de façon significative; les subventions accordées aux garderies demeurent minimes et en général, peu de mesures ont été adoptées pour améliorer la situation des femmes; enfin dans le domaine de la santé, on a fait peu de progrès.

Le gouvernement invoque généralement des contraintes externes, telles que le pouvoir fiscal ou législatif du fédéral, pour expliquer les limites de ses initiatives. Ce genre de contraintes disparaîtraient une fois la souveraineté acquise. Mais on invoque aussi des contraintes à plus long terme qui ont trait à la dépendance à l'égard des marchés de capitaux américains (ou européens) particulièrement pour le financement des obligations du secteur public. Visiblement, le gouvernement se préoccupe beaucoup de la cote du Québec sur les marchés de capitaux étrangers. Il a soutenu que cette cote a été affaiblie par la hausse rapide des emprunts sous Bourassa. Mais il admet aussi que certains investisseurs étrangers craignent le Parti québécois et ses projets de souveraineté. Aussi, dans son premier discours du budget, Parizeau déclarait: « Le gouvernement a décidé d'assainir d'abord les finances publiques et de réduire les déficits avant de procéder plus avant. Le chemin de l'indépendance passe par des finances saines[56] ».

C'est la raison invoquée pour ne pas lancer de nouveaux programmes et même pour restreindre certains programmes existants. D'autre part, craignant l'attitude des élites économiques américaines, le gouvernement s'est empressé de faire savoir qu'il n'avait pas l'intention de nationaliser de firmes étrangères autres que Asbestos Corporation.

Le gouvernement invoque également des contraintes internes. Le poids des engagements passés, la résistance des structures existantes et l'attachement des fonctionnaires aux pratiques établies entravent l'élaboration et la mise sur pied de nouvelles politiques. René Lévesque lui-même a souvent fait état d'une autre contrainte: le refus par la population de toute réforme radicale ou même d'une série de changements modérés. Déjà, en 1974, il déclarait au congrès national du parti: « Nous avons pendant les deux jours qui viennent, à travailler sur le programme du parti, mais en tâchant de ne pas oublier que, depuis sept ans, nous l'avons déjà porté, dans l'ensemble, à peu près aussi loin du côté des changements que notre société québécoise, telle qu'elle est, peut en avoir le besoin, en même temps que la capacité[57] ».

C'est sans doute son option souverainiste qui rend le gouvernement plus sensible à ces contraintes. Sa volonté de restreindre les dépenses traduit à la fois le désir de montrer qu'un Québec souverain aurait un gouvernement responsable et le besoin de conserver une bonne cote de crédit. Ce n'est pas seulement pour se faire réélire que le gouvernement s'est limité dans ses réformes. Cherchant à obtenir un vote majoritaire lors du référendum sur la souveraineté, il devait s'assurer un appui qui irait au-delà de la clientèle déjà acquise. Compte tenu de l'opposition certaine de la plupart des anglophones à l'indépendance et du taux élevé de leur participation au référendum, tout vote majoritaire impliquait un appui massif des francophones. Au risque de décevoir la clientèle péquiste, il fallait donc éviter de contrarier les autres francophones, en particulier les personnes âgées et les petits entrepreneurs qu'on espérait gagner à la cause[58]. Lévesque lui-même le reconnaissait: « On devra tenir compte (...) de cette échéance du référendum et de la capacité d'absorption par la société québécoise des réformes prioritaires. Ce n'est pas facile de faire notre travail de sociaux-démocrates, de bons administrateurs et de réformateurs dans une foule de secteurs, sans risques de compromettre l'échéance centrale, la décision démocratique sur l'avenir[59] ».

L'impact de ces contraintes ne se fait pas sentir seulement sur l'élaboration des politiques. Il pèse également sur la façon dont les dirigeants péquistes définissent la souveraineté et les moyens qu'ils entendent prendre pour la réaliser.

La logique de l'étapisme: contradictions et ambiguïtés

On aurait pu s'attendre à ce que le gouvernement du Parti québécois se mette rapidement à la tâche pour réaliser son objectif fondamental. Après tout, six mois après son arrivée au pouvoir, il avait déjà élaboré toute une nouvelle politique linguistique et il jouissait alors d'un appui populaire incontestable; sa victoire avait constitué un geste d'affirmation nationale ressentie même par ceux qui n'avaient pas voté pour le parti. Il est vrai que les sondages révélaient que la majorité des Québécois entretenaient toujours des appréhensions face à l'idée d'indépendance. Mais l'occasion était belle pour lancer une campagne qui aurait dissipé ces appréhensions. Il n'était pas encore question à ce moment-là d'investissements différés ou de déménagements de sièges sociaux et les forces fédéralistes, alors en plein désarroi, auraient pu difficilement mener une campagne référendaire efficace. La direction du parti décida pourtant de ne pas passer à l'action tout de suite. Le référendum aurait lieu une fois que les Québécois auraient réfléchi plus « sereinement » à la question, et après l'élection fédérale qu'on croyait imminente et qui n'eut lieu que deux ans plus tard. C'est à l'automne de 1978 que parut *L'option*[60], un volumineux ouvrage écrit par deux députés d'arrière-banc, qui proposait un modèle officieux de souveraineté-association. Et c'est seulement en juin 1979 que le congrès national du parti ratifiait le document *D'égal à égal*[61], qui exposait les bases d'une nouvelle association Québec-Canada.

Cette lenteur à agir comportait des risques pour le gouvernement. À tort ou à raison, on commenca à l'accuser de manquer de courage et cela lui fit sans doute perdre des votes lors des élections complémentaires de 1979. On peut donc se demander pourquoi le gouvernement choisit de prendre de tels risques.

Plusieurs facteurs entrent en ligne de compte. On sait maintenant que les dirigeants du parti ne s'attendaient pas à la victoire de 1976 et qu'ils n'étaient pas tout à fait prêts à prendre le pouvoir. Entre autres, ils n'avaient pas mis au point un plan précis pour réaliser la souveraineté-association. Les nombreuses études commandées par le gouvernement sur les relations extérieures du Québec laissent justement supposer qu'on n'avait pas exploré toutes les possibilités[62]. De plus, comme nous l'avons vu, il y avait mésentente au sein du parti au sujet de l'association économique avec le reste du Canada. En particulier, le débat se poursuivait sur l'opportunité d'une union monétaire. Il fallait donc prendre le temps de résoudre cette question interne. Enfin, on croyait que c'était une bonne stratégie d'attendre après les élections fédérales.

Toutes ces raisons expliquent la longueur du délai entre l'arrivée au pouvoir et la tenue du référendum; mais elles n'expliquent pas le délai lui-même. C'est que la direction du parti avait toujours pensé qu'un gouvernement péquiste devrait exercer le pouvoir pendant un certain temps avant de tenir un référendum. Cette intention faisait partie de la stratégie « étapiste ».

Comme nous l'avons déjà signalé, René Lévesque a toujours été persuadé que les Québécois ne sont prêts à accepter que des changements graduels, qui préservent les acquis tout en corrigeant les inconvénients de la situation existante. Malgré les critiques internes dont elle était l'objet, au congrès national de 1979, il réaffirmait la nécessité de cette stratégie: « ... la vie sociale, comme celle de chacun d'entre nous (...) n'est pas faite en forme de sauts de puces — même dans l'antiquité vous savez, ils avaient déjà découvert que la nature n'accepte pas les sauts trop brusques...[63] ».

L'idée du référendum est le point central de cette stratégie étapiste. René Lévesque et son collègue Claude Morin avaient lutté ferme pour imposer cette idée au parti. Une fois au pouvoir, ils purent renforcer davantage leur engagement. Le congrès national de 1977 ratifia un amendement au programme qui éliminait toute ambiguïté: le gouvernement exigerait le rapatriement des pouvoirs seulement après en avoir obtenu l'approbation par référendum. Ainsi, le référendum n'était plus un recours dans l'éventualité où le reste du Canada refuserait l'association économique[64]. Lors du Congrès national de 1979, le parti s'est engagé à faire face à une autre étape, celle qui concerne précisément le cas d'un refus d'association. Dans un tel cas, le gouvernement du Québec ne pourrait déclarer unilatéralement la souveraineté du Québec sans avoir d'abord obtenu l'appui de la population au moyen d'une « consultation » populaire[65]. Au moment de présenter cette résolution, Jacques Parizeau a bien insisté sur le fait que cette consultation pourrait prendre la forme d'une élection ou d'un référendum[66].

Le but premier (et l'effet) d'un engagement très clair à tenir un référendum était de dissocier l'élection au pouvoir, voire la réélection, du parti et l'accession du Québec à l'indépendance. C'étaient des étapes distinctes d'une longue marche. Ayant acquis le contrôle du gouvernement, le parti, affirmait-on, aurait des ressources énormes à sa disposition pour persuader les Québécois de la nécessité de la souveraineté. Le parti pourrait tout d'abord faire la démonstration de sa compétence à gouverner le Québec. L'indépendance paraîtrait moins risquée si elle était obtenue par une équipe qui ait déjà fait ses preuves dans le cadre d'un gouvernement provincial. D'autre part, une fois au pouvoir, le parti pourrait faire la preuve, par des études, des politiques et des campagnes bien orchestrées, que le système fédéral n'arrive pas à satisfaire les besoins des Québécois et qu'un changement majeur (mais non « radical ») est nécessaire. En somme, un gouvernement péquiste serait en mesure de faire disparaître les hésitations et les doutes que de nombreux Québécois continuaient d'entretenir au sujet de la souveraineté. Une fois qu'une forte majorité de la population aurait été gagnée à l'idée et qu'elle se serait clairement manifestée par un référendum, aucune force extérieure ne serait capable de bloquer ou ne voudrait bloquer l'accession du Québec à la souveraineté. Le Canada anglais en particulier finirait par reconnaître l'inévitable et accepterait de négocier.

Plusieurs postulats de l'étapisme se trouvent dans cet extrait d'un document que Claude Morin a préparé pour le congrès national de 1974: « J'ai déjà dit plus haut que notre souveraineté ne pourrait en pratique résulter que d'un transfert de pouvoirs d'Ottawa vers le Québec. Je viens de parler de la pression possible sur Ottawa pouvant provenir d'un gouvernement péquiste de façon, disons, à stimuler le mouvement. Mais quelles sont en définitive les forces du Québec par rapport à Ottawa? Qu'est-ce qui fera bouger le gouvernement fédéral? Avons-nous l'intention d'entreprendre une lutte armée pour obtenir par la force ce qu'on nous refuserait autrement? Non. Alors, de quoi pourrons-nous disposer pour faire avancer les choses? De la volonté politique de notre gouvernement et de l'appui populaire. C'est la volonté politique qui fera que nos représentants élus manifesteront leur fermeté devant Ottawa et feront pression sur lui. Mais c'est l'appui populaire qui donnera leur force à nos hommes politiques. Notre levier, ce sera notre opinion publique, pas autre chose. La question est donc de savoir comment un gouvernement péquiste pourra s'assurer de l'appui constant et déterminant de l'opinion publique des Québécois. Il va de soi qu'il faudra d'abord administrer l'État québécois de façon satisfaisante. Mais au-delà de cette exigence tout à fait normale, il lui sera indispensable de s'associer immédiatement à la population, dès la prise du pouvoir. L'expérience démontre que, lorsque la population québécoise est informée, elle prend naturellement le parti du gouvernement du Québec. (Exemples: l'« autonomie provinciale » avec M. Duplessis, le partage fiscal et le régime de pensions avec M. Lesage, la révision constitutionnelle avec MM. Johnson et Bertrand, le « Non » de Victoria avec M. Bourassa.) C'est pourquoi, dans toutes les discussions avec Ottawa, une administration péquiste devrait expliquer aux citoyens de quoi il retourne et le faire sur une échelle jamais atteinte auparavant[67]. »

Dans la logique étapiste, il était raisonnable que le parti retarde la tenue du référendum sur la souveraineté. Puisque les Québécois avaient déjà franchi l'étape critique et difficile de porter le PQ au pouvoir, il fallait prendre le temps pour les préparer à franchir l'étape suivante, celle de l'approbation formelle de la souveraineté. Pour ce faire, le PQ devait exploiter les nombreux avantages mis à sa disposition en tant que gouvernement du Québec. Mais, comme nous l'avons vu, le gouvernement a été lent à agir. Pendant deux ans et demi, il semble s'en être tenu à faire la démonstration qu'il était un « bon gouvernement ». Très peu d'efforts ont été déployés pour mobiliser l'opinion publique en faveur de la souveraineté. Nous savons maintenant qu'un « bon gouvernement » ne suffit pas en soi à rallier les Québécois à la cause de la souveraineté. Les sondages ont révélé que la proportion des Québécois en faveur de la souveraineté-association est demeurée inchangée durant cette période; elle était notamment moins élevée que la proportion qui se déclarait satisfaite du gouvernement. En fait, dans un sondage de 1979, à peine la moitié des répondants qui étaient satisfaits du gouvernement déclaraient être en faveur de la souveraineté-association[68].

Le retard à entreprendre la campagne référendaire a fait ressortir, sinon amplifier, les contradictions inhérentes à la stratégie étapiste. Si le parti devait rester au pouvoir sans parvenir à réaliser l'indépendance (après un ou plusieurs référendums), les contradictions ne feraient que s'aggraver, compromettant peut-être à jamais la possibilité que le Québec accède un jour à la souveraineté. Ces contradictions sont celles auxquelles doit faire face tout parti qui tente d'effectuer un changement majeur et global tout en détenant le pouvoir dans le cadre d'institutions démocratiques libérales.

Une première contradiction est celle qui peut exister entre l'objectif de l'indépendance et les avantages concrets qui découlent de l'exercice du pouvoir. Comme la loi 101 le montre, certaines aspirations nationalistes peuvent être satisfaites même par un gouvernement provincial. Les forces « participationnistes » du parti ont été partiellement satisfaites par des mesures sociales comme l'assurance-automobile ou les propositions de revenu garanti. D'autre part, il y aura toujours des éléments « opportunistes » qui voudront que le parti reste au pouvoir, quels que soient les compromis à faire. Si la population continuait à redouter l'indépendance, certains péquistes seraient peut-être portés à conclure que le parti devrait redéfinir l'objectif de manière à le rendre plus acceptable. (Des sondages révéleraient que jusqu'à 14% de l'électorat qui se dit satisfait de l'administration péquiste hésiterait à voter pour le parti, à cause de son option souverainiste[69].) Il serait tentant pour certains de conclure qu'il vaut mieux garder le pouvoir et chercher à élargir les sphères de compétence du gouvernement provincial que de tout risquer pour obtenir l'indépendance. Au Canada ainsi que dans d'autres systèmes démocratiques libéraux, les avantages du pouvoir ont amené plusieurs mouvements à retarder indéfiniment la réalisation d'un certain nombre de leurs grands projets. Plus le PQ demeure au pouvoir sans atteindre son but fondamental, plus il lui sera difficile d'échapper au destin du CCF ou du Crédit social.

Une deuxième contradiction qui apparaît dans la stratégie étapiste a trait aux relations entre les dirigeants et les militants du parti. Lorsqu'un parti politique conquiert le pouvoir, ces relations sont redéfinies. À partir du moment où les dirigeants assument des fonctions gouvernementales, leur pouvoir et leur statut ne dépendent plus des militants du parti. En outre, ils sont soumis à tout un nouvel ensemble de pressions. Les représentants des groupes d'intérêts qui tentent normalement d'influencer le fonctionnement quotidien de tout État libéral, s'adresseront désormais directement aux dirigeants. Les militants, pour leur part, n'auront plus de relation privilégiée avec eux. Les groupes de pression ont des ressources beaucoup plus importantes à leur disposition et les militants ne reprennent de l'importance qu'à l'occasion de la prochaine campagne électorale. Le leadership acquiert inévitablement une certaine indépendance vis-à-vis des militants et les structures du parti s'atrophient.

Il n'y a pas de doute que ce phénomène se soit produit au sein du Parti québécois après la victoire de 1976. En fait, au moment de leur entrée en fonction, les dirigeants péquistes ont déclaré assez ouvertement qu'ils se voyaient désormais comme membres d'un gouvernement et qu'ils ne se sentaient pas exclusivement liés par leur appartenance au parti. René Lévesque a carrément averti les militants « de ne pas se prendre pour le gouvernement[70] ». De fait, le parti perdit beaucoup de son dynamisme après la prise du pouvoir. En novembre 1978, un observateur attentif écrivait: « Dirigé par un exécutif timide, effacé et pour l'essentiel soumis aux volontés de René Lévesque, mal à l'aise face à un gouvernement qui prend toute la place et souffre peu la critique, hanté par la crainte que toute discorde publique vienne nuire aux chances de succès du référendum, le Parti québécois n'est plus que l'ombre de lui-même. Largement replié sur lui-même depuis la victoire de novembre 1976, il a délibérément choisi de fuir toute contestation ouverte du pouvoir gouvernemental et s'est réfugié dans les coulisses plus sûres et plus discrètes de la pression et du lobbying politiques[71] ».

La direction du Parti québécois demeurait en même temps très dépendante de ses militants sur un point critique: elle avait besoin de leur collaboration pour gagner le référendum; elle devait maintenir le même militantisme que du temps où le parti était dans l'opposition. Or cela ne pouvait que devenir de plus en plus difficile dans la mesure où le projet d'indépendance était retardé. En mai 1979, un vieux militant, Robert Barberis, dénonçait « les arrogances du pouvoir » et la tentative de « technocratiser la démarche vers la souveraineté-association[72] », qu'il rendait responsable de la démobilisation du parti. Au congrès de la même année, la candidate à la vice-présidence du parti, Louise Harel, lançait un avertissement à l'effet que les dirigeants ne devaient pas devenir « les dépositaires ou les gestionnaires de la question nationale » et déclarait: « Nous ne gagnerons rien en dissimulant nos idées ». Ces remarques lui valurent de chauds applaudissements et Louise Harel fut élue à la vice-présidence avec une majorité importante, malgré l'opposition ouverte de René Lévesque et d'une grande partie de l'état-major péquiste[73].

La stratégie étapiste pose enfin une contradiction entre le rôle de « bon gouvernement » que le parti s'est engagé à tenir et l'argument selon lequel un Québec souverain permettrait au gouvernement de s'acquitter de toutes ses responsabilités. Tout d'abord, l'option indépendantiste peut empêcher le gouvernement d'assumer ses responsabilités « provinciales ». Les motifs de certaines politiques peuvent parfois être mis en doute et leur effet peut être différent de celui qui avait été prévu. Ainsi, malgré les protestations de Camille Laurin et d'autres porte-parole du gouvernement à l'effet que la loi 101 avait pour seul but de résoudre les problèmes linguistiques et de corriger les carences de la loi 22, plusieurs observateurs persistaient à dire que cette loi servait plutôt à mobiliser la population en faveur de l'indépendance, en dressant les anglophones contre les francophones et en faisant du Québec un État « séparé » du point de vue linguistique. Même présentée par un autre parti, cette loi aurait sans doute suscité les mêmes oppositions. Mais le fait qu'elle fut présentée par un gouvernement souverainiste n'arrangeait rien et compliquait certainement la tâche de ceux qui devaient la faire respecter.

La contradiction peut également jouer dans le sens contraire: en assumant ses fonctions et en obtenant des succès dans certains domaines, le gouvernement contribuerait malgré lui à restaurer une certaine crédibilité du système fédéral. Pour reprendre l'exemple de la politique linguistique, on sait que les principales dispositions de la loi 101 s'inscrivent dans le domaine constitutionnel d'un gouvernement provincial. La Cour suprême a déclaré inconstitutionnels les articles visant à éliminer l'usage de l'anglais dans les documents législatifs et dans les procédures judiciaires[74]. Mais la capacité de « franciser » la société québécoise dépend surtout de la langue de travail et de l'accès à l'école anglaise. Or les articles touchant ces deux domaines n'ont pas été déclaré inconstitutionnels et il n'y a pas lieu de croire qu'ils le seront. Dans la mesure où, de l'aveu même de ses auteurs, cette loi représente une mesure importante, le gouvernement aura fait la démonstration non pas de la nécessité de l'indépendance mais de la possibilité de réaliser des changements significatifs dans le cadre fédéral existant.

Les relations intergouvernementales dans le cadre de la stratégie étapiste

Les contradictions entre les responsabilités du gouvernement provincial et la volonté de créer un État souverain apparaissent clairement dans les relations intergouvernementales du gouvernement péquiste. Dans la mesure où ce gouvernement conclut des accords avec d'autres gouvernements au Canada, il donne des arguments à ceux qui prétendent qu'un gouvernement fort peut toujours servir les intérêts du Québec dans le cadre du système fédéral. Et si le gouvernement péquiste veut démontrer qu'il est un « bon gouvernement », il ne peut faire autrement. Un certain degré de collaboration est inévitable, compte tenu qu'il existe déjà un nombre incalculable d'accords fédéraux-provinciaux et interprovinciaux. Malgré les discours et les départs aussi précipités que prévisibles des conférences fédérales-provinciales, le gouvernement péquiste a bien été obligé de collaborer avec Ottawa dans le cadre de nombreux programmes. En fait, il a même conclu des accords importants, en particulier dans des domaines qui touchent un grand nombre de citoyens et où les attentes de la population sont assez clairement exprimées. Aussi le gouvernement péquiste ne peut-il s'empêcher de donner une certaine crédibilité au système qu'il cherche à changer.

Le cas qui illustre le mieux cette nécessité de collaborer et d'éviter une confrontation publique a trait à la gestion de l'économie. Dès le début, le gouvernement a dénoncé les politiques économiques du gouvernement fédéral, charchant à démontrer par une analyse des comptes nationaux que le Québec donnait plus qu'il ne recevait.

C'est Ottawa qui était responsable de la détérioration de l'économie du Québec. De son côté, le gouvernement fédéral rejetait le blâme sur le gouvernement québécois. Mais, vers la fin de 1977, la pression populaire a poussé les deux gouvernements à collaborer. Lors d'une rencontre à Québec, Trudeau et Lévesque se délcarèrent déterminés, malgré leurs divergences d'opinion sur la question constitutionnelle, à tout mettre en oeuvre pour combattre l'inflation et relancer l'économie[75].

Au cours des six premiers mois de 1978, ils devaient annoncer sept nouveaux programmes de dépenses impressionnants: 77 000 000$ pour les infrastructures industrielles[76]; 200 000 000$ pour la purification des eaux dans la région de Montréal[77]; 50 000 000$ pour la construction d'une autoroute reliant Montréal et l'aéroport de Mirabel[78]; 76 000 000$ pour le tourisme, les sites culturels et les loisirs[79]; 35 000 000$ pour les améliorations municipales dans le nord-est du Québec[80]; 35 000 000$ pour les améliorations dans 17 autres municipalités[81]; et 47 000 000$ (pour l'année 1978 seulement) pour soutenir les améliorations municipales[82]. Dans chacun des cas, Ottawa s'engageait à couvrir 60% ou plus des dépenses prévues.

Des pressions analogues ont eu le même effet dans le domaine des affaires sociales. Le gouvernement péquiste avait régulièrement dénoncé les programmes fédéraux en matière d'éducation et de santé, les qualifiant d'intrusions inacceptables dans les compétences provinciales et exigeant qu'Ottawa s'en retire immédiatement. Mais lorsque vint le moment de négocier de nouveaux accords, Québec fit plutôt preuve de souplesse. Dans le domaine de l'assurance-hospitalisation et de l'assurance-maladie, le gouvernement fédéral proposait de renouveler les accords de 1977, mais s'il acceptait de maintenir la formule de « paiement en bloc », il refusait de céder des points d'impôt. À condition de respecter certaines conditions minimales, les gouvernements provinciaux recevraient des compensations régulières. Par esprit de « réalisme » et de « solidarité » (avec les autres provinces), le gouvernement du Québec s'est senti obligé d'accepter l'arrangement qui était offert[83].

Enfin, le domaine des affaires municipales a toujours été un sujet de friction entre les deux gouvernements. Dans un « dossier noir », le gouvernement du Québec accusait Ottawa de s'ingérer dans cette sphère de compétence provinciale et d'être la cause d'inefficacité et de gaspillage. Pourtant, en mai 1978, le ministre des Affaires municipales acceptait un arrangement en vertu duquel le Québec ne servirait en effet que d'intermédiaire dans la distribution des paiements fédéraux aux municipalités. Les fonds fédéraux seraient transmis directement aux gouvernements provinciaux, mais ils ne serviraient qu'aux municipalités; les provinces en feraient la répartition d'après des normes fédérales. Comme les autres provinces, le Québec accepta que l'annonce des subventions se fasse en présence des représentants fédéraux et qu'une campagne de publicité préciserait d'où viennent les fonds. De plus, les provinces s'engageaient à fournir à Ottawa un bilan annuel concernant l'usage de ces fonds[84].

Le gouvernement Lévesque a conclu au moins une nouvelle entente globale dans le domaine de l'immigration. En vertu de l'accord signé le 20 février 1978, le Québec obtenait le droit de refuser l'entrée non seulement des immigrants permanents mais des étudiants, des travailleurs temporaires et des réfugiés. Comme par le passé, les immigrants doivent obtenir l'approbation d'Ottawa avant d'entrer au Québec ou ailleurs au Canada, mais désormais le gouvernement du Québec peut refuser de les admettre sur son territoire. Les personnes qui par ailleurs ont été admises dans d'autres provinces peuvent toujours déménager au Québec par la suite et ce, sans l'approbation du gouvernement provincial[85]. Mais il reste que le gouvernement du Québec a obtenu un pouvoir de contrôle très important en matière d'immigration — en fait, le plus qu'il pouvait obtenir dans le cadre d'un système fédéral. On pourrait affirmer qu'en signant ce nouvel accord, le Québec prouvait les « vertus » du système fédéral existant et démontrait que même sans changement constitutionnel, sans parler de souveraineté, le système fédéral pouvait répondre à l'un des besoins essentiels du Québec. Comme dans le cas de la loi 101, le gouvernement péquiste a peut-être affaibli la cause de la souveraineté simplement en exploitant vigoureusement les compétences du gouvernement provincial.

Par contre, à une occasion, le Québec a trouvé avantage dans une confrontation avec Ottawa: c'est lorsque le gouvernement fédéral fit une proposition pour réduire la taxe de vente provinciale. Au printemps de 1978, Ottawa annonça un nouveau programme en vertu duquel les provinces qui réduiraient leur taxe de vente, auraient droit à un remboursement total ou partiel (dépendant de la province). Le Québec, seule province à refuser de participer, annonça l'abolition totale et immédiate de la taxe de vente sur plusieurs biens importants pour son économie: les textiles, le vêtement, les meubles, les chaussures et les chambres d'hôtel. À la suite de quoi, il exigea un remboursement. Le gouvernement put ainsi faire la preuve qu'il était mieux en mesure qu'Ottawa de reconnaître et de défendre les intérêts particuliers des Québécois[86]. Devant le refus d'Ottawa de rembourser complètement le Québec, il put gagner des appuis non seulement au Québec mais ailleurs au Canada. Mais là encore, le gouvernement fit-il pour autant avancer la cause de l'indépendance? S'il reçut un appui aussi massif des autres capitales provinciales, n'était-ce pas parce qu'il se contentait de défendre un principe bien établi que le Québec ait la primauté en matière de taxation directe. Le Québec démontrait tout au plus que le système fédéral pouvait bien fonctionner à condition qu'il y ait un partenaire flexible à Ottawa. Cette idée est d'ailleurs partagée par plus d'un fédéraliste au Canada.

La position contradictoire du gouvernement péquiste aurait pu se manifester une fois de plus lors des discussions fédérales-provinciales sur la révision constitutionnelle. Si Ottawa et les neufs autres provinces avaient pu s'entendre sur un arrangement constitutionnel qui aurait effectivement répondu aux demandes des gouvernements québécois précédents, le gouvernement péquiste se serait sans doute senti obligé de donner son accord. Ce faisant, il aurait admis que le Québec n'avait plus de raison de s'opposer au rapatriement de la constitution. Heureusement pour lui, il ne s'est pas trouvé pris dans ce dilemme. Avant novembre 1981, les discussions fédérales-provinciales n'ont pas abouti et le Québec n'était pas seul responsable de l'échec; en fait, toutes les autres réformes proposées rencontraient l'opposition d'autres gouvernements provinciaux. Le gouvernement a ainsi toujours pu refuser un rapatriement qu'aurait rejeté tout « bon »gouvernement provincial.

En somme, la décision de retarder le débat sur l'indépendance et d'adopter la formule étapiste de « bon » gouvernement provincial impliquait les mêmes stratégies que celles des gouvernements provinciaux précédents. Le Parti québécois devenait un acteur conventionnel d'un système qu'en principe il avait l'intention de détruire. Même la confrontation spectaculaire au sujet de la taxe de vente fut présentée comme un moyen de défense de l'autonomie provinciale et de respect de la constitution. Maurice Duplessis n'aurait pas agi différemment.

Il est certain qu'en acceptant tacitement les « règles du jeu » fédéralistes pendant trois ans, le gouvernement du Parti québécois a malgré lui contribué à discréditer l'idée que le système ne peut être réformé. Il lui est sans doute aussi devenu plus difficile de faire admettre que la situation est si grave que l'indépendance est la seule solution possible.

* * *

Les trois premières années du gouvernement Lévesque ne concordent pas bien avec l'image que le Parti québécois s'était donnée, du temps qu'il était dans l'opposition. Les documents publiés avant 1976 étaient imprégnés par la volonté technocratique d'utiliser au maximum les pouvoirs de l'État et laissaient transparaître un sentiment d'urgence à libérer le Québec des entraves du fédéralisme. Or le gouvernement a fait preuve de retenue et de prudence, tant dans sa façon de gouverner que dans sa stratégie pour promouvoir la souveraineté.

Dans le cas de réelles initiatives, elles étaient loin d'avoir la portée qu'on aurait pu attendre: qu'on pense à la décision de nationaliser une seule entreprise de l'industrie de l'amiante et de restreindre le nouveau régime d'assurance-automobile aux seules blessures corporelles. Fait encore plus significatif, on a créé peu de nouvelles sociétés d'État et les entreprises publiques existantes ont été l'objet de critiques sévères. Apparemment, des contraintes majeures ont empêché le gouvernement de donner suite aux mesures étatistes annoncées dans les documents pré-électoraux du parti. Il va sans dire que le gouvernement a laissé de côté d'autres éléments du programme, ce qui a pu lui aliéner un certain nombre de militants.

Dans une large mesure, la modération relative du gouvernement peut s'expliquer par les contraintes fiscales qui pèsent sur tous les gouvernements de l'Amérique du Nord: pression croissante contre toute augmentation des impôts et montée des coûts des emprunts publics. Mais cette modération reflète aussi les préoccupations qui avaient façonné l'approche étapiste du PQ. La population du Québec, soutenait-on, n'était tout simplement pas prête à accepter des changements brusques. D'autre part, il fallait convaincre les élites économiques et politiques américaines que le gouvernement d'un Québec souverain serait « responsable », se contentant de « civiliser » le capital étranger.

L'annonce de la question qui serait posée au référendum signifiait que le gouvernement s'imposait encore une autre étape: tout changement de statut politique du Québec qui émergerait des négociations entre le Québec et le Canada après le référendum (si le oui devait l'emporter) ferait l'objet d'un deuxième référendum. Plutôt que de constituer une décision historique des Québécois en faveur de l'indépendance, un oui obtenu dans le cadre de ce référendum donnerait au gouvernement du Québec un mandat de négocier avec le reste du Canada une « nouvelle entente » basée sur la souveraineté-association[87]. Advenant que ces négociations aboutississent, les termes de cette « nouvelle entente » devraient être approuvés par un autre référendum. L'étape ultime, l'accession du Québec à l'indépendance était reportée une fois de plus.

Chapitre 10

La souveraineté-association: sa signification et ses chances de réussite

C'est au cours du printemps 1979 que la direction du Parti québécois a finalement produit un document plus élaboré sur le projet d'association entre un Québec souverain et le reste du Canada. Intitulé *D'égal à égal*, ce document a été ratifié (moyennant quelques changements mineurs) au congrès national du parti en juin 1979[1]. Cinq mois plus tard, le gouvernement publiait un livre blanc intitulé *La nouvelle entente Québec-Canada* dont le sous-titre était *Proposition du gouvernement du Québec pour une entente d'égal à égal: la souveraineté-association*[2]. Le livre blanc reprend (avec quelques modifications) le modèle d'association économique présenté dans *D'égal à égal* et décrit en détail les institutions de l'éventuelle association.

L'association qu'on propose dans ces deux documents reflète bien le désir d'une indépendance qui ne soit pas une rupture radicale. En fait, le préambule du document *D'égal à égal* déclare que l'intérêt du Québec comme celui du Canada exigent que « dans une mesure compatible avec nos intérêts collectifs, la nation accède à la souveraineté dans une perspective de continuité économique[3] ». Le Québec assumerait formellement les pouvoirs d'un État souverain et récupérerait sa part de l'actif et du passif du gouvernement fédéral. Mais il maintiendrait un niveau relativement élevé d'intégration économique avec le reste du Canada.

La souveraineté politique liée à une association économique étroite

Le livre blanc aborde différentes formes de coopération économique. Premièrement, par une union douanière, les parties conviendraient de ne pas dresser de barrières commerciales entre elles et d'adopter des tarifs communs avec les autres pays. Deuxièmement, il y aurait libre circulation des capitaux et des personnes entre les deux États. Troisièmement, les deux États maintiendraient le dollar comme seule monnaie mais pourraient maintenir une banque centrale de part et d'autre. Compte tenu du fait qu'on garderait une monnaie commune, les deux parties s'entendraient pour coordonner « leurs politiques de conjoncture ». Quatrièmement, il pourrait y avoir une collaboration étroite en matière de transport ferroviaire et aérien; entre autres, les deux États géreraient en commun Air Canada et le Canadien National. Enfin, pour assurer la continuité des relations internationales, un Québec souverain serait membre à la fois de l'OTAN et de NORAD. Le livre blanc reprend à ce sujet les propositions contenues dans le document *D'égal à égal*. Par contre, il laisse de côté un sujet qui était exposé dans le même document: les accords destinés à protéger les minorités linguistiques et les populations autochtones. Pourtant, ce sujet serait vraisemblablement à l'ordre du jour des éventuelles négociations sur la souveraineté-association.

Ces propositions aboutiraient à la fois à un marché commun et à une union monétaire partielle. Comme telles, elles vont au-delà de l'intégration qui existe au sein de la Communauté économique européenne et excèdent grandement le niveau d'intégration du Conseil nordique des États scandinaves, souvent cité comme un exemple de souveraineté-association[4]. *D'égal à égal* précise qu'il pourrait y avoir certaines restrictions à la libre circulation des biens et des personnes au sein de l'association Québec-Canada, qui, pour la plupart, existent déjà dans le système fédéral actuel. Tout comme c'est déjà le cas, on pourrait avoir un système de protection des produits agricoles, des programmes d'aide temporaire au développement industriel et des politiques d'achat préférentielles. Il pourrait également y avoir des restrictions à la circulation des personnes pour assurer le bon fonctionnement du marché du travail, notamment dans le secteur de la construction. Pour sa part, le livre blanc ne mentionne aucune restriction au mouvement de la main-d'oeuvre et, chose surprenante, il semble même proposer l'élimination des politiques d'achat préférentielles: « Les deux États adopteront les dispositions voulues pour garantir la libre concurrence à l'intérieur de leur marché et s'abstiendront de toute mesure fiscale discriminatoire à l'égard de leurs produits[5] ». La nouvelle association économique Québec-Canada serait plus proche d'une union douanière complète que le Canada actuel.

C'est surtout au niveau de la circulation des capitaux que de nouvelles restrictions apparaîtraient. Les deux documents donneraient aux États associés le pouvoir d'établir des codes d'investissement et de réglementer « certaines » institutions financières. Dans ce domaine également, *D'égal à égal* inclut le droit d'établir « toute autre mesure temporaire ou permanente jugée nécessaire par l'une ou l'autre des parties, toute dérogation au principe général de la libre circulation des capitaux devant faire l'objet d'une entente particulière[6] ». Bien que certains gouvernements provinciaux aient pris des mesures pour influencer le mouvement des capitaux, ils n'ont pas le pouvoir de le restreindre directement (comme le suppose un « code des investissements »).

Alors que cette nouvelle association garderait intactes plusieurs des formes actuelles d'intégration économique entre le Québec et le reste du Canada, elle restructurerait les institutions politiques qui les gouvernent. Il n'y aurait pas de gouvernement fédéral qui maintiendrait des compétences exclusives; toutes les institutions seraient créées par les gouvernement du Québec et du Canada. Elles dépendraient du soutien financier des deux gouvernements ou des revenus provenant d'activités qui auraient été convenues par ces derniers; elles ne pourraient pas se financer de façon autonome. Les personnes appelées à gérer ces institutions seraient nommées par les deux gouvernements; elles ne pourraient être élues par la population des deux États. Et enfin, dans l'optique du principe de la parité, les représentants du Québec et du Canada auraient un nombre égal de votes dans la plupart des organismes.

Chacun de ces principes est clairement exposé dans les deux documents du parti. Sur le principe de la parité entre le Québec et le Canada, le livre blanc se montre beaucoup plus ouvert: apparemment, les organismes de l'association ne seraient pas tous paritaires.

Le livre blanc diverge ainsi quelque peu du ton des résolutions adoptées au congrès national.

Le congrès national avait affirmé qu'un Québec souverain voudrait « faire en sorte que les institutions à mettre en place pour régir les domaines d'activité mis en commun ainsi que les mécanismes d'interprétation et d'arbitrage des ententes soient constitués selon le principe général de la parité[7] ». Se conformant à ce principe, le congrès proposait la création de deux institutions pour l'association Québec-Canada. Premièrement, il préconisait la création d'un « organe décisionnel formé de ministres délégués par chacun des gouvernements et agissant suivant les instructions de leur gouvernement[8] ». Les décisions de cet organe seraient prises « à l'unanimité, chaque État disposant d'un vote ». Une autre résolution proposait la création d'une Cour de justice formée d'un nombre égal de juges nommés par chaque gouvernement, plus un président dont la nomination serait approuvée par les deux gouvernements. La cour aurait pour tâche d'interpréter les accords en vertu desquels aurait été constituée l'association des deux États et au moyen desquels cette association fonctionnerait[9]. Chose intéressante à noter, le congrès rejeta l'idée d'une assemblée interparlementaire, préconisée par Charbonneau et Paquette dans leur livre: on trouvait qu'une telle assemblée ne pouvait que restreindre la souveraineté du Québec[10].

Dans son livre blanc, le gouvernement précise l'application du principe de la parité en ces termes: « Dans une association à deux, certains sujets fondamentaux doivent naturellement être assujettis à la parité, sans quoi l'une des parties serait à la merci de l'autre. Cela ne signifie pas, cependant, que, dans la pratique quotidienne, tout sera soumis à un double veto[11] ». Abordant ensuite les deux institutions telles qu'élaborées par le congrès national, il prend soin de restreindre l'autorité du conseil communautaire à des questions qui seraient définies comme « fondamentales » dans le traité de l'association. De plus, il décrit deux autres organismes qui ne seraient ni l'un ni l'autre explicitement paritaires. Une commission d'experts ou un secrétariat général serait composé de spécialistes nommés par les deux gouvernements, mais on ne précise pas le nombre de membres qui seraient nommés par chaque État. D'autre part, l'autorité monétaire qui verrait à l'administration quotidienne de la masse monétaire et des taux de change n'aurait qu'une représentation québécoise minoritaire, puisque « le nombre de sièges alloués à chaque partie au conseil d'administration serait proportionnel à l'importance relative de chacune des deux économies[12] ». Enfin, le livre blanc soulève la possibilité que la représentation dans d'autres organismes puisse être déterminée par l'importance particulière qu'ils ont pour chaque État: « Rien n'interdit, au reste, de prévoir des cas où serait reconnu l'intérêt particulier de l'une des parties: le Canada pourra avoir une voix prépondérante dans le domaine du blé, et le Québec dans celui de l'amiante[13] ».

C'est en fait une manière de reconnaître l'énorme disproportion économique et démographique entre les deux parties de l'association proposée. Le livre blanc reconnaît que « la présence de deux partenaires seulement, démographiquement et économiquement inégaux, posera certaines difficultés au cours de la négociation[14] ». Il y a tout lieu de croire, en effet, que le poids économique et démographique du Canada exercerait une influence prépondérante dans l'élaboration des politiques, même si le Québec devait jouir de la parité formelle dans tous les organismes de l'association[15]. En offrant la possibilité d'assouplir l'application du principe de la parité, le livre blanc se rend à l'évidence d'une collaboration entre deux partenaires de taille nettement différente. De plus, cet « équilibrage » des intérêts du Québec et de ceux du Canada s'étendrait à une grande partie de la politique économique, y compris à la politique commerciale et à la politique monétaire. Advenant que la nouvelle association comprenne des services communs comme une ligne aérienne ou un système ferroviaire, la politique québécoise du transport s'en trouverait également affectée. Ainsi, la souveraineté-association garderait intacts plusieurs aspects de l'ordre politique actuel et plus d'un domaine de la politique économique demeurerait lié à des organismes pancanadiens, dans lesquels le Québec aurait moins d'influence que le Canada.

Bien sûr, avec un tel arrangement, le Québec y gagnerait beaucoup par rapport à la situation actuelle. Il se verrait attribuer les symboles de la souveraineté politique, y compris le droit de siéger aux Nations unies. Il aurait l'autorité exclusive de faire des lois sur son territoire. Il pourrait exercer le contrôle entier sur les impôts et les dépenses du secteur public (bien qu'une union monétaire pourrait nécessiter une certaine coordination de la politique fiscale avec le Canada). Il serait en mesure d'élaborer des politiques industrielles, sans avoir à s'inquiéter d'une éventuelle politique opposée du gouvernement fédéral. Il pourrait prendre en main plusieurs domaines de réglementation économique, comme la surveillance des opérations bancaires et des institutions financières et la restriction de la propriété étrangère des grandes entreprises[16]. Mais le contrôle qu'il exercerait sur la politique économique ne répondrait certainement pas aux aspirations de nombreux indépendantistes.

Comme nous l'avons vu, le Parti québécois semblait s'être progressivement éloigné de l'idée d'une coopération économique étroite avec le Canada; comme le note Vera Murray, il y avait eu « un refroidissement de l'enthousiasme[17] ». Dans l'esprit de plusieurs péquistes, l'association économique avec le Canada ne constituait plus une condition nécessaire à l'indépendance du Québec; elle était perçue simplement comme souhaitable. À partir de 1977, la section du programme consacrée aux relations économiques extérieures stipulait simplement qu'une union douanière avec le Canada était souhaitable si les deux parties la trouvaient avantageuse. À la veille de la victoire électorale, l'économiste Jean-Paul Vézina écrivait que « le Québec ne contrôle pas la politique commerciale, ni la politique monétaire (...) Ces outils sont indispensables pour réaliser une foule des engagements pris par le PQ[18] ». Durant l'été de 1978, Jacques Parizeau affirmait qu'une union douanière était essentielle, mais qu'une union monétaire était « loin d'être indispensable à la survie économique d'un Québec indépendant ». Il allait même jusqu'à dire qu'une union monétaire représenterait une contrainte très importante sur la souveraineté politique, vue la nécessité de coordonner les politiques fiscales et certaines autres politiques économiques[19].

Comme le modèle d'association décrit dans le document *D'égal à égal* l'indique, René Lévesque et d'autres dirigeants ont fermement résisté à cette tendance[20]. Leur raisonnement demeure à peu près le même qu'au milieu des années 1960, alors que Lévesque fondait le Mouvement souveraineté-association et écrivait *Option Québec*[21]. Certains éléments du parti, particulièrement les anciens membres du RIN, s'élevaient contre les implications d'un engagement formel à l'association, craignant que cela ne compromette l'objectif même de l'indépendance; Lévesque et ses collègues pensaient autrement.

La détermination de ces dirigeants à lier la souveraineté à une association économique reflète leur conviction que les Québécois n'accepteront pas de changement brusque ou radical et qu'il faut présenter l'accession à la souveraineté comme un processus ordonné au moyen duquel les Québécois ne peuvent qu'améliorer leur situation relative: les coûts de la transition vers la souveraineté doivent être minimisés dans la mesure du possible.

Comme nous le verrons un peu plus loin, certains experts prétendent que le Québec gagnerait plusieurs leviers économiques importants en accédant à l'indépendance complète, sans association économique. Les avantages que le Québec retirerait d'une monnaie distincte ou d'une politique commerciale séparée pourraient bien *à long terme* contrebalancer les pertes subies en rompant les liens économiques avec le Canada. Mais on admet qu'il y aurait des coûts importants à court terme. Dans la perspective du gouvernement, les coûts à court terme doivent primer sur les gains éventuels à long terme; ces coûts doivent être évités, quels qu'ils soient[22]. Le gouvernement n'entend pas parler de sacrifices à court terme pour récolter des avantages à long terme: ce discours appartient à une autre époque, celle de Pierre Bourgault et de ses partisans du RIN, que Lévesque ridiculise en les appelant « les purs et les durs ». Le maintien d'une association économique Québec-Canada contribuerait au moins à réduire les coûts à court terme. Si l'on doit renoncer à certains avantages de la souveraineté complète, c'est par « réalisme » et par « sens des responsabilités ».

Les coûts et les avantages de la souveraineté sans association

À long terme, un Québec souverain tirerait des avantages appréciables d'une politique commerciale autonome; il aurait aussi à en payer certains coûts[23]. Les désavantages à long terme sont bien connus. Le Québec serait en position plus faible pour négocier des tarifs avec d'autres pays, s'il le faisait seul plutôt que de concert avec le Canada. Ses industries, qui ne sont pas très concurrentielles et qui nécessitent beaucoup de main-d'oeuvre seraient moins en mesure de faire face aux pressions internationales pour la libéralisation des échanges[24]. Le marché protégé étant beaucoup plus petit, il y aurait des pertes au niveau des économies d'échelle et de l'efficacité de la concurrence interne. Il serait également plus difficile de s'approvisionner auprès de fournisseurs compétitifs[25]. (Bien entendu, un Québec souverain pourrait surmonter ces obstacles s'il se joignait à une autre entité économique dans le cadre d'une union douanière, qu'il s'agisse des États-Unis ou de la Communauté économique européenne.) Le Québec perdrait l'accès assuré aux réserves énergétiques du Canada[26]. Il perdrait l'accès sans restriction aux marchés canadiens pour ses produits manufacturés. Comme les études l'ont maintes fois montré, le marché canadien est important pour les manufacturiers québécois: en 1973, il absorbait 55,6% des exportations de produits manufacturés, ce qui représentait 18,3% du produit national brut du Québec[27]. De plus, la plupart de ces exportations vers le reste du Canada reposent sur des industries qui utilisent beaucoup de main-d'oeuvre (textiles, vêtements) et qui dépendent fortement de la protection tarifaire.

Comme nous l'avons souligné plus haut, un Québec souverain bénéficierait également d'avantages importants. Il serait beaucoup plus en mesure d'utiliser les structures tarifaires pour promouvoir la réorganisation de ses industries et les rendre plus efficaces et plus concurrentielles au niveau international[28]. Élément important d'une stratégie industrielle générale, une politique commerciale indépendante pourrait constituer une réponse dynamique à la libéralisation des échanges. Le Québec n'aurait pas non plus à subir les pressions qui s'exercent souvent sur les partenaires d'une union douanière pour qu'ils évoluent vers une intégration économique plus étroite[29].

Par ailleurs, plusieurs économistes soutiennent que les coûts directs du retrait de l'union douanière canadienne seraient en fait assez limités et pourraient à long terme être absorbés assez facilement. Certains produits québécois resteraient concurrentiels sur le marché canadien et d'autres pourraient le devenir au fur et à mesure que les producteurs québécois relèveraient le défi. Si l'abolition de la libre circulation des biens entre le Québec et le Canada ferait disparaître quelques-uns des échanges instaurés par la confédération, elle ferait aussi disparaître le « détournement des échanges » qui en découle. Le Québec serait libre de recourir à des fournisseurs d'autres pays pour obtenir des biens à meilleur marché. Clarence Barber a calculé que les effets combinés de l'actuelle union douanière canadienne (économies d'échelle, concurrence accrue, détournement ou création des échanges) constituent seulement un apport de l'ordre de 1,5% aux revenus du Québec[30].

Bref, on peut raisonnablement soutenir qu'à long terme le Québec profiterait du retrait de l'union douanière canadienne ou du moins qu'il ne s'en trouverait pas plus mal. Mais ces arguments ont leurs limites. Ils ne traitent que des effets « statiques » qui résulteraient du fait de ne plus appartenir à l'union canadienne; le processus de désengagement peut produire des effets « dynamiques » à long terme, effets qui seraient à la fois positifs et négatifs et qui sont difficiles à prévoir. Même les arguments sur les effets « statiques » ne sont que « plausibles ». Mais ces argumenst auraient dû suffire à rassurer les indépendantistes fervents. Si ces indépendantistes ont été amenés à opter pour une association économique plutôt que pour l'indépendance complète, ce n'est pas parce qu'on leur aurait fait la démonstration des coûts à long terme de l'indépendance. Une telle démonstration ne peut pas être faite.

À court terme cependant, le Québec (de même que le Canada) aurait des coûts à payer pour s'ajuster à la nouvelle structure commerciale. Le Québec serait immédiatement confronté avec le problème du chômage dans les industries qui jouissent de la protection tarifaire. D'après une évaluation, le Québec compterait 41 000 chômeurs de plus, s'il devait s'engager dans une bataille tarifaire avec le Canada[31]. Une autre évaluation estime ce chiffre à 149 000 (soit une baisse d'emplois de 6,5%[32]). Le chômage qu'on connaîtrait au début du nouveau régime pourrait bien se résorber à la longue, au fur et à mesure que les industries exploiteraient les nouvelles possibilités du marché québécois et que le gouvernement utiliserait ses nouveaux pouvoirs pour rendre l'économie plus concurrentielle au niveau international. Mais le gouvernement devrait porter le fardeau des dépenses élevées pour soutenir les revenus et faire face au mécontentement général devant le chômage. Un parti qui croit que les Québécois sont contre tout changement brusque, sans parler de changement coûteux, ne saurait envisager une souveraineté qui impliquerait des tensions importantes. Même si les coûts ne devaient être que de courte durée et qu'ils devaient être compensés par les avantages à long terme, ils ne seraient pas plus acceptables.

Le même problème se pose pour la monnaie. Comme nous l'avons vu, certains péquistes ont vigoureusement défendu l'idée qu'un Québec souverain devrait avoir sa propre monnaie plutôt que d'entrer dans une union monétaire avec le Canada. Ils peuvent faire valoir plusieurs avantages à long terme[33]. La monnaie peut constituer un symbole tangible du statut national auquel les citoyens sont exposés tous les jours. Mais, fait plus significatif, le contrôle de la masse monétaire peut être un outil important pour améliorer les échanges ou protéger le Québec des fluctuations économiques externes. L'économiste Tim Hazeldine a tenté de montrer comment une monnaie distincte pourrait faciliter la transition. Si un Québec nouvellement indépendant dévaluait sa monnaie de 9,3%, il pourrait maintenir sa balance des paiements moyennant une baisse d'emplois de seulement 21 500 (à peu près 1%) et « une très faible baisse des taux de salaire ».

Une telle dévaluation représenterait une baisse de 5% du bien-être économique (« taux d'absorption »). Elle réduirait par ailleurs le chômage entraîné par l'indépendance et le taux d'absorption baisserait assez rapidement[34]. Enfin, l'argument peut-être le plus important dans la perspective indépendantiste, c'est que le Québec n'aurait pas à s'imposer la tâche fastidieuse d'une planification et d'une gestion économique commune, qui, aux dires de Parizeau et de certains autres, diminuerait l'attrait de la souveraineté[35].

Une monnaie indépendante implique pourtant des coûts permanents. Il y a d'abord le fardeau de maintenir des réserves de devises et de combler les déficits dans la balance des paiements dans la mesure où l'on voudrait agir sur les taux de change. Le Québec ne pourrait plus participer au marché intégré des capitaux du Canada. En dernier lieu, une monnaie séparée implique des coûts supplémentaires de comptabilité qui pourraient nuire aux échanges[36].

Mais, quelle que soit la part des coûts et des bénéfices à long terme d'une monnaie distincte, il est évident que les partisans d'une union monétaire s'intéressent surtout au court terme. Une nouvelle monnaie risquerait d'être instable dans un premier temps et cela créerait une incertitude propre à encourager la spéculation. (Une monnaie québécoise instable ne pourrait être utilisée pour faciliter la transition à l'indépendance comme le suggère Hazeldine.) Un Québec indépendant pourrait tenter de stabiliser sa monnaie en la liant formellement à une autre monnaie (à celle du Canada ou à celle des États-Unis, par exemple). Mais un tel geste ne serait jamais tout à fait crédible, car le gouvernement pourrait toujours utiliser ses prérogatives pour réajuster la valeur de la monnaie[37]. Dans son discours devant le New York Economic Club, en 1977, Lévesque déclarait que son gouvernement était prêt à négocier une union monétaire avec le Canada, de manière à réduire au minimum l'incertitude dans le domaine économique[38]. Durant la campagne électorale de 1973, les libéraux avaient su exploiter les craintes de la population au sujet d'un éventuel dollar québécois dévalorisé; le Parti québécois ne pouvait se permettre de relancer ce thème lors de la campagne pré-référendaire.

Une dernière catégorie de coûts éventuels à court terme a nettement joué un grand rôle dans la pensée péquiste. Un changement institutionnel, quel qu'il soit, ne peut que faire hésiter les élites économiques[39]. Les investisseurs sont portés à attendre que les changements soient réalisés et qu'on sache comment les nouvelles institutions fonctionneront. Dans le cas de l'accession du Québec à la souveraineté, on ne saurait s'attendre à ce que les élites économiques adoptent une attitude différente. Mais en plaçant la souveraineté du Québec dans le cadre d'une association économique complète, on se trouve au moins à réduire la portée des changements éventuels. Une association économique, même si elle ne va pas aussi loin qu'une union monétaire aiderait à réduire les incertitudes du monde des affaires. Aussi le gouvernement péquiste s'est-il employé à faire savoir aux leaders d'opinion américains que l'accession du Québec à la souveraineté se limiterait à la réorganisation des structures politiques au nord de la frontière américaine; elle ne signifierait pas une rupture totale.

En somme, la conception de la souveraineté du Québec prônée par les éléments dominants du Parti québécois fait ressortir leur préoccupation de minimiser le prix de l'indépendance. On veut éviter les coûts, même s'ils ne sont qu'à court terme et même s'ils peuvent être compensés à long terme par les avantages d'une monnaie et d'une politique commerciale distinctes. Pour écarter le spectre de coûts de transition élevés, le Québec doit devenir d'un seul coup État souverain et partenaire avec le Canada dans une association économique complète. Dans le cadre de cette association, le Québec aurait le statut formel de partenaire égal avec le reste du Canada. Mais, comme nous l'avons déjà noté, il y a lieu de croire que le poids économique et démographique du Canada ferait du Québec un partenaire, mais pas tout à fait égal. Même si le Québec devait jouir d'une égalité réelle au sein de l'association, il serait toujours obligé d'ajuster ses intérêts à ceux du Canada. Il n'aurait pas la liberté de manoeuvre qu'il aurait pu obtenir en faisant disparaître tout lien spécial avec le Canada.

L'association économique a pour avantage de réduire les « coûts » éventuels de la souveraineté. En maintenant une monnaie commune avec le Canada, le Québec éviterait au moins l'instabilité de la nouvelle monnaie québécoise, spécialement durant les premières années. Et en maintenant une union douanière, il n'aurait pas à réorganiser sa base industrielle de manière trop soudaine. En dernier lieu, le maintien d'une intégration économique étroite réduirait sans doute les réticences des investisseurs tant québécois que canadiens ou américains. Ayant intégré tous ces aspects dans sa conception de la souveraineté, le Parti québécois est mieux armé pour donner la réplique à ses adversaires qui prétendent que son projet souverainiste est une

« aventure dangereuse dans l'inconnu ». On rassure les Québécois en réduisant la portée des changements proposés. La question demeure toutefois de savoir si une telle « indépendance tranquille » constituerait une véritable indépendance.

La souveraineté-association et la stratégie péquiste de changement

L'idée de lier la souveraineté à une association économique s'inscrit tout à fait bien dans la stratégie *étapiste* que nous avons examinés au chapitre précédent.

Le discours sur la nécessité du changement et du renouvellement est constamment atténué par les appels à la prudence et au réalisme. À plusieurs reprises, le premier ministre a rappelé que les finances publiques ne permettaient pas d'entreprendre de grands projets. De plus, a-t-il soutenu, si l'on veut la souveraineté, il faut restreindre les dépenses (« le chemin de l'indépendance passe par des finances saines ») et éviter les mesures qui pourraient contrarier certaines parties importantes de la population (d'où le rejet de la résolution sur l'avortement lors du congrès national de 1977). Ces contraintes passent avant même la réalisation du programme. Mais ce n'est pas tout: il faut encore tenir compte de la réticence des Québécois devant les changements trop brusques et de la nécessité de rassurer les élites économiques quant au « bon sens » du parti. On ne peut agir autrement que par étapes, même si certaines contradictions inhérentes à *l'étapisme* risquent de compromettre la réalisation même de la souveraineté. Et enfin, comme nous venons de le voir, la direction péquiste prétend que pour réduire les craintes de la population, il faut lier la souveraineté à une association économique, même si cela veut dire renoncer à plusieurs avantages de la souveraineté.

Ce discours très modéré n'est pas celui auquel on aurait pu s'attendre. Le Parti québécois se montre beaucoup plus prudent que le Parti libéral de 1960. Élu avec le slogan « c'est le temps que ça change », le gouvernement Lesage avait tenu un discours de changement pendant quatre ou cinq ans et avait lancé un train de réformes qui constituaient, à son dire, rien de moins qu'une « Révolution tranquille ».

Cette prudence pourrait être vue comme une simple manoeuvre électorale. La prétendue lenteur de la population à accepter le changement pourrait servir à justifier qu'on étale l'accession à l'indépendance sur une longue période impliquant plusieurs étapes. Tant que l'étape finale n'aurait pas été atteinte (et on peut compter sur les stratèges péquistes pour toujours trouver une autre étape à franchir), le parti pourrait dire que les Québécois ne peuvent remettre leur destin entre les mains d'un autre parti. À ce propos, N. Laurin-Frenette écrit: « On peut penser que l'État québécois pré-souverain va miser aussi longtemps que possible sur l'étapisme. [Au pouvoir, le Parti québécois disposerait d'un avantage idéologique]: celui d'être le gestionnaire d'un terne présent, seulement dans l'attente d'un avenir brillant[40] ».

En réalité, si le gouvernement Lévesque est si sensible aux contraintes qui pèsent sur lui, c'est que ces contraintes sont très fortes, sans doute plus fortes qu'il ne l'avait lui-même prévu. Manifestement, ce gouvernement ne jouit pas de la même marge de manoeuvre que « l'équipe du tonnerre » des années 1960. Les finances publiques du Québec sont en effet très serrées: tandis que les années 1950 étaient marquées par des budgets équilibrés et très peu d'emprunts publics, les années 1970 accusaient au contraire des déficits budgétaires et un accroissement constant des emprunts publics. L'équipe de Lesage avait pris le pouvoir après une longue période de stagnation politique au cours de laquelle un désir de changement avait surgi dans différents milieux. Le gouvernement Lévesque arrive au pouvoir après 15 ans de changements politiques profonds et bon nombre de Québécois en sont peut-être au point où il leur est difficile d'assimiler d'autres changements.

Par ailleurs, la nature même du projet péquiste suscite des mouvements d'opposition bien plus importants que ceux de la Révolution tranquille. Bien que gênés par le néo-nationalisme de l'époque, les Canadiens anglais pouvaient très bien comprendre les réformes des années 1960. Ils pouvaient même présumer (avec leur condescendance habituelle) que le « rattrapage » signifiait la conversion au modèle socio-politique canadien-anglais et l'entrée « dans le grand courant de la vie canadienne ». Par définition, le projet de souveraineté ne peut inspirer de telles illusions d'intégration nationale; au contraire, il met de côté, une fois pour toutes, le mythe « d'un grand Canada ». Pour les élites économiques du Canada anglais, l'idée d'un Québec assumant tous ses pouvoirs législatifs est beaucoup plus troublante que les initiatives économiques de la Révolution tranquille. Quant aux élites américaines, leur habituelle indifférence à l'égard du Québec allait être secouée: le discours de René Lévesque à

New York fut plutôt mal reçu lorsqu'il compara « l'indépendance tranquille » à rien de moins que la Révolution américaine, ce qui évoquait chez plusieurs les horreurs de la guerre de Sécession. L'hostilité ouverte des Canadiens anglais et les appréhensions des Américains ne peuvent qu'alimenter les craintes de la population. La marge de manoeuvre du Parti québécois est donc forcément plus étroite. L'étapisme et la souveraineté-association découlent assez naturellement de ces contraintes.

Certains observateurs refusent d'expliquer les gestes du gouvernement péquiste par ces seules contraintes. Dans le mouvement d'enthousiasme qui a marqué le début du gouvernement péquiste et qui caractérise d'autres mouvements nationalistes, le gouvernement, fait-on remarquer, aurait pu refuser de reconnaître l'existence de ces contraintes, sinon de s'y attaquer directement. En offrant aux Québécois un programme de changement radical visant la création d'un ordre socialiste, par exemple, le PQ aurait pu vaincre les inhibitions des Québécois. Ceux-ci seraient peut-être plus disposés à accepter des sacrifices à court terme si on leur présentait l'idée d'une indépendance « réelle », accompagnée de gains à long terme. Plutôt que la continuité, le PQ aurait pu offrir une libération économique. Il aurait pu se servir de l'hostilité des élites étrangères pour créer une solidarité nationale plutôt que de la présenter comme un problème passager résultant de la mauvaise perception des objectifs péquistes par ces élites. En fait, certains observateurs soutiennent que c'est seulement de cette façon que le PQ peut espérer mobiliser la population en faveur du projet de souveraineté: « Pour la majorité de ces travailleurs toutefois, cet appui à un parti souverainiste procède d'abord et avant tout d'un soutien aux orientations réformistes et aux idéaux socio-démocrates véhiculés par le programme du Parti québécois. Le projet de souveraineté politique du Québec n'a pas de chance d'emporter l'adhésion stable du mouvement ouvrier québécois, par conséquent, qu'à condition de se prolonger en un projet de souveraineté économique, bref, qu'à condition que la souveraineté politique induise la mise en oeuvre de tout un ensemble de réformes structurelles amorçant la transition à un nouveau mode de développement économique et à un type nouveau d'organisation des rapports sociaux[41] ».

Il serait tout aussi difficile de confirmer que de réfuter cette thèse. À ceux qui attirent l'attention sur la réaction actuelle de plusieurs syndiqués contre le « radicalisme » de certains chefs syndicaux, on pourrait répondre que ces derniers n'ont pas défini leurs objectifs en termes suffisamment concrets ou encore qu'ils n'ont pas déployés assez d'efforts pour sensibiliser les travailleurs aux bénéfices d'un changement radical. Il y a sans doute au moins une part de vérité dans la « critique radicale »: la série de « contraintes » évoquée par les dirigeants péquistes ne serait-elle pas essentiellement une projection de ses propres intérêts? À la manière dont les membres de la nouvelle classe moyenne définissent ces contraintes et les acceptent, on peut être justifié de penser que l'explication est ailleurs que dans ces contraintes elles-mêmes.

Une interprétation veut que la détermination du Parti québécois à lier la souveraineté à une association économique provienne moins de la résistance de la population aux changements brusques que des aspirations des dirigeants péquistes à se façonner un rôle au sein du capitalisme nord-américain. Gilles Bourque a soutenu que la souveraineté-association préconisée par le PQ découle logiquement de la domination au sein du parti des leaders de l'ancien Mouvement souveraineté-association qui s'appuient sur les éléments bourgeois de l'État québécois, du mouvement coopératif et de l'entreprise privée. Leur aspiration commune serait d'utiliser les possibilités offertes par la souveraineté du Québec pour créer une « bourgeoisie nationale »; la souveraineté-association serait une projection de ces aspirations. Ces « bourgeois » auraient poussé le parti à accepter l'idée d'une association économique malgré les objections des *indépendantistes* petits bourgeois qui s'étaient ralliés au parti après avoir quitté le RIN. Gilles Bourque écrit: « Le PQ est un parti polyclassiste (petite bourgeoisie et bourgeoisie régionale). Il est placé sous l'hégémonie d'individus qui cherchent à renforcer le capitalisme québécois. Leur projet politique, hégémonique au sein du mouvement nationaliste, est de créer le maximum de conditions favorables au développement du capitalisme québécois [...] Dans le procès de réorganisation du complexe des rapports de force entre les classes (capital américain, canadien et régional), le projet péquiste veut réserver l'espace économico-social le plus large possible au capitalisme régional québécois et secondairement, à la nouvelle petite bourgeoisie. Le changement dans les rapports entre les éléments de ce complexe n'est envisagé de façon significative qu'entre la bourgeoisie canadienne et la bourgeoisie québécoise[42] ».

Si stimulant qu'il soit, cet argument comporte certaines faiblesses. On peut penser en effet que le projet de création d'une bourgeoisie nationale va à l'encontre d'une association économique avec le Canada anglais; puisque la bourgeoisie canadienne-anglaise constituerait le principal obstacle à ce projet, la pleine souveraineté devrait être beaucoup plus attirante. Même si la « bourgeoisie régionale québécoise » a tout intérêt à se garder un accès aux marchés canadiens, est-ce que cela signifie qu'elle trouve son intérêt dans tous les autres aspects de la souveraineté-association? Il est difficile de trouver, du moins dans le secteur privé, des membres importants de l'élite économique francophone dont les intérêts soient exclusivement québécois; la plupart d'entre eux sont en fait plutôt intégrés à l'ensemble pancanadien et la souveraineté politique exerce peu d'attrait sur eux — même si elle est liée à une association économique. Quoi qu'il en soit, comme nous l'avons déjà noté, les gestes du gouvernement ne semblent pas révéler d'effort concerté pour construire une bourgeoisie nationale.

Une analyse plus convaincante assimile les dirigeants péquistes à une « petite bourgeoisie nouvelle » ou, pour employer les termes que nous avons déjà utilisés, à la « nouvelle classe moyenne » composée de bureaucrates et d'intellectuels. Comme nous l'avons déjà noté, les vieux obstacles à la mobilité des francophones dans l'entreprise privée expliquent pourquoi ces « travailleurs du langage » se sont dirigés de plus en plus vers l'État du Québec et vers le secteur parapublic. Ainsi, l'objectif du projet péquiste serait moins la création d'une bourgeoisie nationale qui prendrait la place des capitalistes canadiens-anglais ou américains que l'expansion de l'État québécois et en général du rôle du français comme langue d'acquisition et d'application des connaissances. C'est sur cette base que la souveraineté-association pourrait être acceptable. L'État du Québec y trouverait son compte en accroissant ses pouvoirs fiscaux plutôt qu'en se dotant d'une politique monétaire ou d'une politique commerciale. Pour les francophones qui dépendent du secteur public, doubler la capacité fiscale du Québec représenterait un gain important et la souveraineté ferait disparaître tout doute quant à la prééminence du français au sein des institutions privées et publiques.

Cette thèse a été développée entre autres par Marcel Fournier. Après avoir montré jusqu'à quel point le PQ est guidé par les préoccupations des « travailleurs du langage », Fournier note que « tout nationalisme qui n'est que culturel, linguistique ou même politique, comporte des limites qui ne peuvent pas être totalement masquées ». Aussi, Fournier avance-t-il l'hypothèse que le Parti québécois pourrait bien abandonner l'objectif même de l'indépendance: « Et tant que le projet politique du Parti québécois — une indépendance politique du Québec —, ne s'appuiera pas sur une transformation des rapports économiques, il est fort à craindre qu'il soit contraint d'une part de réduire la question nationale à une simple question linguistique et que d'autre part il tombe dans le piège de la recherche d'une troisième voie (fédéralisme renouvelé, statut particulier, etc.). Le nationalisme équivoque n'aurait alors conduit qu'à l'élaboration d'une solution ambiguë (...) Le gouvernement péquiste préférant, par prudence ou réalisme, ne pas s'attaquer aux grands intérêts économiques, posera certes encore quelques gestes d'éclat mais maintiendra une politique économique relativement conservatrice et s'orientera, au moyen du référendum, qu'il pourrait gagner, vers un nationalisme très édulcoré misant plus sur l'association que sur la souveraineté (...) Le PQ ne nous aurait alors offert qu'une vaste psychanalyse collective[43]! »

Si on conçoit l'accession à l'indépendance comme un processus essentiellement politique plutôt que comme la transformation de la structure du pouvoir économique, l'indépendance ne serait pas une « rupture ». Elle serait plutôt le point culminant d'une longue évolution, « l'étape finale » de la modernisation politique en cours depuis le début des années 1960. (En fait, ce sont les frustrations du système fédéral et les restrictions qu'il impose à l'État québécois qui ont amené plusieurs membres de la nouvelle classe moyenne à la cause de la souveraineté.) Si la souveraineté-association ne crée pas la base d'une bourgeoisie nationale, elle peut au moins accroître les fonctions de l'État du Québec. Pour un francophone de la nouvelle classe moyenne, enraciné dans les institutions étatiques, une souveraineté même restreinte constituerait une victoire appréciable.

Ainsi, l'étapisme représente plus qu'un moyen pour atteindre la souveraineté. Il constitue un objectif en soi. Tout nouveau pouvoir, même dans le cadre fédéral, constitue un gain pour ceux qui dépendent de l'État du Québec. Compte tenu que le Québec a effectivement accru son autonomie, l'étapisme constitue une stratégie prudente qui ne veut pas compromettre les progrès réalisés par des projets de changement « radical ».

Mais, comme nous l'avons déjà soutenu, ni le parti ni son projet souverainiste ne sauraient s'expliquer simplement par l'appartenance de classe des dirigeants et des partisans péquistes. Le PQ représente également un mouvement nationaliste qui tente de mobiliser les Québécois autour d'une identité collective nationale. Il promet non pas des changements comme tels mais des changements effectués dans un cadre nationaliste. À ce titre, il doit faire face à des défis particuliers, qui exigent une certaine prudence, quels que soient les intérêts de classe et les préoccupations des personnes en cause.

Le parti doit d'abord s'attaquer aux effets psychologiques de la dépendance économique et politique des deux derniers siècles; l'expression « né pour un petit pain » traduit bien cette mentalité. La dépendance a permis à la plupart des Québécois francophones de jouir d'un certain bien-être, mais bien inférieur à celui des anglophones. La domination canadienne-anglaise et américaine a toujours laissé une certaine place à quelques Québécois francophones. Même si les élites francophones n'ont jamais joué qu'un rôle d'intermédiaires, elles avaient un rôle bien défini. Aussi, cette situation a-t-elle toujours bénéficié, au moins en partie, du soutien actif des élites francophones.

Il n'est pas facile de remplacer une longue et douillette dépendance par les incertitudes inévitables de l'affirmation collective. Dès le début du Parti québécois, René Lévesque laissait deviner ses frustrations à cet égard. Affirmant que les Québécois avaient été élevés dans la peur et qu'ils avaient été maintenus dans la peur, il déclarait devant une assemblée de partisans: « On aura passé à côté par la trahison de nos élites. Cette incapacité de se décider, en partie centrée au Québec, commence à ressembler à de la lâcheté (...) Tous les peuples qui avancent et qui ont cessé d'avoir honte ont le seul ingrédient que nous n'avons pas, le courage[44] ». Avec une telle perception de la mentalité québécoise, il n'est pas surprenant que l'on ait mis tant d'ardeur à envelopper la souveraineté dans la continuité. Complète ou pas, l'indépendance ne doit à aucun prix être présentée comme une rupture.

Dans leur désir de gagner la population à la cause nationaliste, les dirigeants du parti sont bien conscients du sort qu'ont connu les autres mouvements nationalistes canadiens-français (en particulier celui des années 1830). Les chefs de ces mouvements n'avaient su articuler leur projet en fonction des préoccupations et des aspirations de la population. Même durant la courte histoire du néo-nationalisme, on avait connu quelques surprises désagréables — suffisamment désagréables pour qu'elles restent imprégnées dans l'esprit de plusieurs et qu'elles leur rappellent la fragilité de la cause indépendantiste. Plusieurs dirigeants, ex-membres du régime

Lesage, ont été victimes, lors des élections de 1966, de la réaction populaire à la rapidité des changements de la Révolution tranquille. L'incapacité du parti de faire élire son chef en 1970 et en 1973, encore moins un nombre suffisant de candidats, a de toute évidence laissé sa marque sur René Lévesque et ses collègues. Dans son livre *La passion du Québec*, René Lévesque écrivait: « Créé il y a dix ans, le Parti québécois a été l'aboutissement même de toute cette série d'étapes, qui ont demandé des efforts, des dépenses d'énergie, des dévouements inimaginables. L'idée d'émancipation a littéralement pris par les tripes les gens qui la défendent. Il serait très difficile, si tout devait rater, ou être simplement retardé, de recharger les batteries, de relancer les énergies, et de faire repartir un autre mouvement, ou même de faire survivre le mouvement actuel, après une longue période dépressive qui suivrait un échec de la volonté d'émancipation[45] ». Bien entendu, une telle obsession de l'échec peut mener elle-même à des erreurs de calcul, à sous-estimer la force du mouvement et à trop retarder certaines initiatives importantes, sous prétexte que le « bon » moment n'est pas arrivé.

Le Canada anglais et la souveraineté-association

En liant fermement la souveraineté du Québec à une pleine association économique avec le reste du Canada, le gouvernement du PQ a sans doute rendu cette souveraineté plus acceptable à la fois à la majorité des Québécois, en diminuant leur crainte d'un changement radical, et aux élites politiques et financières des États-Unis, en assurant la continuité économique. Mais il a du même coup écarté le seul facteur qui pouvait amener le Canada anglais à accepter cette souveraineté: la possibilité que le Québec puisse accéder à l'indépendance sans lien économique spécial. Comparée au fédéralisme, même sans grand rajustement ou renouveau, la souveraineté-association semble n'avoir que très peu d'attrait pour le Canada anglais. En fait, son éventuelle attraction ne réside que dans la perspective d'une rupture complète et des répercussions que cette rupture pourrait entraîner. Pour le Canada anglais comme pour le Québec d'ailleurs, l'association économique n'est avantageuse que pour éviter les séquelles à court ou à long terme de l'accession du Québec à la souveraineté. À moins que le Québec ne se montre déterminé à devenir indépendant de toute manière, le Canada anglais fera donc peu de cas de la souveraineté-association.

Cette position ressort clairement d'un sondage récent sur les attitudes des Canadiens anglais à l'égard du Québec. La grande majorité refuse « de faire des concessions majeures au Québec pour empêcher la séparation » (dans chacune des quatre régions principales du Canada anglais, cette proposition n'a rallié que 13% ou moins des répondants). Cependant, une mince majorité opte pour la négociation d'une entente économique avec le Québec, « si le Québec devient indépendant[46] ».

Évidemment, les dirigeants du PQ ont soigneusement évité de brandir le spectre de la rupture lorsqu'ils ont présenté leur projet de souveraineté aux Québécois. Ils ont plutôt tâché de fournir les assurances que l'accession à la souveraineté se ferait dans la continuité économique. Car les deux auditoires du gouvernement péquiste, le Québec et le Canada anglais, exigent des perspectives radicalement différentes: le changement dans la continuité pour les Québécois (et les États-Unis) et le « coût de la rupture » pour le Canada anglais. En admettant qu'un référendum soit gagné et que des négociations sérieuses s'amorcent entre le Québec et le Canada anglais, le gouvernement québécois s'occuperait sans doute davantage de ce second aspect de la question. Mais sa crédibilité au Canada anglais aurait été minée dans la mesure où le premier aspect, le changement dans la continuité, aurait dominé la campagne référendaire et aurait été une condition du mandat donné au référendum.

Définitions de l'identité collective

La résistance canadienne-anglaise à l'idée de la souveraineté-association est liée à deux séries de facteurs: 1) les définitions de l'identité collective, 2) les calculs politiques et économiques. Il va sans dire que ces facteurs sont interdépendants et se renforcent mutuellement. Ensemble, ils peuvent empêcher tout examen sérieux de la souveraineté-association, telle qu'elle est définie dans le manifeste *D'égal à égal* et dans le livre blanc du gouvernement québécois, à tout le moins jusqu'à ce que le Canada anglais soit vraiment aux prises avec une menace réelle de rupture des relations avec l'État fédéral.

Quant à l'identité collective, les problèmes que pose la souveraineté-association au Canada anglais sont bien connus. La souveraineté-association suppose un parallélisme déroutant entre le Québec et le Canada anglais. Elle postule en effet l'existence d'une collectivité que peu de Canadiens anglais reconnaissent: une nation canadienne-anglaise. Le manque d'un véritable sentiment d'appartenance au Canada anglais se traduit et s'explique par le fait que la collectivité canadienne-anglaise, à la différence de la nation québécoise, ne possède pas de cadre institutionnel explicite. Il n'y a pratiquement aucune structure gouvernementale qui soit reliée directement au Canada anglais; font exception peut-être les organismes culturels du gouvernement fédéral. Il n'y a pas non plus de grands mouvements sociaux et politiques qui soient indéniablement canadiens-anglais d'inspiration. Les institutions culturelles et les mass-media du Canada anglais ne jouissent pas de la même popularité que leurs équivalents du Québec.

Les définitions d'identité qui prévalent au Canada anglais sont soit beaucoup plus larges que toute collectivité anglo-canadienne, comprenant des francophones autant que des anglophones, soit beaucoup plus petites et alors liées à des appartenances régionales. À l'intérieur de certaines formes d'identité pancanadienne, la distinction Français-Anglais n'offre plus aucune pertinence, de même que dans une perspective d'adhésion à des objectifs et à des institutions politiques dits nationaux (la notion des « engagements partagés » de Smiley[47]) ou de simples attachements à la réalité physique du territoire canadien (le « mapisme » d'Abraham Rotstein[48]). On n'y trouve aucune base logique pour exclure le Québec ni pour reconnaître une collectivité canadienne-anglaise distincte. Bien sûr, l'idée de nation biculturelle, qui s'est répandue dans les années soixante par la nécessité de répondre au néo-nationalisme québécois, cherche à souligner les différences culturelles entre anglophones et francophones en les célébrant, non sans exagération peut-être. Mais, par définition, cette notion d'identité ne peut aller de pair avec la séparation du Québec. Ces diverses idées d'appartenance pancanadienne considèrent toutes la souveraineté du Québec comme une rupture. Le Canada aurait alors échoué. Et l'entrée du Québec aux Nations unies, comme le projet de la souveraineté-association le propose, ne ferait qu'aggraver cette impression de rupture et d'échec.

Pour ce qui est des appartenances canadiennes-anglaises plus localisées, qu'elles se rapportent à une région ou à une province, la souveraineté-association ne demande pas seulement la fusion dans une entité canadienne-anglaise plus grande, elle ajoute l'insulte de réserver un statut distinct au Québec, alors qu'aux yeux de plusieurs Canadiens anglais, le Québec ne constitue qu'une région ou une province parmi les autres.

La souveraineté-association suppose donc une notion d'identité collective que peu de Canadiens anglais à l'heure actuelle sont prêts à accepter. Ainsi, ni la souveraineté ni la souveraineté-association ne peuvent être perçues positivement. Il est malheureux, sinon tragique, que ce qui est entrevu par bien des Québécois comme une étape de croissance et d'affirmation collectives puisse être craint à ce point par les Canadiens anglais et considéré comme une preuve d'échec et d'impuissance. Telle est pourtant la mentalité qui prédomine au Canada anglais.

Calculs économiques et politiques

La souveraineté-association entre aussi en conflit avec les calculs économiques et politiques du Canada anglais, ceux du moins qui apparaissent au niveau des élites. Pour cette autre raison donc, les élites canadiennes-anglaises ne verront pas la raison de déplacer les relations Québec-Canada hors du cadre fédéral, à moins d'être placées devant de sérieuses menaces de rupture. Les élites canadiennes-anglaises sont elles-mêmes divisées sur la balance appropriée à maintenir entre le pouvoir central et provincial à l'intérieur du système fédéral. Mais le paradoxe de la souveraineté-association, telle que présentement formulée, c'est qu'elle ne répond aux doléances et aux aspirations d'aucun camp, centralisateur ou décentralisateur.

Il n'est pas étonnant que la souveraineté-association n'attire nullement les Canadiens anglais qui favorisent les institutions centrales. D'une part, la souveraineté-association placerait plusieurs des fonctions exercées par le gouvernement central sous de nouvelles institutions conjointes, dans lesquelles le Canada et le Québec seraient représentées à parts égales. Non seulement est-il probable que les intérêts canadiens-anglais y perdraient du poids, mais il est possible que les nouvelles institutions fonctionnent mal, soient sujettes à des conflits et ne disposent pas du rayonnement international du gouvernement central actuel[49]. (Le fait que le nouveau gouvernement fédéral « canadien » serait libéré de l'influence québécoise n'offre pas une compensation suffisante.) D'autre part, le transfert des principaux pouvoirs au nouvel État souverain du Québec augmenterait sans doute les pressions pour la décentralisation des pouvoirs au sein de ce qui resterait de l'État canadien[50].

On voit donc pourquoi la souveraineté-association serait mal reçue non seulement par les élites politiques canadiennes-anglaises liées aux institutions fédérales, mais aussi par les élites politiques des provinces où l'activité fédérale est perçue comme bénéfique. L'Ontario en est l'exemple le plus patent. Dans la mesure où l'Ontario s'est trouvé particulièrement avantagé par les politiques économiques fédérales (à commencer par la « National Policy ») et par le fonctionnement sans heurt de l'union économique canadienne, cette province a peu à gagner d'une restructuration des institutions centrales ou d'une diminution de leurs pouvoirs. De même, la grande dépendance des provinces atlantiques vis-à-vis de l'État fédéral, que ce soit pour des paiements de péréquation ou pour des programmes de développement économique, fait craindre beaucoup à leurs élites politiques tout changement qui se traduirait par une décentralisation.

Le même raisonnement vaut pour les élites économiques du Canada anglais qui ont leurs racines au centre du pays et qui dépendent depuis longtemps de relations étroites et privilégiées avec le gouvernement fédéral. Le cas le plus frappant, c'est celui des banques et des institutions financières canadiennes-anglaises concentrées maintenant en Ontario et qui se trouvent directement menacées par le programme péquiste de transfert de propriété dans un Québec souverain. Les élites de ces secteurs n'ont pas caché leur appréhension face aux projets du PQ. Deux établissements financiers ont déménagé leur siège social en Ontario (la Sun Life à Toronto et le Royal Trust à Ottawa) pour échapper aux lois québécoises; la loi 101 a été le prétexte d'une attaque tous azimuts contre le gouvernement québécois par le président de la Banque royale, l'une des deux banques canadiennes-anglaises à maintenir un semblant de siège social à Montréal[51].

L'Ouest canadien et la souveraineté-association

On aurait pu croire que le projet de souveraineté-association aurait meilleure audience parmi les élites canadiennes-anglaises qui souhaitent une diminution du pouvoir central. On songe en particulier aux élites politiques des quatre provinces de l'Ouest et aux élites économiques régionales qui ont tendance à s'allier avec elles. Ces élites ont plusieurs traits communs avec les dirigeants péquistes. Comme chez ces derniers, leur pouvoir est étroitement lié à la modernisation de leurs gouvernements provinciaux respectifs, avec l'augmentation concomitante des ressources fiscales, la bureaucratisation et l'intervention accrue de l'État dans le domaine économique et social. Cette modernisation politique traduit un même rapport ambigu entre l'État et les entreprises multinationales: l'exploitation des ressources est d'abord le fait des multinationales, mais l'État provincial s'efforce d'utiliser cette exploitation comme un levier pour accroître son pouvoir économique et politique. Dans cette perspective, l'Alberta et la Saskatchewan ont lancé des programmes de développement économique régional qui ressemblent fort aux nombreux projets inspirés par le « Maîtres chez nous » de la Révolution tranquille. Ce faisant, ces deux provinces ont été entraînées dans d'âpres querelles de juridiction avec Ottawa, qui rappellent celles du Québec des années soixante. Les élites de l'Ouest canadien comme celles du Québec sentent amèrement qu'elles ont été mal représentées dans les institutions fédérales et que leur région n'a pas reçu l'appui d'Ottawa[52].

Pourtant, malgré ces ressemblances, les Canadiens de l'Ouest n'ont guère montré plus d'intérêt envers la souveraineté-association que cuex de l'Ontario et des provinces de l'Atlantique. Plusieurs facteurs entrent en ligne de compte ici. Le PQ n'a pas déployé d'efforts concertés pour se créer des appuis dans l'Ouest qui seraient fondés sur les intérêts et les préoccupations de cette région. C'est que, traditionnellement, les élites politiques québécoises ont une vue très ontarienne du Canada anglais. Les dirigeants péquistes ont tardé à reconnaître l'autonomisme grandissant des provinces de l'Ouest et les occasions que cela créait pour former des alliances contre Ottawa. Le vieil axe Québec-Ontario est une base d'action plus familière, même s'il s'avère beaucoup moins prometteur que par le passé. Aussi, pour les Canadiens de l'Ouest, le problème des relations Québec-Canada apparaît-il plutôt submergé dans la vieille question de la domination économique du Canada central. La distinction entre l'Ontario et le Québec importe assez peu; les deux provinces ne sont-elles pas associées pour exploiter l'Ouest canadien comme une source de matières premières à bas prix et un marché pour écouler à prix élevés leurs produits? Ainsi donc, l'idée de nouveaux liens, entre le Québec et le Canada, qui seraient essentiellement économiques ne peut-elle avoir qu'un attrait limité. En outre, la pierre angulaire de l'association, l'unio douanière, touche l'objet même des principales doléances de l'Ouest[53].

Tous ces facteurs se trouvent encore renforcés par la forme institutionnelle que prendrait la souveraineté-association. Pour tout dire, le projet tel qu'il a été conçu n'a rien à offrir à l'Ouest canadien. D'abord il ne laisse entrevoir aucune décentralisation de pouvoirs vers les provinces anglophones. Seul le Québec acquerrait de nouveaux pouvoirs, le reste étant laissé au bon vouloir de la « nation canadienne-anglaise ». Ensuite, ce qui est peut-être plus important, il réduit même le statut formel de l'Ouest canadien au sein des institutions centrales. Puisque le Québec serait sur un pied d'égalité avec le reste du Canada, l'Ouest ne pourrait que partager un seul vote canadien avec l'Ontario et les Maritimes. Pourtant un tel recul coïnciderait avec une période d'expansion économique et démographique sans précédent dans l'Ouest canadien. La population combinée des quatre provinces de l'Ouest dépasse désormais celle du Québec. Et l'importance cruciale des ressources énergétiques de l'Alberta et de la Saskatchewan a contribué à donner à l'Ouest une nouvelle prise sur l'Ontario, sinon sur le Québec. Dans ce contexte, accorder au Québec la parité avec le reste du Canada ne peut être vu que comme une démarche rétrograde, pour perpétuer le vieil ordre économique de la National Policy, qui est en train de disparaître[54].

Le statut d'égalité que suppose le projet de souveraineté-association fait ressortir en fin de compte la différence fondamentale entre l'aliénation du Québec et celle de l'Ouest: le rôle de la question nationale. Malgré les nombreux parallèles qu'on peut établir, sur le plan économique et social, entre les deux mouvements d'affirmation, il demeure que seules les aspirations québécoises sont définies dans le cadre d'une nation distincte. Les revendications québécoises d'égalité avec le reste du Canada n'ont de sens que dans une perspective nationaliste. L'Ouest n'a jamais revendiqué l'égalité dans les institutions fédérales, même si sa population est désormais plus nombreuse que celle du Québec. En fait, les aspirations souverainistes ne soulèvent guère d'intérêt dans l'Ouest, le fédéralisme y demeurant le cadre de référence essentiel. Puisque l'État provincial n'y est pas le représentant d'une nation, il ne peut avoir les mêmes exigences de souveraineté et d'égalité. Enfin, à défaut d'une division culturelle du travail à l'intérieur de ses frontières, l'État provincial ne joue pas le rôle central qu'il assume au Québec. Le gouvernement provincial peut y être un agent important de développement économique régional, mais il ne saurait être l'instrument primordial de mobilité et d'épanouissement personnels qu'il est pour bien des francophones québécois. En principe du moins, les Canadiens de l'Ouest ont plein accès aux industries du secteur privé de leurs provinces. Pour cette raison seule, la dynamique étatique de l'Ouest ne saurait s'assimiler à celle du Québec. Bref, sans le facteur nationaliste, le sentiment régional ne déborde pas dans la logique de la souveraineté.

Le souveraineté et le principe d'égalité

Comme nous l'avons déjà souligné, le Canada (y compris l'Ouest) pourrait dans la pratique exercer plus qu'une influence égale dans l'association Québec-Canada. Le Québec pourrait toujours avoir une égalité de statut, qui serait marquée par le nombre de ses représentants à chacun des organismes de l'association, mais il ne jouirait pas forcément de la même égalité dans la prise de décision. Comment pourrait-il en être autrement, compte tenu de la prépondérance économique et démographique du Canada? En outre, comme nous l'avons vu, le livre blanc du gouvernement québécois soulève la possibilité que le Québec puisse ne pas même jouir d'un statut formel d'égalité au sein de certains organismes plus spécialisés de l'association. Le document laisse entendre que le Québec pourrait n'avoir qu'une représentation minoritaire au sein de l'organisme chargé de l'union monétaire[55]. Il en irait de même pour des organismes plus spécialisés, comme la Commission canadienne du blé ou Air Canada[56].

On peut donc présumer que le Québec serait prêt à accepter d'autres entorses au principe de l'égalité pour rallier le Canada anglais au projet de souveraineté-association. En principe, le Québec pourrait concéder une position majoritaire au Canada, à l'intérieur de *tous* les organismes de l'association, sans renoncer à la souveraineté, dans la mesure où il garderait le droit de se retirer de l'association. Même avec une prédominance canadienne-anglaise dans les institutions communes, une association Québec-Canada pourrait avoir des attraits pour le Québec. À tout le moins, un tel arrangement lui permettrait d'accéder à la souveraineté politique avec une certaine sécurité économique.

Mais ces « concessions » de la part du Québec seraient-elles suffisantes pour apaiser les craintes du Canada anglais? Selon toute probabilité, le Canada anglais continuerait de préférer le fédéralisme, même si l'association projetée concédait au Canada une représentation majoritaire dans les institutions communes. D'abord, la souveraineté-association resterait peu alléchante pour les élites de l'Ouest, qui cherchent des occasions d'étendre leur position plutôt que de seulement la raffermir. Pour elles, la question n'est pas de savoir si le Canada sans le Québec continuerait de jouir d'une position économique prédominante sur le Québec, mais plutôt si l'Ouest pourrait se tailler une meilleure place par rapport à l'Ontario et au Québec.

Facteur plus important encore, les groupes d'intérêts de l'Ontario préféreraient encore la sécurité du statu quo constitutionnel. Quelle que soit la façon de l'envisager, la souveraineté-association soulève indéniablement des éventualités et des incertitudes que les élites ontariennes préfèrent éviter. Par exemple, même si le Canada anglais jouissait d'une influence prépondérante au sein de l'association, le Québec disposerait au moins d'un nouvel atout comme État souverain, puisqu'il pourrait se retirer en tout temps de l'association (en principe, il pourrait exercer ce droit sans faire appel au peuple). S'il devenait trop évident que les intérêts canadiens-anglais prédominent dans la nouvelle association, des pressions pourraient s'exercer au Québec pour que le gouvernement s'en retire. À tout le moins, le gouvernement québécois pourrait se servir de cette menace pour renforcer sa position dans l'association.

Le point faible de la souveraineté-association, c'est qu'elle vise à créer l'égalité institutionnelle entre deux parties qui sont manifestement inégales sur le plan économique et démographique. Cet écart entre la définition théorique des relations Québec-Canada et la distribution actuelle des pouvoirs entre les deux entités ne peut manquer de se répercuter dans tout le fonctionnement d'une éventuelle association économique Québec-Canada. Il faut remarquer que nulle association ayant l'ampleur de celle proposée par la Parti québécois n'existe actuellement sur la seule base de deux États souverains, sans parler de *deux* États de tailles aussi inégales[57].

Le modèle de souveraineté-association élaboré dans le manifeste *D'égal à égal* et dans le livre blanc du gouvernement québécois représente pourtant un recul considérable par rapport à la notion de souveraineté québécoise, mise de l'avant par plusieurs indépendantistes de la première heure. Plusieurs secteurs clés de l'économie resteraient sous le contrôle d'institutions pancanadiennes, au sein desquelles le Québec n'aurait en pratique, sinon en principe, qu'une voix minoritaire. Néanmoins, la souveraineté-association repose toujours sur les mêmes postulats nationaux que les premières théories indépendantistes. Ces postulats délimitent étroitement le projet d'association économique, car ils amènent à stipuler que le Québec devra jouir d'une égalité formelle dans au moins quelques-unes des principales institutions communes. La souveraineté de la nation québécoise exige, en retour, l'existence d'une nation canadienne-anglaise que peu de Canadiens anglais sont prêts à reconnaître. Et, comme le projet concerne essentiellement la nation québécoise et son épanouissement, il n'est pas facile de l'accorder avec les ambitions et les doléances des élites canadiennes-anglaises, centralisatrices ou non.

Le Canada anglais et la menace de rupture

Pour toutes ces raisons, les Canadiens anglais ne sont pas prêts à conclure que ce projet est supérieur à l'actuel système fédéral. Il pourrait bien en être autrement cependant s'ils pensaient être confrontés à la perspective d'un Québec souverain, sans lien économique spécial avec le reste du Canada. Pour que les Canadiens anglais (ou plus précisément les élites canadiennes-anglaises) croient à cette possibilité, ils doivent, comme nous l'avons vu, croire que le gouvernement québécois est en position de déclarer l'indépendance unilatéralement ou qu'il pourrait se placer dans une telle position s'il le voulait. En d'autres termes, il doit y avoir une menace crédible de rupture.

Qu'est-ce qui rendrait crédible une telle menace? Cela n'est pas encore clair. Peut-être suffirait-il d'un fort appui populaire lors d'un référendum qui donnerait au gouvernement du Québec le mandat de négocier la souveraineté-association. Les élites canadiennes-anglaises pourraient craindre, en ne répondant pas positivement, que l'opinion québécoise ne se radicalise contre le reste du Canada, créant ainsi une pression considérable sinon irrésistible pour une déclaration unilatérale d'indépendance, au détriment de l'association Québec-Canada[58]. Mais, vu l'incohérence de la réaction canadienne-anglaise au 15 novembre 1976, on peut croire qu'un résultat positif lors de ce premier référendum n'aurait pas suffi à déclencher un état de crise et d'urgence au Canada anglais. Le Parti québécois s'est engagé à procéder à une autre consultation populaire. Que ce soit par un référendum ou par des élections générales, cette deuxième consultation aurait pour objet de donner le mandat nécessaire à une déclaration unilatérale d'indépendance.

Mais si la menace de rupture devenait crédible, quelles que soient les étapes nécessaires pour lui donner cette crédibilité, le Canada anglais serait-il pour autant préparé à accepter la souveraineté-association? Les élites politiques et économique du Canada anglais ont toujours soutenu publiquement qu'elles ne favoriseraient pas une association économique avec un Québec souverain: le Québec devrait gagner sa souveraineté sans la perspective rassurante d'une association économique.

Ces déclarations ne peuvent cependant être prises pour argent comptant. Elles ne sont après tout, que des déclarations publiques faites dans un contexte de lutte politique. En outre, un sondage d'opinions en 1977 a montré que la majorité de la population canadienne-anglaise appuierait une telle entente. Dans chacune des quatre grandes régions du Canada anglais, la moitié environ des répondants se sont dits en faveur d'une négociation par le gouvernement canadien d'une entente économique avec le Québec, si jamais le Québec devenait indépendant. Les pourcentages étaient les suivants: Maritimes, 48%; Ontario, 55%; Prairies, 51%; Colombie-Britannique, 55%. (Les pourcentages de ceux qui s'opposaient à une telle négociation étaient de 40, 25, 37, et 35% respectivement[59].)

Bref, au lendemain de la victoire du PQ, la population canadienne-anglaise était plutôt réceptive à l'idée d'une association économique avec un Québec souverain. Mais l'écart entre le pour et le contre était assez faible et une campagne concertée de la part des élites canadiennes-anglaises aurait pu renverser la situation. Ces élites voudront-elles mener une telle campagne, ou changeront-elles leur fusil d'épaule pour renforcer le soutien populaire à la souveraineté-association, une fois que la menace de rupture sera devenue crédible? Bien entendu, on ne peut jurer de rien. Nous pouvons cependant nous faire une idée à partir des analyses précédentes.

Les élites canadiennes-anglaises pourraient être amenées à chercher une entente pour des raisons purement économiques. Celles-ci viendraient de répercussions analogues à celles dont le Québec pourrait souffrir dans son passage à la souveraineté. En premier lieu, si des barrières commerciales étaient érigées entre le Québec et le Canada, les exportations vers le Québec subiraient une baisse. Auer et Mills ont estimé que le secteur manufacturier canadien pourrait perdre 23 000 emplois. Mais d'après une autre étude, 84 000 emplois manufacturiers (ou 2,6% de l'emploi total) disparaîtraient en Ontario seulement; la perte d'emplois dans le reste du Canada serait marginale (0,5%)[60]. Ces pertes pourraient bien être absorbées à long terme, comme au Québec d'ailleurs, et le Canada pourrait tirer avantage d'une politique commerciale autonome. Mais, à court terme, il y aurait une baisse des exportations et une perte d'emplois. Une union monétaire permettrait d'éviter ces inconvénients. Par ailleurs, une union douanière assurerait la poursuite du mouvement de biens entre l'Ontario et les Maritimes.

En deuxième lieu, les milliards de dollars investis au Québec pourraient militer en faveur d'une union monétaire. Comme Abraham Rotstein l'a fait remarquer, « la valeur courante de ces investissements ne sauraient dépasser celle de la devise québécoise qui servirait à les calculer[61] ». La meilleure façon d'assurer une devise forte et stable au Québec serait l'union monétaire. D'autre part, certaines élites anglo-canadiennes pourraient juger bon de raffermir le leadership actuel du Parti québécois, par crainte d'avoir à faire face à un gouvernement (souverain ou provincial) plus radical à l'égard des capitaux canadiens-anglais et américains[62]. En fin de compte, maintenir l'intégrité économique contribuerait à réduire l'incertitude des investisseurs. Cette incertitude, notons-le, serait néfaste au Canada anglais comme au Québec. Les investisseurs étrangers et même canadiens-anglais, pourraient décider de placer leurs capitaux dans d'autres parties du monde que le Canada, jusqu'à ce qu'on arrive à de nouvelles ententes.

Ainsi, devant une menace sérieuse de rupture, les élites économiques du Canada anglais pourraient opter pour la souveraineté-association. En fait, une enquête menée en 1977 révèle que les dirigeants des grandes entreprises sont légèrement plus enclins à accepter l'association économique qu'à s'y opposer[63]. On peut présumer que cette attitude se trouverait renforcée par celle des élites économiques et politiques des États-Unis, dont la principale préoccupation serait la stabilité politique et la continuité économique. Sur la base d'interviews réalisés avec des représentants du département d'État peu après la victoire du PQ, Louis Balthazar a pu affirmer que si le Québec se donnait le mandat d'établir unilatéralement la souveraineté, Washington attendrait des élites canadiennes-anglaises qu'elles acceptent la souveraineté-association et les inciteraient probablement à le faire[64].

Les élites politiques du Canada anglais se montreraient probablement réticentes à amorcer des négociations officielles sur la souveraineté-association, puisqu'elles n'ont cessé de répéter que de telles négociations n'auraient jamais lieu. Mais on voit mal comment elles pourraient résister aux préférences clairement exprimées par les élites économiques du Canada anglais et les élites économiques et politiques des États-Unis. Les élites politiques de l'Ontario trouveraient sans doute quelque stratagème pour réviser leur position, car, pour cette province, mieux vaut une association économique « d'égal à égal » que pas d'association du tout. La peur de l'isolement pourrait susciter la même réponse dans les Maritimes. Par ailleurs, les dirigeants fédéraux se retrouveraient dans une position très ambiguë. Pour les dirigeants fédéraux originaires du Québec, la souveraineté-association n'aurait guère plus d'attrait que la souveraineté tout court. Mais pour ceux qui sont originaires du Canada anglais, une association Québec-Canada aurait au moins l'attrait d'empêcher une décentralisation des pouvoirs au sein du « Canada-sans-le-Québec ». La résistance la plus forte viendrait plutôt des élites politiques de l'Ouest canadien.

De la part de celles-ci et des élites économiques qui leur sont rattachées, on ne peut attendre aucune marque d'intérêt pour l'association Québec-Canada. L'Ouest canadien échapperait de toute façon à la plupart des séquelles de l'accession du Québec à l'indépendance. Des pertes d'emplois consécutives à l'érection de barrières tarifaires entre le Canada et le Québec, on en compterait moins de 2% à l'extérieur de l'Ontario[65]. D'autre part, le souci concernant les investissements canadiens-anglais au Québec est plutôt d'origine ontarienne. De plus, l'Ouest pourrait entrevoir des avantages réels dans la rupture du lien économique entre le Québec et le Canada. Dans un nouveau Canada sans le Québec, le poids du Canada central serait réduit de beaucoup; l'Ouest obtiendrait des mesures économiques fédérales plus favorables. Il serait à tout le moins libéré de l'obligation d'acheter des marchandises québécoises qui jouissent de protections tarifaires, comme les textiles.

En définitive, ce sont les intérêts de l'Ouest qui posent les plus sérieux obstacles à la souveraineté-association au Canada anglais. Les élites politiques de l'Ontario auraient un rôle déterminant à jouer pour concilier ces intérêts, mais ce rôle est loin d'aller de soi. Certains ont voulu minimiser le poids des intérêts de l'Ouest. Ainsi, Charbonneau et Paquette prétendent tout de go qu'on ne peut « considérer les provinces séparément. Il est impensable que l'Ontario s'associe sans que les autres provinces le fassent, car celles-ci sont très dépendantes de l'économie ontarienne[66] ». Mais cet argument est très exagéré. Il ignore, entre autres choses, le puissant levier que leurs ressources énergétiques ont donné à l'Alberta et à la Saskatchewan sur l'Ontario. Dans une certaine mesure, l'Ontario est d'ores et déjà pris dans une dépendance économique. Bien sûr, Toronto aurait encore le dessus dans une confrontation directe avec l'Ouest au sujet d'une association économique avec un Québec souverain. Et, selon toute probabilité, l'Ouest canadien ne serait pas prêt à se déclarer souverain. Mais l'Ontario aurait peu d'intérêt à laisser une telle confrontation se produire. Aussi, pour amener l'Ouest à se plier à un nouveau rapport Canada-Québec, devrait-il satisfaire de vieux griefs économiques. Il devrait lier la souveraineté-association à une entente globale qui comporterait des avantages pour l'Ouest canadien. Il lui faudrait sacrifier certains de ses avantages régionaux au profit à la fois du Québec et de l'Ouest, afin de préserver ses intérêts fondamentaux dans le maintien du système économique canadien. L'Ontario n'accepterait de tels sacrifices que s'il existait un fort consensus sur la nécessité de sauver le système.

Quel que soit le poids relatif des intérêts économiques et politiques du Canada anglais dans la balance qui penche pour ou contre la souveraineté-association, certains pensent qu'il ne faut pas y chercher le facteur déterminant de la réponse canadienne-anglaise. D'autres considérations seraient plus importantes. Donald Smiley écrit à ce propos: « La direction du Parti québécois semble concevoir l'anglophone canadien surtout comme un être économique, dont la conduite sera déterminée en dernier ressort par un froid calcul d'intérêts matériels. C'est un jugement erroné, qui pourrait avoir des conséquences tragiques (...) Que ce soit à l'intérieur du cadre fédéral ou dans un autre contexte, on peut supposer raisonnablement que les relations futures entre les Canadiens et les Québécois seront influencées sensiblement par des facteurs non économiques[67] ».

Néanmoins, bien qu'on ne doive pas minimiser les questions de fierté, d'identité et d'antagonisme ethnique, on a peine à croire qu'une sorte de « rationalité économique » ne prévaudra pas. Le professeur Smiley a déjà fait remarquer que « les conflits les plus âpres entre les anglophones et les francophones au Canada n'ont pas concerné des questions économiques mais plutôt la religion et la langue de l'éducation, la participation à des guerres européennes et, plus récemment, la langue d'usage dans l'aviation civile[68] ».

Mais dans une affaire comme l'association économique, on peut penser que le calcul de l'intérêt matériel sera plutôt déterminant. Un Québec complètement souverain n'impliquerait sans doute que des coûts transitoires pour les élites économiques du Canada anglais, mais s'il est un trait historique qui marque ces élites, c'est bien le refus de prendre des risques inutiles. Le Canada est né, en grande partie, pour réduire les risques de la construction du chemin de fer et d'autres entreprises analogues; son évolution sera marquée par la même préoccupation. Certaines élites politiques n'aimeraient sans doute pas renier leurs déclarations pré-référendaires contre l'association économique. Mais l'histoire des relations entre l'État et le milieu des affaires au Canada porte à penser qu'elles n'auraient guère le choix. Elles auraient de la difficulté à résister aux pressions américaines inévitables en faveur d'un accord qui assurerait continuité et stabilité. La pression décisive pour le maintien d'un lien entre le Québec et le reste du Canada pourrait bien venir de l'extérieur: le Canada serait « sauvé » par sa situation de dépendance.

À long terme, une pleine association économique Canada-Québec pourrait bien crouler sous ses contradictions internes. Les différences de structure et d'ancrage des deux économies pourraient rendre difficile une politique commune en matière de réserves monétaires ou de taux de change. La puissance de plus en plus grande de l'Ouest pourrait forcer l'Ontario à s'opposer à son tour aux protections tarifaires exigées par les industries à faible productivité du Québec. Pour sa part, le Québec pourrait bien trouver qu'au sein de l'association il lui manquerait toujours les leviers économiques nécessaires pour trouver des solutions de rechange à ces industries. Bref, les affrontements et les frustrations pourraient finalement convaincre le Québec et le Canada qu'il leur serait plus profitable de se séparer, particulièrement sur le plan monétaire. Même si les élites canadiennes-anglaises étaient convaincues au départ que certains éléments de l'association économique ne dureraient pas longtemps, elles seraient encore poussées à en faire l'expérience pour une période transitoire.

On peut donc discerner un ensemble de forces qui inciteraient les Canadiens anglais à accepter une association économique avec un Québec souverain. Mais ces forces ne joueraient que si l'on était persuadé que l'indépendance du Québec est inévitable. Le commun dénominateur de ces forces, c'est un intérêt à maintenir la continuité et la stabilité; sans la certitude de l'imminence d'un Québec souverain, ces mêmes forces resteront fermement engagées dans la défense de l'actuel système constitutionnel.

Puisque le Parti québécois a adopté une stratégie basée exclusivement sur des méthodes démocratiques et qui écarte la violence ou le coup d'État, la menace de rupture ne saurait venir que d'un mandat populaire. Dans les trois années qui ont suivi le 15 novembre 1976, plusieurs sondages ont révélé que le gouvernement québécois pouvait obtenir un soutien majoritaire pour négocier la souveraineté-association[69]. Mais ces mêmes sondages révélaient aussi que le gouvernement québécois ne recevrait qu'un appui limité s'il voulait accéder à la souveraineté sans association. On peut présumer que le PQ pourrait obtenir l'appui nécessaire à une déclaration unilatérale d'indépendance, par la création de ce que Lemieux appelle une « atmosphère de crise[70] ». Mais le gouvernement Lévesque n'a montré jusqu'ici aucun penchant à créer une telle atmosphère. Certains ont cru voir une intention de ce genre dans la loi 101 qui, prétend-on, voulait dresser les francophones contre les anglophones et attiser des ressentiments séculaires contre l'arrogance et la domination des anglophones. Toutefois, le temps que le gouvernement a mis entre l'adoption de la loi 101 et la campagne référendaire montre bien que ce ne fut pas le cas. Au lieu de créer une atmosphère de crise, on a voulu précisément faire le contraire, c'est-à-dire essayer de rassurer et d'apaiser les adversaires éventuels (au Canada anglais ou aux États-Unis) plutôt que d'essayer de mobiliser contre eux la population du Québec. Et, comme nous l'avons déjà noté, la régularité avec laquelle le gouvernement a collaboré avec Ottawa et les autres provinces a probablement renforcé la crédibilité du système fédéral. (Même un gouvernement indépendantiste a pu fonctionner à l'intérieur du système.) Cela pourrait rendre encore plus difficile la création d'une atmosphère de crise dans un avenir rapproché, à supposer que le gouvernement en ait jamais l'intention.

Les paramètres d'un « fédéralisme renouvelé »

Même sans menace crédible de rupture, le gouvernement québécois peut encore obtenir des changements dans ses relations avec le reste du Canada. À la suite d'une victoire référendaire, de fortes pressions se feraient sentir sur les élites canadiennes-anglaises pour en arriver à un nouvel accord avec le Québec. La baisse éventuelle de confiance des investisseurs, tant au Québec que dans le reste du Canada, jouerait fortement en faveur de nouveaux arrangements susceptibles de rétablir la stabilité politique. Mais ces changements prendraient place à l'intérieur du système fédéral. Et, si l'on se base sur les réactions canadiennes-anglaises depuis l'élection du PQ, ils seraient bien circonscrits. Les paramètres de ces changements, on les trouve non seulement dans les déclarations des hommes politiques du Canada anglais, mais aussi dans les rapports des divers organismes qu'ils ont mis sur pied; sans la peur d'une rupture, rien ne laisse présager qu'ils seront ébranlés.

D'abord, on convient généralement que le gouvernement québécois doit avoir le même statut que tous les gouvernements provinciaux. La revendication de l'administration Lévesque (et des administrations qui l'on précédée) que le gouvernement québécois devrait être reconnu comme celui d'une nation ne reçoit guère d'écho favorable. La préférence va plutôt clairement à des formules qui assimilent le Québec à l'ensemble canadien. Aussi le Québec est-il considéré comme une « communauté[71] » (au même titre que les autres provinces) ou comme une « région[72] » ou comme une manifestation de la « dualité[73] » canadienne — mais non comme une « nation ». Du même coup, on rejette presque unanimement tout « statut spécial » pour le Québec. Ainsi, la commission Pépin-Robarts sur l'unité nationale, de même que le Comité consultatif de l'Ontario sur la Confédération ont prôné une formule selon laquelle tout nouveau pouvoir consenti au Québec serait aussi offert aux autres provinces[74].

En second lieu, on n'a favorisé aucun arrangement à part égale pour le Québec au sein des institutions fédérales. Les nombreuses propositions de créer un organe législatif plus représentatif des provinces (la « chambre des provinces » ou le « conseil de la fédération ») n'offraient pas au Québec une plus grande représentation que la plus grande des autres provinces, l'Ontario[75]. (La proposition de réforme du Sénat faite par la Colombie-Britannique accordait une représentation égale au Québec et aux quatre autres régions du Canada[76].) La Commission Pépin-Robarts a prôné presque l'égalité au sein de la Cour suprême. Mais ici la représentation concerne des traditions juridiques plutôt que des collectivités nationales: on choisirait cinq juges formés dans le droit civil français et six dans la *common law*[77]. Et le document fédéral, intitulé *Le temps d'agir*, propose qu'au sein d'une éventuelle chambre de la fédération, une double majorité soit nécessaire pour les questions linguistiques. Les deux groupes visés sont les communautés linguistiques — anglophones et francophones — plutôt que le Québec et le reste du Canada[78].

En fin de compte, la plupart des propositions pour des cessions de pouvoir au Québec (et aux autres provinces) ont soigneusement évité les compétences économiques. Elles portaient plutôt sur des domaines comme la santé, le bien-être, les communications et la culture. (De fait, la commission Pépin-Robarts a prôné le retour à Ottawa de certains leviers économiques dont disposent actuellement les gouvernements provinciaux, notamment les politiques d'achat préférentielles et les barrières à la circulation interprovinciale de la main-d'oeuvre et des capitaux[79].) Bien sûr, certaines provinces de l'Ouest ont réclamé une décentralisation des pouvoirs économiques. Mais ces mêmes provinces ne sont pas pour autant favorables au transfert global de pouvoirs décrit dans le projet de souveraineté-association. Par exemple, la proposition de changement constitutionnel avancée par l'Alberta, sous le titre *Harmony in Diversity: a New Federalism for Canada*, affirme plutôt que « le gouvernement fédéral doit disposer des pouvoirs suffisants pour promouvoir l'identité nationale, assurer la sécurité nationale, et favoriser le bien-être économique national[80] ». Dans ce document, les propositions de changement constitutionnel qui concernent le secteur économique se réduisent à un contrôle accru sur les ressources naturelles, à l'accès à certaines formes de taxation indirecte, à une plus grande participation provinciale aux relations internationales et à une plus grande voix au chapitre de la politique des transports[81].

Si les gouvernements provinciaux ne veulent pas assumer des pouvoirs beauoup plus substantiels, notamment en matière économique, il est peu probable qu'ils acceptent même une forme atténuée de souveraineté-association, comme certains le prônent, sur la base de quatre ou cinq associés plutôt que deux, comme le postule *D'égal à égal*. Cette hypothèse est aussi bloquée par le manque de cohérence interne des éventuels associés régionaux; il reste encore au conseil des premiers ministres de l'Ouest, à celui des Maritimes et aux autres organismes interprovinciaux, à établir les structures politiques nécessaires à des blocs régionaux[82]. On peut supposer que la sécession du Québec ou sa menace effective pourrait provoquer l'émergence d'une véritable confédération, mais il y a peu de raisons de croire que celle-ci se produira spontanément, sous les pressions des provinces de l'Ouest ou pour satisfaire au désir du Québec.

À l'intérieur de ces divers paramètres, le gouvernement péquiste pourrait obtenir un renforcement sensible du pouvoir provincial. Avec un référendum réussi et l'utilisation maximale de son pouvoir de négociation, il pourrait même aller chercher un accord qui aille au-delà de ces paramètres, ne serait-ce que de façon marginale. Le principe de parité pourrait être reconnu, du moins symboliquement, dans les procédures de négociation du nouvel accord ou dans la création d'institutions fédérales, telle une Cour suprême binationale. Le gouvernement québécois pourrait même baptiser ce nouvel arrangement souveraineté-association. Mais cela n'aurait que très peu à voir avec la vision d'un Québec souverain que les indépendantistes québécois font valoir sans relâche depuis vingt ans.

Remplacer le Canada par les États-Unis

Il reste une dernière stratégie que peut pratiquer un gouvernement québécois décidé à établir la souveraineté-association mais incapable ou non désireux d'obtenir un mandat populaire pour faire sécession. Il pourrait proposer que le Québec remplace l'adhésion à la Confédération par une association économique avec les États-Unis. Il réduirait ainsi considérablement les craintes populaires concernant la souveraineté. Celle-ci apparaîtrait beaucoup moins comme une « aventure dangereuse » si on l'assortissait d'une participation entière à l'économie américaine. Effectivement, certains Québécois pourraient y voir un avantage réel: ils auraient notamment accès à des produits de consommation meilleur marché. Cette perspective alléchante pourrait donc inciter la population à donner au gouvernement le mandat de se retirer de la Confédération. (Bien entendu, il resterait toujours le problème inhérent à la souveraineté-association: l'incertitude quant à la volonté de l'autre de s'associer.)

La perspective d'une association économique Québec-USA pourrait servir surtout de tactique pour imposer la souveraineté-association au Canada anglais. La menace de rupture jouirait alors d'une grande crédibilité, et le Canada anglais pourrait bien vouloir jeter un regard neuf sur le projet péquiste. Certains observateurs prétendent que le PQ est tout à fait préparé à nouer des liens économiques étroits avec les États-Unis. Ce serait même, prétend-on, son but ultime. Ainsi, pour Pierre Fournier, la stratégie cachée du Parti québécois est « le renforcement du pouvoir économique locale et l'intégration plus poussée au capital américain. Même si on parle beaucoup d'association économique avec le reste du Canada, l'"option américaine" doit être considérée comme l'objectif ultime du Parti québécois. Il ne s'agit pas de renégocier le pacte fédéral, mais bien de négocier directement avec les USA les termes de la dépendance[83]. »

Il est encore trop tôt pour conclure que le PQ projette effectivement une association économique avec les États-Unis. L'ex-ministre de l'Industrie et du Commerce, Rodrigue Tremblay, a déjà défendu l'idée d'un marché commun avec les États-Unis, en 1970; mais il n'était pas membre du PQ alors, il servait de conseiller à un candidat à la direction de l'Union nationale. (De plus, sa démission forcée du conseil des ministres en septembre 1979 a confirmé que le parti ne partageait pas ses vues sur bien des points[84].) René Lévesque et d'autres dirigeants ont dénoncé régulièrement l'idée d'un marché commun avec les États-Unis. En 1978, quand on lui a demandé si un refus de la souveraineté-association de la part du Canada anglais conduirait le Québec à rechercher une association avec les États-Unis, Lévesque a répondu sans ambages: « Pour commencer, je dis non, deux fois plutôt qu'une! Non à l'annexion du Québec par les États-Unis! Nous n'allons pas sortir d'un "tout" relativement restreint comme le Canada pour tomber dans un autre "tout" dévorant celui-là comme les États-Unis (...) Ce qui ne signifie évidemment pas que nous n'aurions pas tout intérêt à développer avec nos voisins américains ces échanges et tous ces courants nord-sud qui sont très souvent les plus logiques. Si l'association économique avec le Canada devait traîner (mais je crois qu'elle ne traînerait pas), il faudrait attendre que cet accès de mauvaise humeur passe[85]. »

Manifestement, le PQ a concentré ses efforts depuis qu'il est au pouvoir à réduire la dépendance du Québec envers le Canada anglais (ou plus précisément l'Ontario) plutôt qu'envers les États-Unis. Cela ne veut pas dire nécessairement que le PQ souhaite s'intégrer économiquement aux États-Unis ou en dépendre davantage. Ni non plus qu'une plus grande dépendance envers les États-Unis suivrait *nécessairement* une moindre dépendance envers le Canada. Mais les spéculations n'en continuent pas moins d'aller bon train sur certains éléments du PQ qui favoriseraient une association Québec-USA. À tout le moins, ces spéculations peuvent servir au PQ à brandir la menace d'une association avec les États-Unis, dans sa démarche pour faire accepter au Canada la souveraineté-association. Mais jusqu'ici, comme la déclaration de Lévesque en fait foi, le PQ ne s'est guère montré enclin à utiliser cette tactique.

Les obstacles à l'accession du Québec à la pleine souveraineté politique sont donc formidables. Ils découlent en partie de la stratégie adoptée, c'est-à-dire d'avoir lié la souveraineté à une association économique avec le Canada. Cette stratégie bute sur une contradiction: elle menace le Canada anglais de rupture et elle promet la souveraineté dans la continuité économique aux Québécois. Avec le temps, on pourra peut-être trouver des issues à cette contradiction. La menace de remplacer le Canada anglais par les États-Unis pourrait devenir assez crédible pour affaiblir la résistance canadienne-anglaise à la souveraineté-association. En outre, l'opinion québécoise pourrait en venir à se ranger du côté de la souveraineté pure et simple, sans association économique. Le déclin économique du Québec par rapport au reste du pays (un déclin que les structures fédérales ne peuvent apparemment pas freiner) pourrait atteindre un degré qui ne rende plus l'association canadienne garante de sécurité. Enfin, le développement des antagonismes avec le Canada anglais et les autorités fédérales, combiné avec un nouveau sursaâut de fierté québécoise, pourrait amener les Québécois à assumer plus volontiers les risques économiques de l'indépendance. Mais jusqu'à ce que ces conditions apparaissent, le Québec semble manifestement cloué au système fédéral.

Chapitre 11

Conclusions

Au cours du siècle, le Québec a connu les changements dont rendent compte les théories du développement examinées au premier chapitre. Son économie s'est transformée: d'abord à prédominance agraire, elle est devenue industrielle, avec forte concentration dans le secteur primaire, lié aux ressources naturelles, et dans l'industrie légère. Du même coup, le Québec francophone a subi les nombreux changements sociaux qui accompagnent habituellement l'industrialisation: urbanisation, sécularisation, démocratisation de l'enseignement et développement des moyens de communication de masse. Enfin, à une société urbaine et industrielle, a correspondu une modernisation tardive mais rapide de la vie politique. Cette modernisation a entraîné à la fois le développement de l'État québécois, dans ses fonctions et dans ses structures, et une politisation, c'est-à-dire la mobilisation d'une partie beaucoup plus importante de la population pour l'action politique.

La spécificité du développement québécois

Les théories du développement fournissent le schéma général des changements qui se sont produits au Québec; elles n'en donnent pas les particularités. La direction que le développement socio-économique et la modernisation politique ont prise au Québec ne peut être comprise qu'à la lumière des facteurs qui ont façonné l'histoire de la province: dépendance économique et politique vis-à-vis de l'Ontario et des États-Unis; division culturelle du travail entre francophones et anglophones; clivages de classes au sein de la population francophone; et conscience nationale séculaire. N'eût été de ces conditions, le développement socio-économique et la modernisation politique auraient pris des formes différentes, et le résultat aurait été tout autre. Ainsi, la modernisation politique s'est traduite par un accroissement beaucoup plus considérable du rôle de l'État au Québec qu'en Ontario, même si les deux provinces ont connu des phénomènes d'urbanisation et d'industrialisation comparables. En 1976, 34% du produit intérieur brut du Québec était consacré aux institutions municipales et hospitalières, comparativement à 25% en Ontario[1]. En 1975, le secteur public assumait 39,8% des immobilisations au Québec, et seulement 30% en Ontario; en 1978, l'écart était encore plus grand, soit 45,2 et 25,7 respectivement[2].

La dépendance a marqué le développement économique du Québec: exportation des matières premières vers les marchés américains et quasi-absence d'un secteur industriel de pointe. Par le fait même, le désir de réduire cette dépendance, vis-à-vis de l'Ontario sinon des États-Unis, a été l'un des moteurs les plus puissants de la modernisation politique des années soixante. L'État québécois moderne entend renforcer les sources de financement locales, avec le Régime des rentes du Québec ou la Société générale de financement, et créer de nouvelles entreprises industrielles (telles que le complexe sidérurgique Sidbec), capables de briser la domination ontarienne.

La division culturelle du travail a aussi influencé directement le changement économique et politique au Québec. Non seulement a-t-elle biaisé la distribution des bénéfices du développement, elle a aussi sans doute marqué la forme que ce développement a prise. Sans une classe active d'entrepreneurs francophones, l'impulsion industrielle endogène a pu être plus faible et, partant, la dépendance extérieure plus forte. En outre, la division culturelle du travail a manifestement joué en faveur d'une expansion de l'État québécois: il fallait faire une place aux francophones au sommet de l'échelle économique. Ainsi, le Québec devait nationaliser les compagnies d'électricité, même si, comme dans le cas de la Shawinigan Water & Power, elles étaient contrôlées par des résidents québécois. Ces résidents étaient surtout anglophones et leurs entreprises étaient gérées par des anglophones. Seule la nationalisation pouvait permettre aux francophones d'accéder à la direction de ces compagnies et de mettre en pratique le slogan « maîtres chez nous ».

Quant à la structure sociale, nous avons déjà noté comment l'absence d'une véritable élite économique francophone a marqué le développement du Québec. Et les conflits au sein de cette structure ont manifestement contribué au mouvement de modernisation politique. En mettant l'éducation, la santé et le bien-être social directement sous la responsabilité de l'État, la nouvelle classe moyenne se libérait de l'emprise du clergé. Mais pour y parvenir, elle dut s'allier aux classes inférieures francophones. On en vit un résultat concret dans les années soixante avec le renforcement des centrales syndicales, notamment la CSN et la CEQ.

La prise de conscience nationale des Québécois a aussi orienté et canalisé le changement économique, social et politique. Cette identité nationale a cimenté les organisations syndicales, qui sont nées par suite de l'industrialisation. Elles se sont regroupées exclusivement dans le giron de la nation (Confédération des syndicats nationaux, Centrale de l'enseignement du Québec) ou n'ont gardé que des liens ténus avec les organisations pancandiennes (Fédération des travailleurs du Québec).

La réforme du système scolaire porte aussi l'empreinte nationaliste. La transmission des transmissions des traditions nationales n'est sans doute plus ce qu'elle était du temps des collèges classiques, mais les programmes et les méthodes pédagogiques sont imprégnés de façon beaucoup plus subtile par l'idée nationale. Cela va du choix des drapeaux et autres symboles politiques, à la priorité donnée à l'anglais comme « langue seconde ». Le nationalisme québécois sous-tend aussi l'opinion de bien des Québécois que le système scolaire devrait servir à intégrer les enfants des immigrants à la population francophone, que ces « immigrants » viennent d'autres pays ou d'autres provinces du Canada.

Enfin, les nouveaux mass media, comme la télévision, ont subi la même influence. Même le réseau de télévision d'État a eu tendance à se concentrer sur le Québec, ou sur les relations du Québec avec le Canada et d'autres pays, malgré les efforts de la haute direction fédérale pour lui donner une perspective plus « canadienne ».

Mais c'est, bien sûr, dans le mouvement de modernisation politique que la conscience nationale s'est le plus manifestée. C'est ce qui explique que, pour la majorité des francophones, cette modernisation devait émerger de Québec et non d'Ottawa. Ainsi, la plupart des Québécois voulant défendre leurs intérêts et leurs causes par la voie politique se sont tournés vers les institutions gouvernementales dirigées par leurs compatriotes francophones au Québec, de la même façon qu'autrefois ils s'étaient tournés vers l'Église. De fait, bien des revendications politiques des années soixante et soixante-dix étaient beaucoup plus recevables à Québec qu'à Ottawa; le gouvernement fédéral, quand il n'y était pas franchement hostile, n'en constituait pas la tribune appropriée. C'était le cas notamment pour les questions touchant la place des francophones au Québec, ou l'expansion du secteur public provincial, auquel bien des carrières francophones étaient liées.

L'affirmation de la conscience nationale attachait aussi une importance énorme à la symbolique de la modernisation politique. Le gouvernement provincial devint « l'État du Québec », doté d'une « Assemblée nationale ». Aux yeux d'une foule de Québécois, il importait que leur nouvel État modernisé se distingue nettement des autres provinces, par le biais d'un « statut particulier » ou d'une forme quelconque de souveraineté. Il importait également que Québec puisse traiter directement avec les pays de la francophonie. Les Québécois en vinrent donc à revendiquer des changements au fédéralisme qui allaient bien au-delà de ce qu'on pouvait demander dans le reste du Canada.

Il est évident que chacun de ces facteurs — dépendance, division culturelle du travail, structure sociale et conscience nationale — a façonné le changement économique, social et politique. Ils fournissent l'éclairage nécessaire pour comprendre l'histoire particulière du Québec. Mais il importe aussi de voir comment ces facteurs se sont combinés, modifiés et renforcés les uns les autres. Cela a été le cas notamment pour la conscience nationale. Le contenu et l'intensité du nationalisme québécois sont étroitement liés à la dépendance économique et politique vis-à-vis de l'Ontario et des États-Unis, à la division séculaire du travail entre francophones et anglophones et aux conflits et alliances de classes au sein de la société francophone.

Les multiples sources du nationalisme québécois

L'importance de ces facteurs s'est manifestée dans le néo-nationalisme de la Révolution tranquille et dans le mouvement indépendantiste qui en est issu. Certains analystes n'ont voulu voir dans cette résurgence nationaliste qu'une réaction contre la dépendance du Québec, notamment vis-à-vis de l'Ontario[3]. Cette analyse a ses mérites: entre autres, elle offre un cadre qui permet d'expliquer aussi l'aliénation de l'Ouest ou d'autres régions du pays. Mais, quel que soit son attrait théorique, elle reste insuffisante. D'abord, elle n'explique pas pourquoi le néo-nationalisme est apparu au moment où il est apparu. Nous avons vu que la position économique désavantageuse du Québec ne date pas des deux dernières décennies; elle était déjà bien établie à la fin du siècle dernier. En fait, on peut montrer que la position relative du Québec par rapport à l'Ontario s'est améliorée légèrement dans les années qui ont précédé la Révolution tranquille[4]. Le déclin actuel n'est apparu qu'au milieu des années soixante, bien après le déclenchement de la Révolution tranquille. Ainsi donc, la réaction à la dépendance s'inscrit autant, sinon davantage, comme un effet que comme une cause de la Révolution tranquille.

D'autre part, aspect encore plus important, plusieurs des objectifs concrets du néo-nationalisme concernaient des situations proprement québécoises. Ainsi, la nationalisation d'Hydro-Québec ne visait pas à changer les relations Québec-Ontario mais la place des francophones dans l'économie québécoise. D'autres revendications portaient sur la domination du clergé dans l'éducation, la santé et le bien-être social, aux dépens de la « nouvelle classe moyenne » qui émergeait.

La dépendance économique et politique a sûrement contribué à ce néo-nationalisme, mais elle ne l'explique pas. Dans une large mesure, ce mouvement a répondu à des situations à l'intérieur même du Québec, notamment la division culturelle du travail et les rapports de classes parmi les francophones. L'idéal néo-nationaliste d'un État québécois moderne et dynamique promettait de changer radicalement ces conditions internes. Puisque cet État devenait une nécessité, il fallait redéfinir la place du Québec dans la confédération, pour donner au gouvernement provincial les pouvoirs et les ressources nécessaires pour assumer ses nouvelles responsabilités. Les relations Québec-Canada furent remises en question dans la mesure où l'organisation de la société québécoise, surtout francophone, fut elle-même remise en question. Par conséquent, la redéfinition du nationalisme canadien-français fut moins un rejet du reste du Canada — la plupart des Québécois n'ayant jamais senti d'attachement particulier pour tout le Canada — que la définition d'un nouveau Québec.

La même analyse vaut pour les suites les plus radicales de la Révolution tranquille: le mouvement indépendantiste et le Parti québécois. On serait tenté d'interpréter l'indépendantisme des années soixante-dix comme une simple réaction à des situations vécues dans le reste du Canada, notamment le déclin accru des minorités francophones et le raffermissement de la position de l'Ontario (et des provinces de l'Ouest) au centre de l'économie canadienne. Sans minimiser l'importance de ces facteurs, il faut reconnaître cependant que la poussée souverainiste est venue surtout d'aspirations au changement à l'intérieur même du Québec. Ces aspirations portaient sur la prédominance des institutions francophones, l'égalité dans l'emploi et les possibilités d'avancement, l'usage de tous les pouvoirs et ressources étatiques pour revigorer l'économie québécoise et la transformation des mentalités individuelles et collectives des Québécois. Il semble en effet que pour plusieurs indépendantistes la question des relations Québec-Canada ne se soit posée qu'en second lieu, un peu comme un problème qui se règlerait de lui-même une fois que le Québec aurait résolument choisi la souveraineté. La bataille pour la souveraineté fut donc conçue davantage comme une affaire intérieure, pour la transformation des attitudes et des mentalités québécoises, que comme une lutte contre un pouvoir extérieur.

Cette orientation est visible dans plusieurs aspects de l'activité du Parti québécois depuis dix ans. On a vu que le programme que le PQ avait élaboré dans l'opposition comportait un plan très détaillé des mesures qu'appliquerait un gouvernement péquiste. La stratégie de changement interne était claire, mais le programme s'étendait peu sur les relations du Québec avec le Canada ou avec le reste du monde. Une fois au pouvoir, le PQ s'est empressé d'imposer sa conception de la société québécoise — l'exemple le plus éloquent en est la loi 101. Mais ce n'est qu'avec lenteur et circonspection qu'il a défini un nouveau modèle de rapports Québec-Canada. Selon toute apparence, la question n'avait pas été beaucoup examinée au préalable. Les dirigeants péquistes ont montré, à diverses occasions, qu'ils avaient considérablement sous-estimé la résistance du Canada anglais à l'idée de la souveraineté du Québec. La frustration et le désappointement qu'ils ont manifestés à l'égard du Canada anglais n'étaient pas toujours forcés; dans une certaine mesure, ils ne connaissaient pas vraiment leur « ennemi[5] ».

Cette concentration sur le changement au sein même du Québec explique peut-être que bien des Québécois puissent être, à la fois, attachés passionnément à l'indépendance et tout à fait indifférents au reste du Canada. On ne constate guère le ressentiment contre les Canadiens anglais qu'on s'attendrait à trouver dans un mouvement indépendantiste (il n'en va pas de même cependant vis-à-vis des anglophones du Québec). Au contraire, tout comme les fédéralistes d'ailleurs, les indépendantistes voient les relations du Québec avec le Canada d'un oeil pragmatique, sans émotion. Aussi la plupart des promoteurs de la souveraineté sont-ils tout disposés à envisager une association économique avec le reste du Canada. Le souci d'éviter d'inutiles risques économiques prend le pas sur la satisfaction psychologique de rompre les liens. De manière générale, le Canada est vu avec bien plus d'indifférence que de colère.

Le débat sur l'unité nationale qui a eu cours après l'arrivée du PQ au pouvoir a révélé le fossé qui sépare les Québécois et les Canadiens anglais. Les deux groupes ont poursuivi un dialogue de sourds. La minorité des Canadiens anglais que la victoire du PQ a sérieusement alarmés ont cherché à élaborer une nouvelle conception du Canada qui amènerait une intégration plus effective des Québécois. De leur côté, les Québécois se sont préoccupés surtout de la situation au Québec même et des conséquences possibles de la souveraineté chez eux. Ainsi, un sondage a révélé en 1977 que, pour la plupart des Québécois, le traitement accordé aux francophones hors Québec n'avait pas d'effet direct sur leur attitude vis-à-vis de la souveraineté[6]. L'appui ou l'opposition à la souveraineté est bien plus directement lié à l'évaluation de ses répercussions sur l'économie du Québec[7].

Il y a, en fait, deux débats sur « l'unité nationale », avec des protagonistes et des objets différents, l'un au Québec et l'autre au Canada anglais. Pour les Canadiens anglais, il s'agit de l'avenir du Canada; pour les Québécois, de l'avenir du Québec. Que ces deux débats n'aient pu se fondre dans un seul débat pancanadien témoigne assez du degré de distinction nationale du Québec. Le changement social, économique et politique a transformé à ce point le nationalisme canadien-français durant les dernières décennies que la prédominance de l'identité québécoise et le statut national du Québec sont devenus des données indiscutables. Les discours anti-nationalistes de Pierre Elliott Trudeau et de son petit groupe de libéraux canadiens-français n'ont eu aucun effet. Dans le Québec d'aujourd'hui, même les porte-parole fédéralistes doivent reconnaître la nationalité québécoise dans leur défense de l'ordre politique établi. Et cette défense ne peut s'appuyer que sur un calcul avisé des intérêts disctincts du Québec. C'est pourquoi peu de tentatives sont venues des fédéralistes francophones, et particulièrement de ceux qui militent sur la scène provinciale, pour associer les Québécois aux Canadiens anglais dans un vaste mouvement pancanadien.

Le Canada n'est pas le seul pays industrialisé à éprouver une résurgence du sentiment nationaliste dans une de ses régions. Le même phénomène s'est produit au sein de pays constitués de longue date. Là aussi, le changement socio-économique n'a pas eu l'effet d'homogénéisation et d'intégration que plusieurs avaient prévu. En maints endroits, les particularismes culturels n'ont pas fait que persister, ils sont devenus la raison d'être de nouveaux mouvements d'autonomie régionale, sinon de sécession pure et simple.

L'éveil du nationalisme

Plusieurs auteurs ont montré comment l'éveil du nationalisme était liée à des inégalités économiques régionales. Le changement socio-économique peut accentuer ces inégalités et créer de nouvelles occasions pour s'y attaquer. À cet égard, le cas du Québec est typique. Les inégalités peuvent être de formes très variables. C'est souvent dans les régions désavantagées qu'on assiste à un éveil du nationalisme. Le désavantage est parfois ancien, comme dans le cas de régions « périphériques » telles que le Pays de Galles; dans d'autres cas, il s'agit d'une évolution plus récente, comme chez les Wallons en Belgique. Ailleurs, cependant, les revendications nationalistes peuvent voir le jour dans des régions dont la position relative, selon plusieurs indicateurs de bien-être économique, est bonne sinon supérieure, mais où on pense ne pas jouir de la part de pouvoir politique qu'on mérite. Encore là, cette puissance économique peut exister depuis longtemps, comme au Pays basque et en Catalogne, deux régions fortement industrialisées, ou elle peut être un phénomène récent, comme en Écosse avec la découverte du pétrole dans la mer du Nord. Mais tous ces exemples ont un point commun: la convergence de l'identité nationale et des revendications ayant trait aux inégalités économiques et politiques interrégionales. Ces deux facteurs se renforcent l'un l'autre, et renforcent du même coup l'attachement nationaliste à la région qui sape les bases de l'ancienne stabilité politique[8].

Au-delà des rapports structurels entre les économies régionales, on peut rattacher l'éveil actuel du nationalisme dans les pays occidentaux aux relations entre individus de culture différente, peu importe qu'ils cohabitent une même région ou non. Avec l'urbanisation et les progrès de l'éducation, les divisions culturelles du travail sont inévitablement mises en cause. Le groupe dominé cherche à renverser les rôles à son avantage en étendant son emprise sur un État régional autonome et en exploitant aux maximum des pouvoirs d'intervention sociale et économique.

Que dans plusieurs sociétés industrialisées la division culturelle du travail s'établisse à partir de la langue n'a rien de fortuit. Ni d'ailleurs que le groupe désavantagé réagisse en cherchant à établir la prédominance de sa langue dans une région donnée. Au Québec, comme dans d'autres sociétés industrielles, les organisations complexes ont tendance à fonctionner dans une seule langue. Cela s'applique tant à la fonction publique provinciale, dont la langue de communication interne est exclusivement le français, qu'aux sièges sociaux et aux usines des sociétés anglo-canadiennes et américaines, qui fonctionnent en anglais. En faisant de sa langue la langue d'usage de ces organisations, un groupe accroît les possibilités pour les siens et réduit celles des autres groupes linguistiques. Cela fournit un puissant levier pour les mouvements nationalistes. Ernest Gellner pose le problème de la façon suivante: « Les employés de bureau n'ont pas de mobilité horizontale, ils ne peuvent normalement aller d'une zone linguistique à une autre (...) les intellectuels ont cessé d'être une valeur interchangeable, sauf dans le contexte d'une langue ou d'une culture données. Mais, malgré son évidence, on a curieusement négligé l'importance (...) de ce fait que seule l'éducation forme l'homme et le citoyen au plein sens du mot, et que cette éducation passe nécessairement par une langue. Cela explique que le nationalisme ait autant d'emprise sur les masses humaines. En règle générale, les hommes ne deviennent pas nationalistes par sentiment, ancestral ou non, justifié ou mythique: ils le deviennent par nécessité pratique, authentique et objective, si obscur que cela puisse leur paraître.[9] »

Ainsi donc, la montée du néo-nationalisme au Québec est un

phénomène analogue à ce qui s'est produit dans plusieurs sociétés « développées ». Plutôt que d'abolir les identités culturelles, le développement socio-économique ne fait souvent que les renforcer et provoquer de nouveaux mouvements nationalistes.

Mais le rôle joué par la conscience nationale distingue clairement le changement qui s'est produit au Québec de celui qu'ont connu les autres provinces canadiennes, ou le Canada anglais dans son ensemble. Les autres provinces ont connu une évolution socio-économique semblable et leurs structures gouvernementales se sont renforcées considérablement. Pourtant les résultats ne sont pas les mêmes. Nulle part ailleurs au Canada, les changements n'ont alimenté des sentiments séparatistes. Au cours des années 1960 et 1970, quelques gouvernements provinciaux ont commencé à demander des transferts de pouvoir et de ressources d'Ottawa, souvent à l'imitation du Québec. Mais ces demandes étaient toujours formulées dans le contexte fédéral, où toutes les provinces restaient pour l'essentiel sur le même pied. Aucune région du Canada anglais n'a recherché l'égalité avec le reste du pays. Même l'Ouest, dont la longue dépendance économique et politique s'arme désormais d'un puissant levier énergétique à l'endroit du Canada central, n'a encore revendiqué ni souveraineté ni égalité. Sans conscience nationale, l'aliénation économique et politique ne mène guère à des revendications indépendantistes.

L'avenir du nationalisme québécois

Tout porte à croire que les Québécois continueront à concevoir et à interpréter leur expérience collective sous l'éclairage de la conscience nationale. De récentes études ont montré que, si la plupart des Québécois restent fermement attachés au maintien de l'union économique et même politique avec le Canada, un nombre croissant d'entre eux se considèrent avant tout comme Québécois[10]. En dernière analyse, la conscience nationale du Québec contemporain ne s'inscrit pas dans la différence, y compris les particularismes culturels dont les nationalistes québécois et les observateurs étrangers ont fait tant de cas, mais dans la séparation. Certains facteurs de développement socio-économique ont contribué à affaiblir la séparation. L'urbanisation, par exemple, a accru les contacts avec les anglophones; puis la télévision et les autres mass media ont augmenté l'exposition à la culture américaine, sinon à la culture canadienne-anglaise.

Par contre, le développement a aussi accentué la séparation en provoquant une poussée extraordinaire d'institutions francophones distinctes, la plupart liées d'une façon ou d'une autre à l'État québécois. Avec le renforcement de cette séparation institutionnelle, les francophones québécois n'ont guère de motifs d'abandonner leur identité historique, même si les différences culturelles entre francophones et anglophones devaient s'atténuer. Les changements socio-économiques et politiques ont en fait raffermi l'identité canadienne-française et l'ont rendue plus résolument québécoise. Et les facteurs structurels qui ont provoqué la poussée nationaliste des deux dernières décennies sont encore bien en place.

Le Québec dépend encore économiquement de l'Ontario, ainsi que des États-Unis. Bien sûr, sa position s'est améliorée à certains égards. La création de sociétés financières d'État, la croissance des banques francophones et le dynamisme du secteur coopératif ont contribué à réduire la dépendance à l'égard des institutions financières ontariennes. Désormais, plus des deux tiers de l'épargne sont gérés par des institutions québécoises. Et tout en restant provincial, le gouvernement québécois a acquis une capacité d'intervention économique qu'il n'avait pas du temps de Duplessis. Avec le renforcement des institutions économiques québécoises, l'idée d'indépendance jouit désormais de la crédibilité qui lui manquait au début des années soixante[11].

Cependant, plusieurs autres indicateurs montrent que la dépendance du Québec a persisté, si elle ne s'est pas aggravée dans les deux dernières décennies. L'industrie de pointe se concentre toujours ailleurs au Canada, en Ontario ou plus récemment dans l'Ouest. Par exemple, le nombre d'ordinateurs par million de travailleurs y reste inférieur à la moyenne canadienne, chutant de 96% de cette moyenne en 1963 à 86% en 1973, tandis que l'Ontario se maintient bien au-dessus de la moyenne: 136% en 1963 et 122% en 1973[12]. Quant à l'activité manufacturière en général, l'emploi depuis 1961 s'y est accru deux fois et demie plus vite en Ontario qu'au Québec[13]. Il en va de même pour l'économie dans son ensemble: entre 1973 et 1978, la moyenne annuelle d'emplois nouveaux était de 93 400 en Ontario et de 38 000 seulement au Québec[14]. Plus récemment, la position du Québec s'est encore détériorée par rapport à l'Ontario[15]. Le chômage y est resté constamment plus élevé. En 1978, le Québec comptait 307 000 chômeurs, soit 33,7% du total canadien[16].

Par ailleurs, la société québécoise est toujours marquée par une division culturelle du travail. Certes, la distribution hiérarchique des rôles s'est légèrement atténuée dans les institutions où anglophones et francophones se côtoient. Au cours des années 1970, la mobilité des francophones dans les sociétés anglo-canadiennes et américaines s'est effectivement améliorée. Mais certains observateurs attribuent ces améliorations à des facteurs particuliers aux années 1970 et qui ne se reproduiront pas vraisemblablement dans un avenir rapproché[17]. D'abord, les réformes de l'éducation dans les années 1960 ont fait que les jeunes francophones sont restés à l'école, et donc hors du marché du travail, plus longtemps qu'auparavant. Durant les années 1970, ces jeunes ont finalement envahi le marché du travail où ils ont constitué un réservoir sans précédent de main-d'oeuvre. D'autre part, l'émigration massive d'anglophones ne connaîtra sans doute plus l'ampleur qu'elle a connue dans les années 1970. Ces deux facteurs mis ensemble ont fait que la plupart des nouveaux postes sont allés à des francophones. Comme on le souligne dans une étude récente, « que les francophones aient monopolisé presque totalement les nouveaux postes qui ont ainsi été créés ne tiendrait pas non plus aux interventions politiques sur la question linguistique. Cela renverrait plutôt directement au fait que les francophones constituaient le seul stock de nouveaux travailleurs disponibles sur le marché québécois de 1971 à 1978[18]. »

L'accroissement de la main-d'oeuvre et le taux de croissance économique se sont traduits par la création d'un grand nombre de postes de cadres. Constatant que la main-d'oeuvre québécoise ne connaîtra pas un développement semblable dans les années à venir, les auteurs de cette étude concluent qu'à moins que l'économie québécoise ne jouisse d'un taux élevé de croissance dans les prochaines années, ce qui semble douteux, l'équité linguistique aux niveaux supérieurs d'emploi ne pourra être assurée par « un modèle de rattrapage basé sur l'allocation privilégiée de nouveaux emplois aux francophones ». Il faudrait alors recourir à « un modèle d'appropriation ou de réappropriation des emplois, les francophones expulsant les non-francophones vers les catégories professionnelles moins prestigieuses et offrant moins de possibilités de contrôle[19] ».

Même si le nombre de francophones ne cesse d'augmenter dans les échelons supérieurs des entreprises anglophones, la division linguistique continuera de prévaloir dans d'autres secteurs de l'économie et de la société. Il y a tout lieu de croire que les structures de l'État québécois et la pléthore des sociétés publiques continueront d'être réservées aux francophones. D'autres institutions, comme les écoles et les hôpitaux, demeureront distinctes sur le plan linguistique. Une telle segmentation ne peut que perpétuer les conflits d'intérêts entre le secteur public et le secteur privé de l'économie et entre les institutions de services francophones et anglophones. C'est dire que la division entre anglophones et francophones va persister, même si, comme des données récentes le laissent croire, les écarts de revenus tendent à s'atténuer entre les deux communautés.

Enfin, des changements dans la structure démographique globale du Canada pourraient bien accentuer la tendance des Québécois francophones à s'identifier à des institutions québécoises distinctes. Comme nous l'avons vu au chapitre 7, des spécialistes prédisent qu'en l'an 2000, il restera peu de francophones à l'extérieur du Québec: près de 95% de la population francophone du Canada sera concentrée au Québec. De plus, la proportion québécoise de la population canadienne ne cessera de décliner, tombant au-dessous de 25% à la fin du siècle, sinon avant.

La persistance d'une conscience nationale profondément enracinée, s'ajoutant à des facteurs comme la dépendance économique et la division culturelle du travail, fait en sorte que les relations du Québec avec le reste du Canada resteront difficiles. Mais ces conditions ne mènent pas nécessairement à l'indépendance. Nous avons vu que les obstacles sont encore considérables. Il n'en reste pas moins que plusieurs Québécois ne cesseront de considérer l'ordre politique canadien comme problématique et sujet à réforme radicale, sinon à révocation pure et simple.

Épilogue

Le 20 mai 1980

La défaite qu'a subie le gouvernement au référendum — 59,5% du vote en faveur du « non » — pose un défi de taille au Parti québécois et au mouvement indépendantiste. Mais, paradoxalement, le défi est énorme aussi pour les défenseurs du fédéralisme canadien. Avec ce qui semble un rejet massif de l'idée de souveraineté, le « renouvellement » du fédéralisme pourrait perdre quelque peu de son urgence dans le reste du Canada. On pourrait présumer à tort que le « problème du Québec » est enfin résolu.

Le défi que ce vote lance au mouvement indépendantiste et au Parti québécois est évident. Pour eux, le résultat du référendum constitue bel et bien une défaite. Selon les calculs, le camp du « oui » n'a même pas rallié une nette majorité parmi les francophones; on ne peut même pas parler d'une « victoire morale ». En analysant les causes de cette défaite et en élaborant un plan d'action pour l'avenir, les indépendantistes ne peuvent que remettre en cause la stratégie étapiste que le Parti québécois a suivie au cours des dernières années.

Selon cette stratégie, il fallait distinguer clairement entre l'élection du Parti québécois comme gouvernement provincial et l'accession du Québec à la souveraineté. Ce fut la raison pour laquelle la question de la souveraineté fut reléguée à un référendum qui aurait lieu après l'élection du PQ. On arguait qu'une fois au pouvoir le PQ serait à même de rallier la population à l'idée de la souveraineté. D'abord, en étant « un bon gouvernement provincial », le PQ pourrait faire en sorte que cette souveraineté apparaisse moins risquée. On y accéderait sous une direction déjà éprouvée. Ensuite, en mobilisant l'autorité et les ressources du gouvernement derrière l'idéal souverainiste, le PQ donnerait à celui-ci une nouvelle crédibilité.

Il semble bien qu'on se soit trompé dans un cas comme dans l'autre. Le Parti québécois a effectivement réussi à établir ce que la plupart des Québécois considèrent comme un bon gouvernement. Un sondage pré-référendaire a montré en effet que 67% des francophones du Québec étaient « satisfaits » ou « très satisfaits » du gouvernement péquiste[1]. C'est la plus haute cote obtenue par un gouvernement québécois depuis qu'on a commencé à poser cette question dans les sondages, au début des années soixante-dix. Pourtant, comme ce sondage et le référendum lui-même l'ont montré, moins de la moitié des Québécois francophones étaient prêts à voter en faveur de la proposition référendaire. Des sondages avaient laissé croire qu'au lendemain du brillant débat référendaire mené par le PQ à l'Assemblée nationale, le « oui » avait gagné beaucoup d'appuis, jusqu'à dépasser le « non »[2]. Mais il faut croire que cette avance s'éroda dans les semaines suivantes.

En fait, le Parti québécois semble plutôt avoir perdu des appuis pour la souveraineté durant les années qui suivirent son accession au pouvoir. En août 1977, un sondage montrait en effet que 50% de la population québécoise serait prête à donner au gouvernement du Québec le mandat de négocier la souveraineté-association. Ce chiffre s'est maintenu jusqu'à l'automne 1979, puis il a commencé à diminuer[3]. Quant à l'appui pour la souveraineté-association elle-même, il ne semble pas avoir fait de progrès réels durant les trois années et demie qui ont précédé le référendum[4]. Dans le même temps cependant, l'indépendantisme radical — que les dirigeants péquistes n'ont cessé de désavouer — semble avoir fait des gains.

Il est encore difficile de savoir précisément pourquoi le Parti québécois, une fois au pouvoir, s'est montré incapable de gagner plus de francophones à son option ou au moins à la proposition référendaire. Pour certains francophones, l'attachement au Canada a pu simplement prévaloir sur l'option péquiste. Manifestement, un certain nombre d'entre eux, surtout les plus âgés, continuent de caresser le rêve d'un Canada français qui s'étendrait au-delà des frontières du Québec. dans Ce rêve a sans doute été ravivé par le retour au pouvoir de Pierre Trudeau et de son équipe québécoise, et par les interventions efficaces du premier ministre canadien lors de la campagne référendaire. D'autre part, certains francophones peuvent s'être laissés convaincre par l'engagement ferme de Trudeau et de tous les dirigeants fédéraux que, dans le cas d'une victoire du « non », ils réformeraient le système fédéral pour le rendre plus acceptable aux Québécois. Enfin, plusieurs peuvent avoir répondu moins aux options constitutionnelles défendues par l'un ou l'autre camp qu'à l'alignement de forces socio-économiques que chacun représentait. Les deux camps véhiculaient des vues passablement différentes sur l'organisation de la société québécoise. Sauf rares exceptions, les associations patronales se rangeaient derrière le « non » et les syndicats derrière le « oui ». Le rassemblement monstre des « Yvettes » au Forum de Montréal n'était pas qu'une manifestation de patriotisme canadien, c'était aussi une réponse à la ministre Lise Payette qui avait stigmatisé le rôle traditionnel des Québécoises. Mais l'option péquiste elle-même posait aussi des problèmes.

Pour plusieurs autres, l'option de la souveraineté-association n'avait peut-être aucune crédibilité. Les fédéralistes québécois faisaient valoir que, quelle que soit la question au référendum, le choix réel était entre fédéralisme et indépendance. Le Canada anglais, avertissaient-ils, n'accepterait jamais une association économique, même après que le Québec serait devenu souverain. De leur côté, les élites politiques et économiques du Canada anglais l'affirmaient avec une belle unanimité. Comme on l'a vu au chapitre 10, certaines considérations économiques pourraient favoriser la cause de la souveraineté-association, *si* le Québec menaçait sérieusement de rompre le système économique canadien. Mais ce ne sont là que des considérations *économiques*. Et elles s'appliquent essentiellement à l'Ontario. Le rejet ferme et souvent passionné de la souveraineté-association de la part des élites ontariennes montre qu'en dernier ressort ces considérations économiques pourraient bien céder le pas à la fierté bafouée. Et les élites de l'Ouest, pour leur part, n'ont guère de peine à faire valoir qu'elles n'ont même pas un intérêt *économique* dans la souveraineté-association. N'étant même pas sûrs de la possibilité de la souveraineté-association, certains Québécois ont pu craindre qu'un vote pour le « oui » ne puisse mener qu'à l'indépendance. Et les dirigeants du PQ ont fait très peu pour apaiser leurs craintes.

Parmi ceux qui voyaient la souveraineté-association comme une solution viable, certains ont pu être amenés à conclure que même ce changement limité coûterait trop cher. Les fédéralistes ont prétendu, par exemple, qu'un gouvernement québécois souverain n'aurait pas les ressources fiscales dont il dispose actuellement, grâce aux paiements de péréquation et à d'autres programmes de redistribution des richesses; des avantages sociaux, comme les pensions de retraite ou les allocations familiales, seraient réduits. (Dans certains cas, on serait allé jusqu'à dire qu'il n'y aurait plus de pensions du tout[5].) Québec ne serait plus assuré d'avoir accès au pétrole de l'Alberta en bas du prix mondial. Les fédéralistes ont par ailleurs évoqué le spectre de la dictature. Claude Ryan a accusé à maintes reprises le Parti québécois d'employer des « tactiques qui ressemblent au fascisme » et les panneaux publicitaires de la fédération pro-Canada proclamaient « Canada, j'y reste pour ma liberté[6] ».

Il y aussi la possibilité que la stratégie « étapiste » du Parti québécois se soit elle-même embourbée dans ses propres contradictions. Comme nous l'avons signalé au chapitre 10, l'effort du PQ pour être un bon gouvernement provincial peut en fait n'avoir servi qu'à rendre l'ordre politique actuel plus tolérable. Par exemple, par des mesures comme la loi 101 et l'accord Couture-Cullen sur l'immigration, le gouvernement Lévesque a contribué à réduire certaines insécurités culturelles qui pouvaient amener de l'eau au moulin de la souveraineté. Aussi, en se montrant si soucieuse de limiter l'ampleur du changement, la stratégie péquiste a pu renforcer chez certains Québécois leur appréhension du changement en général. En faisant valoir la nécessité d'une association économique étroite, les dirigeants du parti avouaient implicitement qu'un changement majeur (l'indépendance) imposerait nécessairement de lourdes charges au lieu d'offrir de nouvelles possibilités. Enfin, en cherchant à mettre de l'avant une série de mesures socio-économiques acceptables au plus grand nombre, le gouvernement Lévesque peut bien s'être aliéné l'appui massif des forces vives du mouvement indépendantiste, c'est-à-dire les syndicats et la gauche en général.

Bref, bien des facteurs peuvent être invoqués pour expliquer les résultats du référendum. Un débat sur cette question pourrait mettre à rude épreuve la cohésion du Parti québécois, sa direction actuelle et son emprise sur le mouvement indépendantiste.

Comme le reste du Canada refuse toute discussion sur la souveraineté-association, l'indépendance pourrait bien apparaître comme la seul formule valable de changement. On pourrait tabler sur une certaine radicalisation de l'option souverainiste qui commence à voir le jour au sein du gouvernement Lévesque. L'appui à l'option souveraineté-association reste stable, mais on observe une proportion accrue de Québécois francophones qui, au-delà de la souveraineté-association, appuieraient l'indépendance[7].

Bien que le référendum ait fortement ébranlé le Parti québécois et le mouvement indépendantiste en général, il est clair qu'il n'en a pas sonné le glas, loin de là. Il peut même à moyen terme renforcer le mouvement en réduisant l'alternative au fédéralisme et à l'indépendance. Dans ce contexte, la nécessité de trouver de nouveaux arrangements pour le Québec au sein du système fédéral est plus grande que jamais. Pourtant, compte tenu du vote massif en faveur du « non », ce défi risque de ne pas être évalué à sa juste mesure au Canada anglais. Puisque la proposition référendaire, malgré sa prudente formulation, n'a pas même réussi à rallier une nette majorité de francophones, on sera tenté de présumer que la plupart des Québécois se laisseront réconcilier avec le fédéralisme établi, ou que leurs demandes de changement sont fondamentalement assimilables à celle des autres provinces. Ce serait là une erreur. Les sondages montrent que la plupart des Québécois francophones sont d'accord sur trois points fondamentaux: le gouvernement du Québec doit accroître ses pouvoirs; l'État québécois représente une collectivité « nationale » distincte; les relations entre le Québec et le reste du Canada devraient être fondées sur le principe de l'égalité. C'étaient là d'ailleurs les thèmes fondamentaux de la campagne du « oui ». Mais ils devinrent également des éléments importants de la campagne du « non », quand les fédéralistes cherchèrent à rallier des appuis derrière eux. Ces trois points doivent, en fait, être au centre de tout renouvellement du fédéralisme.

Peu de Québécois sont satisfaits du régime fédéral actuel. Quand on a demandé lors d'un sondage de choisir parmi diverses options constitutionnelles, seulement 11% des Québécois francophones ont opté pour le statu quo. Cette volonté de changement surpasse nettement celle qui existe dans la plupart des autres régions du Canada. Lors du même sondage, 61% des Québécois francophones se disaient favorables à l'accroissement des pouvoirs provinciaux; seulement 31% étaient du même avis dans le reste du Canada. (Il n'y eut qu'en Alberta où le pourcentage de ceux qui favorisaient une décentralisation des pouvoirs approchait celui du Québec francophone, avec 55%[8].)

En un sens, la question qui a dominé la campagne référendaire n'a pas été de savoir si la souveraineté-association était désirable, mais comment on pourrait utiliser le référendum comme mécanisme de changement. Chaque camp a fait valoir qu'il avait la meilleure stratégie pour obtenir des changements dans les relations Québec-Canada. Les tenants du « oui » affirmaient que seul un référendum gagné pouvait débloquer l'impasse dans les discussions constitutionnelles. Les défenseurs du « non », pour leur part, répliquaient que voter pour le « oui » ne ferait qu'aggraver l'impasse, puisque la souveraineté-association était inacceptable au reste du Canada. Comme preuve de son engagement envers un « fédéralisme renouvelé », le Parti libéral lança le manifeste *Une nouvelle fédération canadienne* (connu aussi sous le nom de Livre beige[9]). Au cours de la campagne référendaire, le premier ministre Trudeau promit solennellement que, si le « non » l'emportait, il amorcerait une révision en profondeur du système fédéral.

D'autre part, le débat référendaire fut imprégné de l'idée que les Québécois constituaient une collectivité distincte, dont le centre politique se situait à Québec. Un sondage au milieu de la campagne montra dans quelle mesure les francophones s'identifiaient au gouvernement du Québec: 56% affirmèrent qu'ils le considéraient comme « leur » gouvernement; seulement 24% en dirent autant du gouvernement fédéral. (Dans les neuf autres provinces, 67% considéraient le gouvernement fédéral comme « leur » gouvernement[10].)

Bien sûr, les forces du « oui » s'appuyèrent fortement sur cette conscience nationale. Pour leur part, les forces du « non » tentèrent de s'en accommoder tant bien que mal. Dans son livre beige, le Parti libéral du Québec alla jusqu'à abandonner son engagement pour un statut particulier, offrant à la place un arrangement qui donnerait au Québec essentiellement les mêmes pouvoirs qu'aux autres provinces. Cependant, à mesure que la campagne avançait, les fédéralistes étaient de plus en plus amenés à reconnaître et même à exploiter le sentiment national. Les dirigeants libéraux commencèrent à contester la prétention péquiste de parler au nom des intérêts nationaux du Québec. Au dernier jour du débat référendaire à l'Assemblée nationale, Gérard-D. Lévesque se sentit obligé de proclamer: « Je n'ai pas de leçon de patriotisme ou d'amour du Québec à recevoir du gouvernement. J'ai donné ma vie pour le Québec. Mon premier amour est le Québec. J'ai essayé de servir les intérêts supérieurs du Québec. Cela a toujours été mon but[11]. » Les libéraux choisirent d'ailleurs un slogan qui reflétait leur dilemme: « Mon non est québécois ». Il y avait là un côté curieusement défensif. On aurait pu s'attendre qu'ils affirment plutôt: « Mon non est canadien ». Même les fédéralistes d'Ottawa, qui ont toujours affiché un profond dédain pour l'esprit de clocher du nationalisme québécois, y ont recourru pour assurer la victoire du « non ». Pierre-Elliott Trudeau, par exemple, exprima la crainte que la victoire du « oui » ne mette le Québec à la merci du Canada anglais, étant donné que la souveraineté-association serait impossible à réaliser sans le consentement du reste du pays: « Ils vous proposent une option qui mettrait le choix de notre destinée entre les mains des autres. » Puisque le Canada anglais refuserait à coup sûr de négocier la souveraineté-association, affirmait Trudeau, il ne pourrait en résulter qu'un « cul-de-sac » qui constituerait une « humiliation grave » pour les Québécois[12].

À ce sentiment d'appartenance à une collectivité nationale distincte, s'ajoute l'opinion que les relations entre le Québec et le reste du Canada devraient se fonder sur le principe de l'égalité. Un sondage réalisé en 1979 révélait que 84% des Québécois francophones étaient d'avis que le Québec devrait traiter « d'égal à égal » avec le reste du Canada. Le camp du « oui » a évidemment exploité ce sentiment, faisant valoir qu'il cherchait un mandat pour négocier une nouvelle entente qui mettrait le Québec sur un véritable pied d'égalité avec le reste du Canada. Les fédéralistes, pour leur part, ont cherché à reformuler cet objectif en des termes qui s'accordaient davantage avec le régime fédéral. Ainsi, lors du débat à l'Assemblée nationale, Claude Ryan déclarait: « Quand nous parlons d'égalité, nous sommes prêts à faire un débat avec le parti gouvernemental, n'importe quel, sur le concept d'égalité, parce que nous défendons profondément nous aussi les valeurs d'égalité. Mais nous les défendons suivant une interprétation et des applications infiniment plus réalistes et véridiques que celles que vous proposez[13]. »

Il reste maintenant à déterminer si ces aspirations peuvent s'accommoder d'un régime fédéral. Il est clair que les accommodements doivent comprendre un transfert majeur de pouvoirs au gouvernement du Québec et, par-dessus tout, des compétences exclusives sur les institutions culturelles québécoises. On ne voit pas pourquoi le gouvernement du Québec ne pourrait assumer la pleine responsabilité du financement des activités culturelles. Le Québec pourrait avoir pleine compétence sur la radiodiffusion et la télédiffusion à l'intérieur de ses frontières, plutôt que sur la câblodiffusion seulement. De même, le Québec (comme les autres provinces) devrait pouvoir décider de la langue dans laquelle il dispense ses services aux citoyens. Enfin, une redistribution des pouvoirs pourrait aussi garantir au Québec la priorité sur la sécurité du revenu (comme Québec l'avait déjà demandé à Victoria) ainsi que sur la santé et le bien-être social.

La plupart des propositions de changement en faveur du Québec à l'intérieur du régime fédéral se sont limitées aux domaines culturel et social. De toute évidence, c'est loin d'être suffisant. On a trop souvent pensé au Canada anglais que les préoccupations des Québécois et la source de leurs griefs à l'endroit du régime fédéral n'étaient que la défense de leur culture. Pourtant, le nationalisme du Parti québécois a toujours cherché à utiliser l'État québécois pour moderniser et réorganiser l'économie. Durant la campagne référendaire, les attaques péquistes contre le régime fédéral ont porté surtout sur de soi-disant traitements de faveur à l'endroit de l'Ontario et non sur des questions culturelles ou linguistiques. Ces griefs semblent partagés par les Québécois francophones en général. Quand les enquêteurs leur ont demandé en 1979 les domaines dans lesquels le gouvernement du Québec devrait recevoir plus de pouvoirs que les autres provinces, les Québécois francophones attachaient autant d'importance à la politique économique qu'à la politique culturelle ou sociale. En fait, 59% mentionnaient la politique culturelle, 55% la politique sociale et 55% la politique économique[14].

Des possibilités existent de décentraliser les décisions économiques. Le Québec obtiendrait automatiquement un plus grand pouvoir fiscal à partir d'une redistribution des compétences dans le domaine culturel et social. En outre, les pressions qui viennent déjà des autres provinces laissent augurer un renforcement de la mainmise provinciale sur les ressources naturelles. Il peut y avoir aussi un accroissement du rôle des provinces dans le développement industriel. Évidemment, certaines fonctions économiques de première importance doivent nécessairement être laissés à des institutions centrales. (Même dans le genre d'association économique proposée par le livre blanc du gouvernement québécois, des institutions « confédérales » veilleraient aux grandes fonctions économiques: politique commerciale, politique monétaire, transport, etc.) Néanmoins, on pourrait réduire le mécontentement à l'égard des décisions économiques fédérales en donnant aux gouvernements provinciaux la possibilité de participer, dans une certaine mesure, à ces décisions. En proposant une deuxième chambre formée de délégués provinciaux, le « conseil fédéral », le livre beige du Parti libéral du Québec se faisait l'écho de recommandations de plusieurs autres documents constitutionnels. Mais pour être efficace, ce « conseil fédéral » devrait avoir une plus grande participation aux décisions économiques que le livre beige ne le lui consent[15].

Par un transfert de certains pouvoirs au gouvernement du Québec, il est donc possible de concevoir un « fédéralisme renouvelé » qui puisse satisfaire, dans la pratique, les demandes québécoises; il reste à savoir si un quelconque fédéralisme renouvelé peut répondre à l'esprit de ces demandes, c'est-à-dire accepter que le Québec constitue une collectivité nationale et que son gouvernement soit en fait un gouvernement national. Si la réforme du fédéralisme échoue, les indépendantistes seront toujours là pour offrir leur option. Les sondages montrent que l'idée de souveraineté est solidement enracinée chez les francophones québécois, surtout parmi les classes qui sont appelées à exercer une influence déterminante sur l'avenir du Québec. D'après l'un de ces sondages, l'appui au « oui » lors du référendum était prédominant (plus de 55%) chez les francophones de 35 ans et plus. Cet appui était aussi étroitement lié au niveau d'éducation: 59% des francophones qui avaient dépassé le niveau secondaire favorisaient le « oui ». Il prévalait également parmi les membres de la nouvelle classe moyenne: intellectuels (69%), professionnels (66%) et semi-professionnels (61%)[16]. À mesure que les solutions de rechange autres que l'indépendance — fédéralisme renouvelé ou souveraineté-association — seraient éliminées, les risques de l'indépendance deviendraient plus acceptables et l'attrait de l'indépendance plus irrésistible.

Notes

1 L'analyse du changement: théories et concepts

1. Les dimensions du changement sont discutées dans C.E. Black, *The Dynamics of Modernization*, New York, Harper, 1967. La dimension psychologique est analysée par Karl Deutsch, « Social Mobilization and Political Development », *American Political Science Review*, 55, septembre 1961, p. 493-514. Pour un aperçu concis et critique des diverses façons de traiter le genre d'analyse qui a trait à la tradition et à la modernité, voir J.A. Bill et Robert Hardgrave, Jr. *Comparative Politics: The Quest for Theory*, Columbus, Ohio, Charles E. Merrill, 1973, p. 50-57. Une critique utile de plusieurs versions disparates du développement politique, celle de L.C. Mayer, *Comparative Political Inquiry*, Homewood, Ill., Dorsey Press, 1972, chapitre 12. On trouve une très bonne analyse des théories sur le développement politique et un bon exposé de la théorie de la dépendance dans Gérald Bernier, « Le cas québécois et les théories de développement et de la dépendance », dans Edmond Orban, éd., *La modernisation politique du Québec*, Montréal, Boréal Express, 1976, p. 19-54.
2. Un exemple de cet argument nous est donné par Daniel Lerner, « Towards a Communication Theory of Modernization: A Set of Considerations », dans Lucian Pye, éd., *Communications and Political Development*, Princeton, N.J., Princeton University Press, 1973.
3. Ceux-ci sont retenus de Karl Deutsch, « Social Mobilization and Political Development », mais ils apparaissent dans toute la littérature du changement politique sous une forme ou une autre.
4. G. Bernier, « Le cas québécois », *op. cit.*, p. 29-35.
5. Voir Richard Rose, éd., *The Dynamics of Public Policy: A Comparative Analysis*,

Beverly Hills, Sage, 1976 et Leon Lingberg, éd., *Stress and Contradiction in Modern Capitalism*, Lexington, Mass., Heath, 1975. Pour le Canada voir Conrad Winn et John McMenemy, éd., *Political Parties in Canada*, Toronto, McGraw-Hill Ryerson, 1976.

6. Charles Tilly, « Western State-Making and Theories of Political Transformation », dans Charles Tilly, éd., *The Formation of National States in Western Europe*, Princeton, N.J., Princeton University Press, 1975, p. 601-638.
7. A.F.K. Organski, *The Stages of Political Development*, New York, Alfred Knopf, 1965.
8. C. Tilly, « Western State-Making », *op. cit*,. p. 607; G. Bernier, « Le cas québécois », *op. cit.*, p. 21-25.
9. Phillips Cutright, « National Political Development: Measurement and Analysis », *American Sociological Review*, vol. 28, 1963, p. 253-264.
10. C. Tilly, *op. cit.*, p. 613.
11. Leonard Binder *et al.*, *Crises and Sequences in Political Development*, Princeton, N.J., Princeton University Press, 1971.
12. C. Tilly, *op. cit.*, p. 608-611.
13. Voir James O'Connor, *The Fiscal Crisis of the State*, New York, St. Martin's Press, 1973.
14. On trouve une analyse de la théorie de la dépendance aplliquée au cas du Québec dans Maurice Saint-Germain, *Une économie à libérer: le Québec analysé dans ses structures économiques*, Montréal, Les Presses de l'Université de Montréal, 1973; G. Bernier, « Le cas québécois », *op. cit.*; Jules Savaria, « Le Québec est-il une société périphérique? », *Sociologie et sociétés*, 7, novembre 1975, p. 115-128.
15. Par exemple, voir Henry Veltmeyer, « Dependency and Underdevelopment », *Revue canadienne de théorie politique et sociale*, 2, printemps 1978, p. 55.
16. C. Tilly, *op. cit.*, p. 628.
17. L'article de J. Savaria « Le Québec est-il une société périphérique? » est particulièrement pertinent à cet égard. Il réclame une théorie de la dépendance qui convienne à l'analyse des régions au sein d'un centre économique et qui tienne compte de l'articulation des stades du mode de production capitaliste plutôt que de se préoccuper simplement de l'articulation des différents modes de production.
18. Pour une analyse élaborée sur le statut du Québec en tant que région au sein d'un centre économique et pour une attaque particulièrement vigoureuse des termes « sous-développé » ou « périphérique » utilisés pour caractériser le Québec, voir Michel Van Schendel, « Impérialisme et classe ouvrière au Québec », dans *Socialisme québécois*, 21-22, avril 1971, p. 156-209.
19. Voir Samir Amin, *Le développement inégal*, Paris, Minuit, 1973, en particulier p. 292 et 301-308.
20. Par exemple, voir Gilles Bourque, *L'État capitaliste et la question nationale*, Montréal, Les Presses de l'Université de Montréal, 1977, chapitre V et Michael Hechter, *Internal Colonialism: The Celtic Fringe in British National Development, 1536-1966*, Berkeley, University of California Press, 1975.
21. Pour un bref aperçu de quelques modes d'explication du développement inégal voir Conseil économique du Canada, *Vivre ensemble*, Ottawa, 1977.
22. Voir M. Saint-Germain, J. Savaria et G. Bourque.

23. En ce qui concerne la propriété étrangère, ce modèle vaut pour tout le secteur industriel, sauf pour les transports et dans une certaine mesure pour les services. Voir gouvernement du Canada, *Investissements directs étrangers au Canada*, Ottawa, 1972, p. 23. Voir également Kari Levitt, *Silent Surrender*, Toronto, Macmillan, 1970; John Hutcheson, *Dominance and Dependency: Liberalism and National Policies in the North Atlantic Triangle*, Toronto, McClelland & Stewart, 1978 et R.M. Laxer, éd., *(Canada) Ltd.: The Political Economy of Dependency*, Toronto, McClelland & Stewart, 1973.
24. Pour une étude des rapports entre les provinces de l'Ouest et celles de l'Atlantique avec le Québec et l'Ontario, voir David Jay Bercuson, *The Burden of Unity*, Toronto, Macmillan, 1977. Voir également Harold Chorney, « Regional Underdevelopment and Cultural Decay », dans Marxist Institute of Toronto, *Imperialism, Nationalism, and Canada*, Toronto, New Hogtown Press, 1977, p. 108-141.
25. John H. Dales, « A Comparison of Manufacturing Industry in Quebec and Ontario, 1952 », dans Mason Wade, éd., *Canadian Dualism/La dualité canadienne*, Québec, Les Presses de l'Université Laval, 1960, p. 220. (Notre traduction.)
26. *Ibid.* (Notre traduction.).
27. Albert Faucher et Maurice Lamontagne, « L'histoire du développement industriel au Québec », dans Marcel Rioux et Yves Martin, éd., *La société canadienne-française*, Montréal, Hurtubise HMH, 1971, p. 265-279.
28. Trois économistes québécois ont récemment écrit: « Personne n'a mieux exprimé qu'Albert Faucher l'importance de la technologie et de la géographie dans l'expérience économique du Québec en Amérique ». (Pierre Fortin, Gilles Paquet et Yves Rabeau, « Coûts et bénéfices de l'appartenance du Québec à la Confédération canadienne: analyse préliminaire », étude préparée à la demande de Radio-Canada pour l'émission « L'éconothèque » du 21 mai 1977, p. 14.)
29. Gilles Bourque et Anne Legaré, *Le Québec: la question nationale*, Paris, Maspero, 1979, p. 121.
30. *Ibid.* (Souligné dans l'original.).
31. Voir Pierre Fréchette, Roland Jouandet-Bernadet et Jean-Pierre Vézina, *L'Économie du Québec*, Montréal, HRW, 1975, chap. 4.
32. Voir Pierre Fréchette, « L'économie de la Confédération: un point de vue québécois », *Analyse de politiques*, III:4, automne 1977, p. 431-440 et Yves Rabeau, « Les relations économiques Québec-Ontario », conférence présentée au colloque sur les relations Québec-Ontario, Toronto, janvier 1978.
33. R. Fortin, G. Paquet et Y. Rabeau, *op. cit.*, p. 14-15.
34. Stanley B. Ryerson, *Unequal Union*, Toronto, Progress Books, 1968. (Notre traduction.)
35. Donald Kerr, « Metropolitan Dominance in Canada », dans W.E. Mann, éd., *Canada: A Sociological Profile*, Toronto, Copp Clark, 1968, p. 225-243.
36. Une preuve de la prime payée aux anglophones: dans André Raynauld, Gérald Marion et Richard Béland, « La répartition des revenus selon les groupes ethniques au Canada », Rapport de recherche présenté à la Commission royale d'enquête sur le bilinguisme et le biculturalisme. Un résumé des constatations nous est donné par Gilles Racine, « Les Québécois gagnent peu à cause de la ségrétation économique pratiquée par les anglophones à leur endroit », *La*

Presse, le 14 novembre 1970. À propos des conséquences des limites de la participation économique francophone sur la croissance régionale, voir Maurice Saint-Germain, *Une économie à libérer, op. cit.* Voir également Pierre Harvey, « Pourquoi le Québec et les Canadiens français occupent-ils une place inférieure sur le plan économique? » dans René Durocher et Paul-André Linteau, éd., *Le «Retard» du Québec et l'infériorité économique des Canadiens français*, Montréal, Boréal Express, 1971, p. 113-127.

37. Les citations sont de Michael Hechter, « Group Formation and the Cultural Division of Labor », *American Journal of Sociology*, 84:2, septembre 1978, p. 6 et 29. (Notre traduction.) Hechter, à l'origine, a développé le concept dans un ouvrage sur les relations entre l'Angleterre et le groupe celte dans les îles Britanniques. (Michael Hechter, *Internal Colonialism: The Celtic Fringe in British National Development, 1536-1966*, Berkeley, University of California Press, 1975. Pour une discussion de la division culturelle du travail au Québec et de la thèse de Hechter sur le colonialisme interne, voir Kenneth McRoberts, « Internal Colonialism: the Case of Quebec », *Ethnic and Racial Studies*, 2:3, juillet 1979, p. 293-318.
38. Les grandes études sur cette question sont celles de Jean Hamelin, *Économie et société en Nouvelle-France*, Québec, Les Presses de l'Université Laval, 1960; Cameron Nish, *Les bourgeois gentilshommes de la Nouvelle-France*, Montréal, Fides, 1968; Michel Brunet, « La conquête anglaise et la déchéance de la bourgeoisie canadienne, 1760-1793 », dans Michel Brunet, *La présence anglaise et les Canadiens*, Montréal, Fides, 1958, et Louise Dechêne, *Habitants et marchands de Montréal au XVIIe siècle*, Paris, Plon, 1974. Un aperçu utile de tout le débat nous est donné par Serge Gagnon, « The Historiography of New France, 1960-1974 », *Revue d'études canadiennes*, 13:1, printemps 1978, p. 80-99 et Ramsay Cook « French-Canadian Interpretations of Canadian History », *Revue d'études canadiennes*, II:2, mai 1967, p. 3-18.
39. Voir en particulier G. Bourque et A. Legaré, *Le Québec: la question nationale*, *op. cit.*, p. 156-159, 194-199.
40. Dans un important ouvrage sur le nationalisme, Alfred Cobban en vient à cette conclusion: « La langue, la religion, la tradition, la contiguïté territoriale, les frontières naturelles, les intérêts économiques, la race — on peut trouver des exceptions importantes à chaque test proposé sauf le test subjectif », Alfred Cobban, *The Nation State and National Self-Determination*, London, Collins, 1969, p. 107. Pour des ouvrages plus complets sur le nationalisme, voir Karl Deutsch, *Nationalism and Social Communication*, Cambridge, Mass., MIT Press, 1966; Annales de philosophie politique, *L'idée de nation*, Paris, Presses universitaires de France, 1969; G. Bourque, *L'État capitaliste*; et en particulier, Anthony D. Smith, *Theories of Nationalism*, London, Duckworths, 1971.
41. Une définition typique est celle de Dankwart Rustow: « Une nation est un groupe autonome d'être humains qui placent leur allégeance au groupe pris dans son ensemble au-dessus des autres allégeances qui entrent en concurrence ». Dankwart Rustow, *A World of Nations*, Washington, Brookings Institution, 1967, p. 15. (Notre traduction.)
42. Voir par exemple V.A. Olorunsola, *The Politics of Cultural Sub-Nationalism in Africa*, New York, Doubleday, 1972.
43. Fernand Dumont, *Les idéologies*, Paris, Presses universitaires de France, 1974,

p. 95.

44. Gilles Bourque et Nicole Laurin-Frenette, « Classes sociales et idéologies nationalistes au Québec (1760-1970) », *Socialisme québécois*, no 20, avril-mai-juin 1970, p. 18-20.
45. Stanley B. Ryerson, « Quebec: Concepts of Class and Nation », dans Gary Teeple, éd., *Capitalism and the National Question in Canada*, Toronto, University of Toronto Press, 1972, p. 224. (Notre traduction.)
46. Gilles Bourque, *L'État capitaliste*, p. 136.
47. Nicole Laurin-Frenette, *Production de l'État et formes de la nation*, Montréal, Nouvelle Optique, 1978, p. 20.
48. *Ibid.*, p. 58.
49. *Ibid.*, p. 152-153.

2 Les fondements historiques: « la survivance »

1. Kenneth McRae, « The Structure of Canadian History » dans Louis Hartz *et al.*, *The Founding of New Societies*, New York, Harcourt Brace and World, 1964, p. 222-226.
2. *Ibid.*, p. 228-229. Voir aussi Jean Hamelin, *op. cit.*, partie II et la conclusion.
3. Jean-Charles Falardeau, « Rôle et importance de l'Église au Canada français », dans M. Rioux et Y. Martin, éd., *op. cit.*, p. 352.
4. Fernand Ouellet, *Histoire économique et sociale du Québec, 1760-1850*, Montréal, Fides, 1966, p. 241.
5. Extrait du *Montreal Herald*, cité dans J. Hamelin et Y. Roby, « L'évolution économique et sociale du Québec, 1851-1896 », *Recherches sociographiques*, 10, mai-décembre 1969, p. 167. (Notre traduction.) Voir aussi C.J. Cooper, « The Social Structure of Montreal in the 1850s », *Canadian Historical Association Annual Report 1956*, p. 66-72.
6. Léon Gérin, « La famille canadienne-française, sa force, ses faiblesses », dans M. Rioux et Y. Martin, *op. cit.*, p. 45-69.
7. De fait, on notait, au tournant du siècle, un désintéressement pour l'enseignement technique, comme le révèle une analyse des revues pédagogiques citées dans Ramsay Cook, *Canada and the French-Canadian Question*, Toronto, Macmillan, 1967. Pour un aperçu de l'éducation au Québec, voir *Rapport de la Commision royale d'enquête sur l'enseignement dans la province de Québec*, vol. 1, chap. 1, Québec, 1963 ou Louis-Philippe Audet, *Histoire de l'enseignement au Québec 1840-1971*, Montréal, HRW, 1971.
8. Fernand Dumont, « Réflexions sur l'histoire religieuse du Canada français » dans R.P. Harvey *et al.*, *L'Église et le Québec*, Montréal, Éditions du Jour, 1961, p. 56-57.
9. Jean Hamelin *et al.*, *Aperçu de la politique canadienne au XIXe siècle*, Québec, Culture, 1965, p. 11.
10. Léon Gérin, « La famille canadienne-française, sa force, ses faiblesses », ainsi que l'étude sur les travaux de Léon Gérin par Gérald Fortin, « L'étude du milieu rural », dans F. Dumont, éd., *Situation de la recherche sur le Canada français*, Québec, Les Presses de l'Université Laval, 1962, p. 106-109.

3 Forces et faiblesses du développement économique

1. La part du secteur tertiaire est passée de 41,2% à 54,6% pour la valeur de la production et de 37,2% à 59,7% pour la main-d'oeuvre employée. M. Saint-Germain, *Une économie à libérer*, Montréal, Les Presses de l'Université de Montréal, 1973, p. 87.
2. Cité dans P. Dagenais, « Le mythe de la vocation agricole du Québec », dans *Mélanges géographiques canadiens offerts à Raoul Blanchard*, Québec, Les Presses de l'Université Laval, 1959, p. 195.
3. *Ibid.*
4. John Porter, *The Vertical Mosaic*, Toronto, University of Toronto Press, 1965, p. 83-89 et 93-94 et le *Rapport de la Commission royale d'enquête sur le bilinguisme et le biculturalisme*, vol. III B, p. 499-522.
5. *Ibid.*
6. Everett C. Hughes, *Rencontre de deux mondes*, Montréal, Boréal Express, 1972, p. 119.
7. Philippe Garigue, « Une enquête sur l'industrialisation de la province de Québec: Schefferville », *L'Actualité économique*, 33, octobre-décembre 1957, p. 419-436 et E. Derbyshire, « Notes on the Social Structure of a Canadian Pioneer Town », *Sociological Review*, 8, juillet 1960, p. 63-75.
8. *Globe and Mail*, 16 décembre 1970, p. B3. (Notre traduction.)
9. *Rapport de la Commission royale d'enquête sur le bilinguisme et le biculturalisme*, vol. III A, p. 23.
10. A. Raynauld, *Croissance et structure économique de la province de Québec*, Québec, ministère de l'Industrie et du Commerce, 1961. Pour une comparaison avec les années 1960, voir Bernard Guermond, « Évolution des investissements du Québec de 1961 à 1970 », *L'Actualité économique*, 47, avril-juin 1971, p. 162-175.
11. N.W. Taylor, « The Effects of Industrialization, its Opportunities and Consequences upon French-Canadian Society », *Journal of Economic History*, 20, décembre 1960, p. 638-647.
12. P. Harvey, « La perception du capitalisme chez les Canadiens français: une hypothèse pour la recherche », dans J.-L. Migué, *Le Québec d'aujourd'hui*, Montréal, Hurtubise HMH, 1971.
13. J.-C. Falardeau, « L'origine et l'ascension des hommes d'affaires dans la société canadienne-française », *Recherches sociographiques*, 6, janvier-avril 1965, p. 44.
14. M. Saint-Germain, *Une économie à libérer*, *op. cit.*, p. 109.
15. En 1966-1970, le taux annuel de croissance au Québec était négatif (–0,12%) alors que celui de l'Ontario était de 7,8%. B. Guermond, « Évolution des investissements... », *op. cit.*
16. Pour une analyse très critique de l'interaction entre le gouvernement du Québec et le capital privé étranger dans le financement de la baie de James, voir Ralph Surette *et al.*, « The International Wolf Pack Moves in on the North », *Last Post*, 3, mai 1973, p. 24-30.

4 La transformation sociale du Québec francophone

1. On constate cela de multiples manières. Quelques exemples: le Conseil régional de Montréal de la CSN prend plus de positions nationalistes que l'organisation provinciale; l'Université de Montréal est reconnue pour son « école nationaliste » d'historiens; une étude des attitudes prévalant chez les élèves des écoles secondaires de Québec et de Montréal a révélé que ceux de Montréal étaient plus nationalistes, quels que soient leur situation socio-économique, leur sexe ou leur âge. (H.D. Forbes, « Some Correlates of Nationalism among Quebec Youth in 1968 », conférence présentée à l'Association canadienne de science politique, Université McGill, juin 1972, p. 20-21.
2. H. Miner, « Le changement dans la culture canadienne-française », dans M. Rioux et Y. Martin, éd., *op.cit.*, p. 77-91.
3. G. Fortin, « Le Québec: une ville à inventer », *Recherches sociographiques*, 9, janvier-août 1968, p. 17. Pour un mode d'analyse plus détaillé que celui de la dichotomie urbaine-rurale, voir l'article du même auteur intitulé « Une classification socio-économique des municipalités agricoles du Québec », *Recherches sociographiques*, 1, avril-juin 1960.
4. M.-A. Tremblay et W.J. Anderson, éd., *Rural Canada in Transition*, Agricultural Economics Research Council of Canada, Publication no 6, p. 65.
5. J.-C. Bilodeau, « Canada: Québec », *Yearbook of Education 1951*, London, 1951, p. 401.
6. La Commission royale d'enquête sur l'enseignement (commission Parent), *Rapport*, vol. I, p. 49. Voir également Paul Nash, « Quality and Inequality in Canadian Education », *Comparative Education Review*, 5, October, 1961, p. 127.
7. J. Porter, *The Vertical Mosaic*, *op. cit.*, p. 92.
8. D. Dufour et M. Amyot, « Évolution de la scolarisation de la population d'âge scolaire du Québec 1961-1981 », *L'Actualité économique*, 48, octobre-décembree 1972, p. 492.
9. J. Brazeau, « L'émergence d'une nouvelle classe moyenne au Québec », dans M. Rioux et Y. Martin, éd., *op.cit.*, p. 325-335.
10. J. Dofny et M. Rioux, « Les classes sociales au Canada français », *op.cit.*, p. 315-325.
11. M. Saint-Germain, *Une économie à libérer*, *op. cit.*, p. 293.
12. M.-A. Lessard et J.-P. Montminy, « Les religieuses du Canada: âge, recrutement et persévérance », *Recherches sociographiques*, 8, janvier-avril 1967; et « Quebec's priesthood: an endangered species », *Globe and Mail*, November 13, 1975.
13. L. Bovy, « Sondage sur la mentalité chrétienne de la population canadienne-française de Montréal », *Archives de sociologie des religions*, 17, janvier-juin 1964, p. 135, 141.
14. Colette Moreux, *Fin d'une religion?*, Montréal, Presses de l'Université de Montréal, 1969, p. 410, 426.
15. Les localités rurales ont encore des « spécialistes » en généalogie qui peuvent nommer 2 000 parents; même le citoyen rural moyen peut en nommer à peu près

500. Un autre auteur a trouvé que les répondants de Montréal ne pouvaient en nommer que 215 en moyenne. Voir M. Rioux, « Connaissance de la parenté et urbanisation au Canada français », et P. Garigue, « Le système de parenté en milieu urbain canadien-français », dans M. Rioux et Y. Martin, *op.cit.*, p. 363-377.

5 La modernisation politique: le retard du Québec avant 1960

1. Il existe peu d'études sur les activités des gouvernements québécois pendant cette période; on pourra consulter, entre autres: Jean-Guy Genest, « Aspects de l'administration Duplessis », *Revue d'histoire de l'Amérique française*, XV:3, décembre 1971, p. 389-391; Herbert Quinn, *The Union Nationale: A Study in Quebec Nationalism*, Toronto, University of Toronto Press, 1963, chap. V; Pierre Elliott Trudeau, éd., « La Province de Québec au moment de la grève », Pierre Elliott Trudeau, éd., *La grève de l'amiante*, Montréal, Éditions du Jour, 1970, chap. I; et sur le régime Taschereau, Antonin Dupont, « Louis-Alexandre Taschereau et la législation sociale au Québec, 1920-1936 », *Revue d'histoire de l'Amérique française*, XXVI:3, décembre 1972, p. 397-426.
2. Hélène David, « La grève et le bon Dieu: la grève de l'amiante au Québec », *Sociologie et sociétés*, I:2, novembre 1969, p. 258.
3. Bureau fédéral de la statistique, *Annuaire du Canada*, 1957-1958, p. 574-575.
4. D. Vaugeois, J. Lacoursière et Jean Provencher, *Histoire 1534-1968*, Montréal, Éditions du renouveau pédagogique, 1968, p. 539. Cette interprétation courante de l'affaire de l'Ungava est fortement contestée dans Conrad Black, *Duplessis*, Toronto, McClelland & Stewart, 1976, p. 587-588.
5. P.-E. Trudeau, « La Province de Québec », *op. cit.*, p. 73-76.
6. Pour connaître les détails de cette loi, consulter H. Quinn, *op. cit.*, p. 91-94.
7. Voir en particulier P.-E. Trudeau, « La Province de Québec », et H. David, « La grève et le Bon Dieu ».
8. Québec, *Rapport de la Commission d'enquête sur la santé et le bien-être social*, « Le développement », *op. cit.*, vol. III, tome I, p. 143.
9. *Statuts du Québec*, 15 George V (1925), chapitre 55, p. 167; cité dans A. Dupont « Taschereau », *op. cit.*, p. 407.
10. James I. Gow, « Modernisation et administration publique », dans Edmond Orban, éd., *La modernisation politique du Québec*, Montréal, Boréal Express, 1976, p. 163. Voir aussi James I. Gow, « L'histoire de l'administration publique québécoise », *Recherches sociographiques*, XVI:3, septembre-décembre 1975, p. 385-412.
11. R. Bolduc, « Le recrutement et la sélection dans la fonction publique au Québec », *Administration publique au Canada*, VII:2, 1964, p. 207.
12. Voir, entre autres, Michel Brunet, « Trois dominantes de la pensée canadienne-française: l'agriculturisme, l'anti-étatisme et le messianisme », dans M. Brunet, *La pensée anglaise et les Canadiens: études sur l'histoire de la pensée des deux Canadas*, Montréal, Beauchemin, 1964, p. 113-166.

13. Richard Arès, *Notre question nationale*, Montréal, Éditions de l'Action nationale, 1943, cité par Fernand Dumont et Guy Rocher, « Introduction à une sociologie du Canada français » dans Marcel Rioux et Yves Martin, éd., *op.cit.*, p. 192.
14. Québec, *Commission royale d'enquête sur les problèmes constitutionnels*, 1956, vol. III, p. 40.
15. Voir M. Brunet, « Trois dominantes de la pensée canadienne-française », *op. cit.*, p. 140-166 et P.-E. Trudeau, « La province de Québec », *op. cit.*, p. 1-90.
16. Québec, *Commission royale d'enquête sur les problèmes constitutionnels*, volume III, tome I, p. 66.
17. L'École sociale populaire, *Pour la restauration sociale au Canada*, Montréal, L'École sociale populaire, 1933.
18. On trouvera le programme dans H. Quinn, *The Union Nationale*, Appendice B.
19. Ainsi, André-J. Bélanger remarque que ce programme « ne reconnaît que timidement le droit d'intervention par voie de nationalisation auprès des entreprises fautives ». André-J. Bélanger, *L'apolitisme des idéologies québécoises: le grand tournant de 1934-36*, Québec, Les Presses de l'Université Laval, 1974, p. 312.
20. H. Quinn, *The Union Nationale*, *op. cit.*, p. 61.
21. Maxime Raymond, *Programme fédéral du Bloc*, Document no 10, Montréal, Imprimerie populaire, 1943.
22. *Ibid.*
23. A.-J. Bélanger, *op.cit.*, p. 359-368.
24. Selon A.-J. Bélanger, l'expression s'applique aux intellectuels nationalistes des années 1930.
25. Voir Gérald Fortin, « Le nationalisme canadien-français et les classes sociales », *Revue d'histoire de l'Amérique française*, XXII:4, mars 1969, p. 525-534.
26. A.-J. Bélanger, *op.cit.*, p. 359-368.
27. M. Brunet, *op.cit.*, p. 124.
28. Pierre Harvey, « Pourquoi le Québec et les Canadiens français occupent-ils une place inférieure sur le plan économique? », dans René Durocher et Paul-André Linteau, *op.cit.*, p. 113-127. Harvey fait référence à la thèse de Albert Memmi qui soutient que le colonisé essaie de s'affirmer en glorifiant à outrance le portrait négatif que le colonisateur lui renvoie de lui-même (portrait qui est l'antithèse de celui que le colonisateur a de lui-même). Voir Albert Memmi, *Portrait du colonisé*, Montréal, L'Étincelle, 1972; cette édition comprend l'essai « Les Canadiens français sont-ils des colonisés? ».
29. René Durocher, « Maurice Duplessis et sa conception de l'autonomie provinciale au début de sa carrière politique », *Revue d'histoire de l'Amérique française*, XXIII:1, juin 1969, p. 21.
30. René Chaloult, *Mémoires politiques*, Montréal, Éditions du Jour, 1969, p. 67 (souligné dans l'original). Voir également l'analyse de l'idéologie personnelle de Duplessis dans Denis Monière, *Le développement des idéologies au Québec: des origines à nos jours*, Montréal, Québec/Amérique, 1977, p. 296-308.
31. Voir Ralph R. Heintzman, « The Struggle for Life: The French Daily Press of Montreal and the Problem of Economic Growth in the Age of Laurier, 1896-1911 », thèse de doctorat non publiée, Département d'histoire, Université York, 1977. Pour une description détaillée des écrits de *L'Action française* et de

L'Action nationale, voir Susan Mann Trofimenkoff, *Action française: French-Canadian Nationalism in the Twenties*, Toronto, University of Toronto Press, 1975.

32. Voir André-J. Bélanger, *Ruptures et constantes: idéologies du Québec en éclatement, La Relève, La JEC, Cité libre, Parti pris*, Montréal, Hurtubise HMH, 1977; André Carrier, « L'idéologie politique de la revue Cité libre », *Canadian Journal of Political Science*, I:4, décembre 1968, p. 414-428; et D. Monière *op.cit.*, p. 311-318. Voir également les analyses de P.-E. Trudeau et de *Cité libre* dans Ramsay Cook, *The Maple Leaf Forever*, Toronto, Macmillan, 1971, p. 23-45 et l'introduction de Cook à Pierre Elliott Trudeau, *Approaches to Politics*, Toronto, Oxford University Press, 1970. Pour une analyse moins favorable à la pensée politique de Trudeau, voir en particulier, Henry David Rempel, « The Practice and Theory of the Fragile State: Trudeau's Conception of Authority », *Journal of Canadian Studies*, X:4, novembre 1975, p. 24-38.
33. Gérard Dion et Louis O'Neill, *Le chrétien et les élections*, Montréal, Éditions de l'Homme, 1960.
34. Voir Jean-Louis Roy, *La marche des Québécois: le temps des ruptures (1945-1960)*, Montréal, Leméac, 1976.
35. Voir par exemple, Michel Brunet, *La présence anglaise et les Canadiens*, *op. cit.*
36. Voir Luc Racine et Roch Denis, « La conjoncture politique québécoise depuis 1960 », *Socialisme québécois*, 21-22, avril 1971, p. 17.
37. Voir J.-L. Roy, *La marche des Québécois*, *op. cit.*, p. 174.
38. *Ibid.*, chap. I et II.
39. *Ibid.*, p. 84.
40. Robert Rumilly, *Histoire de la Province de Québec*, XL, Montréal, Fides, 1969, p. 102-103. Cette déclaration montre bien la détermination du gouvernement Godbout d'intervenir dans le domaine de l'éducation et des affaires sociales et l'incapacité de l'Église d'y faire obstacle. Pour un examen détaillé des tensions entre l'Église et l'État durant la période de Taschereau, voir Antonin Dupont, *Les relations entre l'Église et l'État sous Louis-Alexandre Taschereau, 1920-1936*, Montréal, Guérin, 1973.
41. Voir Jean Hamelin et Louise Beaudoin, « Les cabinets provinciaux, 1867-1967 », *Recherches sociographiques*, VIII:3, septembre-décembre 1967, p. 299-318.
42. *L'Information*, le 18 mai 1935, tel que cité dans Albert Faucher, « Pouvoir politique et pouvoir économique dans l'évolution du Canada français », dans Fernand Dumont et Jean-Paul Montminy, *Le pouvoir dans la société canadienne-française*, Québec, Les Presses de l'Université Laval, 1966, p. 69.
43. C. Black, *Duplessis*, *op. cit.*, chap. 18. Voir également John Porter, *The Vertical Mosaic*, *op. cit.*, p. 92, 311 et 546-548.
44. H. Quinn, *The Union Nationale*, p. 142, note 27 et C. Black, *Duplessis*, p. 304.
45. C. Black, *Duplessis*, *op. cit.*, p. 606.
46. On trouve un bref aperçu dans Robert Rumilly, *Histoire de la Province de Québec*, Montréal, Fides, 1969, vol. XL, p. 253-256.
47. *Montreal Gazette*, December 11, 1944 (tel que cité dans H. Quinn, *The Union Nationale*, *op. cit.*, p. 83). Voir également R. Rumilly, *Histoire de la Province de Québec*, XL, *op. cit.*, p. 257.
48. C. Black, *Duplessis*, *op. cit.*, p. 585-587.

49. Selon Pierre Laporte: « Monsieur Duplessis avait horreur du changement non seulement en ce qui concernait son entourage, mais aussi dans le domaine de l'administration. Né dans le dernier quart du 19e siècle, il avait apparemment traversé sans en être touché la formidable révolution industrielle qui s'est opérée chez nous au cours des cinquante dernières années. Il a adopté une timide législation sociale, mais le malin plaisir qu'il a pris à la rendre aussi inopérante que possible indique assez qu'il a toujours avancé à son corps défendant en ce domaine. » Pierre Laporte, *Le vrai visage de Duplessis*, Montréal, les Éditions de l'Homme, 1960, p. 119.
50. R. Chaloult, *Mémoires politiques, op. cit.*, p. 281-295.
51. René Durocher et Michèle Jean, « Duplessis et la Commission royale d'enquête sur les problèmes constitutionnels, 1953-1956 », *Revue d'histoire de l'Amérique française*, XXV:3, décembre 1971, p. 337-364.
52. R. Chaloult, *Mémoires politiques*, p. 42.
53. C. Black, *Duplessis*, p. 177 et 199.
54. Voir Dominique Clift, *Montreal Star*, 5 mars 1977.
55. C. Black, *Duplessis*, p. 204.
56. Pour savoir ce qu'il advint de ces dissidents, consulter Robert Rumilly, *Histoire de la Province de Québec*, vol. XXXVI, Montréal, Fides, 1966, chap. VI.
57. Robert Boily, « Les hommes politiques du Québec, 1867-1967 », *Revue d'histoire de l'Amérique française*, XXI:3a, p. 626.
58. Pour fins de calcul, les comtés suivants sont désignés comme appartenant aux régions de Montréal et de Québec: tous les comtés de Montréal et de Québec ainsi que Chambly, Jacques-Cartier, Laval, Lévis, Maisonneuve et Saint-Sauveur. Calculs établis selon l'*Annuaire du Québec, 1966-67*, Québec, ministère de l'Industrie et du Commerce, 1967, tableau 6, p. 158. En 1951, ces comtés regroupaient environ 42% de la population totale du Québec.
59. R. Boily, *op. cit.*, p. 614-616.
60. Vincent Lemieux, *Parenté et politique; l'organisation sociale de l'île d'Orléans*, Québec, les Presses de l'Université Laval, 1971, appendice C.
61. Vincent Lemieux et Raymond Hudon, *Patronage et politique au Québec, 1944-1972*, Montréal, Boréal Express, 1975, chap. V.
62. R. Boily, *op. cit.*, p. 621, note 46.
63. Sur cet aspect des campagnes électorales de l'Union nationale, consulter l'analyse de Kenneth McRoberts, *Mass Acquisition of a Nationalist Ideology: Quebec Prior to the Quiet Revolution*, thèse de doctorat (science politique), University of Chicago, 1975, chap. X.
64. V. Lemieux, *Parenté et politique, op. cit.*, chap. II et III.
65. Toujours selon les limites établies à la note 58. Il ne faudrait cependant pas exagérer cette toute-puissance de l'Union nationale au Québec car les libéraux récoltaient une part substantielle des votes même dans les régions rurales. Dans les comtés à l'extérieur de Montréal et de Québec, ils recueillirent 36% des votes en 1948 et 42% en 1952 et 1956, l'Union nationale récoltant respectivement 54%, 55% et 56% des votes. Mais à cause du système uninominal à un tour, les libéraux ne récoltaient pas autant de sièges. Dans les comtés francophones de Montréal, le vote pour l'Union nationale était moins élevé: 56% en 1948, 49% en 1952 et 52% en 1956.
66. H. Quinn a développé cet argument au chap. VI.

67. Voir K. McRoberts, *Mass Acquisition, op. cit.*, chap. X.
68. Cette analyse des données de l'enquête apparaît dans *Ibid.*, chap. VII.
69. Maurice Pinard, « Working Class Politics: An Interpretation of the Quebec Case », *Canadian Review of Sociology and Anthropology*, VII:2, 1970, p. 87-109. L'analyse de Pinard repose sur les données empiriques d'un sondage électoral de 1962. Selon son étude, la différence qui existe entre la classe ouvrière et la classe moyenne canadiennes-françaises s'explique par l'identification de classe. Il signale également que l'appui à l'UN est associé au traditionnalisme et à l'autoritarisme mais que, cela étant vrai pour les deux classes sociales, on ne peut utiliser ces variables pour expliquer l'appui disproportionné de la classe ouvrière à l'UN. D'autre part, la religiosité et le conservatisme, puisqu'ils ont des impacts différents sur les deux classes sociales, nous aident à saisir une partie de cette différence de classe. La conscience ethnique n'affecte cependant pas l'appui à l'UN. En plus du sondage de 1962, Pinard utilise également une analyse écologique des élections de 1936 et 1939 qui laisse entendre que quoique la classe ouvrière canadienne-française ait fortement appuyé l'UN en 1936, elle l'abandonna en 1939; selon Pinard, cela signifie que l'appui initial à l'UN était basé sur des revendications purement économiques; revendications qui ne furent pas satisfaites durant le premier mandat de l'UN et il écarte donc l'idée d'une adhésion populaire à l'idéologie nationaliste de l'UN.
70. R. Boily démontre que 12 des 34 ministres sous Duplessis étaient issus de cette « classe moyenne-inférieure » — « le commerçant, le marchand, le petit industriel »; il n'y en eut que deux dans les cabinets de Taschereau qui provenaient de cette classe moyenne commerciale. Donc, non seulement la haute bourgeoisie perdit-elle son pouvoir sous Duplessis mais la même classe moyenne issue des professions libérales dut céder la place (R. Boily, « Les hommes politiques », p. 621, note 47). Cette transformation majeure quant à l'origine sociale des dirigeants politiques sous l'Union nationale est un facteur supplémentaire qui indique que l'arrivée au pouvoir de Duplessis marqua, pour l'histoire du Québec, un point tournant beaucoup plus important qu'on ne le croit généralement.
71. R. Chaloult, *Mémoires politiques*, p. 55. Léon Dion a aussi insisté sur le peu de liens qui unissaient Duplessis et les intellectuels et sur son désintéressement face à eux. Il préférait les neutraliser en les discréditant. Léon Dion, *La prochaine révolution*, Québec, Leméac, 1973, p. 16.
72. Lemieux et Hudon, *Patronage et politique*, p. 81.
73. P.-E. Trudeau, *La grève de l'amiante*, p. 397. Il faut signaler cependant que les libéraux avaient promis lors des élections de 1956 d'abroger ces lois.
74. *Ibid.*
75. Voir H. Quinn, *The Union Nationale*, p. 157. Voir également Hélène David, « L'état des rapports de classe au Québec de 1945 à 1967 », *Sociologie et sociétés*, VII:2, novembre 1975, p. 44-47.
76. Selon les tableaux dans Jean Hamelin, Jacques Letarte et Marcel Hamelin, « Les élections provinciales dans le Québec », *Cahiers de géographie du Québec*, IV:7, octobre 1959-mars 1960, première partie.
77. Voir W. Dale Postgate, « Social Mobilization and Political Change in Quebec », thèse de doctorat (science politique), State University of New York at Buffalo, 1972.

78. Voir K. McRoberts, *Mass Acquisition*, chap. IX.
79. Voir Donald V. Smiley, « Constitutional Adaptation and Canadian Federalism since 1945 », *Documents of the Royal Commission on Bilingualism and Biculturalism*, no 4, Ottawa, Imprimeur de la Reine, 1970, p. 72.
80. C. Black, *Duplessis*, p. 449-455.
81. Voir les comptes rendus dans R. Durocher et M. Jean, « Duplessis et la Commission royale », et dans C. Black, *Duplessis*, chap. 14.
82. M. Hamelin et L. Beaudoin, « Les cabinets provinciaux » *op. cit.*
83. Il y a lieu de croire que les politiciens fédéraux canadiens-français n'étaient pas particulièrement intéressés à avoir des portefeuilles économiques. Ils semblent avoir accordé la plus grande importance aux postes qui comportaient un grand prestige dans les milieux des professions libérales — en particulier, le ministère de la Justice — ou encore aux portefeuilles qui donnent accès au patronage, comme le ministère des Postes. Cela reflétait leur genre de formation ainsi que la faiblesse relative des élites économiques au sein de la clientèle canadienne-française. Voir Frederick W. Gibson, éd., « La formation du ministère et les relations biculturelles », *Étude de la Commission royale d'enquête sur le bilinguisme et le biculturalisme*, no 6, Ottawa, Imprimeur de la Reine, 1970, p. 202.
84. Gilles Bourque et Anne Legaré, *Le Québec: la question nationale*, *op. cit.*, p. 156.
85. *Ibid.*, p. 16.
86. Dorval Brunelle, *La désillusion tranquille*, Montréal, Hurtubise HMH, 1978, p. 103-106.
87. Voir R. Durocher et M. Jean, *op. cit.*
88. Jorge Niosi, « La nouvelle bourgeoisie canadienne-française », *Les Cahiers du socialisme*, no 1, printemps 1978, p. 8.
89. Paul-André Linteau, « Quelques réflexions autour de la bourgeoisie québécoise 1850-1914 », *Revue d'histoire de l'Amérique française*, 30:1, juin 1976, p. 64.
90. J. Niosi, *op. cit.*, p. 33.

6 La Révolution tranquille: la nouvelle idéologie de l'État du Québec

1. D'après Léon Dion, le terme est apparu pour la première fois dans un article anonyme du *Globe and Mail* de Toronto. Léon Dion, *La prochaine révolution*, Montréal, Leméac, 1973, p. 11.
2. Pour des descriptions et des analyses de l'idéologie de la Révolution tranquille, voir Richard Jones, *Community in Crisis: French-Canadian Nationalism in Perpective*, Carleton Library no 59, Toronto, McClelland & Stewart, 1972; Léon Dion, « Genèse et caractères du nationalisme de croissance », dans Congrès des affaires canadiennes, *Les nouveaux Québécois*, Québec, Les Presses de l'Université Laval, 1964, p. 59-76; Jean-Marc Léger, « Le néo-nationalisme, où conduit-il? », *ibid.*, p. 41-48; Marcel Rioux, « Sur l'évolution des idéologies au Québec », *Revue de l'Institut de sociologie*, no 1, 1968, p. 95-124; et Gérard Bergeron, *Le Canada français: après deux siècles de patience*, Paris, Seuil, 1967, chap. VI.

3. Marcel Rioux, *La question du Québec*, Paris, Seghers, 1969, p. 104.
4. L. Dion, « Genèse et caractères du nationalisme de croissance », p. 68.
5. Institut canadien des affaires publiques, *Le rôle de l'État*, Montréal, Éditions du Jour, 1962.
6. David Kwavnick, « The Roots of French-Canadian Discontent », *Canadian Journal of Economics and Political Science*, XXXI:4, November, 1965, p. 509-523.
7. Cette question est développée plus amplement dans K. McRoberts, « Internal Colonialism: The Case of Quebec ».
8. Hubert Guindon, « Two Cultures: An Essay on Nationalism. Class, and Ethnic Tension », dans Richard H. Leach, éd., *Contemporary Canada*, Durham, N.C., Duke University Press, 1967, p. 33-59. Voir également l'essai antérieur de Guindon, « Réexamen de l'évolution sociale du Québec », dans Marcel Rioux et Yves Martin, éd., *op.cit.*, p. 149-173.
9. Albert Breton, « The Economics of Nationalism », *Journal of Political Economy*, LXXII:4, août 1964, p. 385.
10. *Ibid.*, p. 381.
11. Voir par exemple les résultats des premiers sondages scientifiques sur le séparatisme québécois. Le sondage mené en 1963 par un groupe de sociologues pour le compte du *Magazine Maclean*, révèle que l'appui accordé à l'idée de la séparation prévalait surtout parmi ceux qu'on avait qualifié de « professionnels et de groupes semblables » — soit 25%. Il est certain que cette catégorie n'est pas uniquement centrée sur la nouvelle classe moyenne bureaucratique mais il semble qu'elle exclut la plupart des élites *économiques* qui apparaîtraient dans la catégorie des « cadres, hauts fonctionnaires et hommes d'affaires des petites entreprises », où l'appui accordé au séparatisme n'était que de 10%. (Il faut également noter que l'appui des étudiants était aussi élevé que celui des « professionnels et des groupes similaires ».) L'appui accordé au séparatisme révèle qu'il y a une nette association négative avec l'âge et une association positive avec le revenu. (Peter Gzowski, « This is the True Strength of Separatism », *Maclean's Magazine*, 2 novembre 1963, p. 13.
12. Charles Taylor, « Nationalism and the Political Intelligentsia: A Case Study », *Queen's Quarterly*, LXXII:1, Spring, 1965, p. 150-168.
13. *Ibid.*, p. 158.
14. Voir, par exemple, Erwin C. Hargrove, « Nationality, Values and Change: Young Elites in French Canada », *Comparative Politics*, II:3, April, 1970, p. 495.
15. *Ibid.*, p. 499.
16. L'une des deux « cellules » à partir de laquelle s'est développé le *Rassemblement pour l'indépendance nationale* qui existait dans la région de Hull-Ottawa (l'autre était à Montréal). Ces Canadiens français étaient en grande partie à l'emploi du gouvernement fédéral. Deux des premiers grands leaders séparatistes — André D'Allemagne et Marcel Chaput — ont été amenés au séparatisme par l'insatisfaction qu'ils éprouvaient dans leurs postes au gouvernement fédéral. D'Allemagne travaillait comme traducteur des débats parlementaires à Ottawa; Chaput était au Conseil national de recherches. Voir André d'Allemagne, *Le RIN de 1960 à 1963: étude d'un groupe de pression au Québec*, Montréal, L'Étincelle, 1974.

17. Voir G. Bergeron, *Le Canada français*, p. 144.
18. Georges-Émile Lapalme, *Le paradis du pouvoir*, Montréal, Leméac, 1973, p. 166.
19. Calcul effectué à partir des données de Vincent Lemieux, *Le quotient politique vrai: le vote provincial et fédéral au Québec*, Québec, Les Presses de l'Université Laval, p. 24.
20. Les chiffres de 1962 sont basés sur le même groupe de circonscriptions qui avait été utilisé dans le calcul de 1956. Voir chap. 5, note 58.
21. Voir l'analyse de la controverse autour de l'établissement d'un ministère de l'Éducation dans Léon Dion, *Le bill 60 et la société québécoise*, Montréal, Éditions HMH, 1967.
22. Voir l'analyse de Jacques Parizeau dans « Le Québec remet-il en cause le rôle même du secteur public? », *Le Devoir*, le 30 décembre 1970.
23. J.I. Gow, « L'évolution de l'administration publique au Québec », tel que cité par Daniel Latouche, « La vraie nature de... la Révolution tranquille », *Revue canadienne de science politique*, VII:3, septembre 1974, p. 533.
24. D. Latouche, *ibid.*
25. *Ibid.*
26. Lionel Ouellet, « Politiciens et technocrates », Communication donnée à l'Association canadienne-française pour l'avancement des sciences, novembre 1966. Vincent Lemieux a fait une analyse semblable en mettant l'accent sur les diverses ressources dont les membres du cabinet ont à leur disposition. Vincent Lemieux, « Les partis et le pouvoir politique », dans Fernand Dumont et Jean-Paul Montminy, éd., *Le Pouvoir dans la société canadienne-française*, *op.cit.*, p. 39-53.
27. D. Latouche, « La vraie nature », *op. cit.*
28. Jean-Marc Léger a fait valoir ce point de façon remarquable dans « Commentaire: paradoxes d'une révolution ou le temps des illusions », *op.cit.*
29. Une description détaillée et une analyse des relations Québec-Ottawa durant cette période nous est donnée par Donald V. Smiley, « Constitutional Adaptation and Canadian Federalism since 1945 », *Documents of Royal Commission on Bilinguism and Biculturalism*, no 4, Ottawa, Imprimeur de la Reine, 1970. Les pages suivantes s'appuient largement sur ce document.
30. *Ibid.*, chap. VI.
31. *Ibid.*, p. 69.
32. Un sondage mené avant la campagne électorale provinciale de 1962 par le Groupe de recherches sociales révélait que 58% des francophones de Montréal se déclaraient prêts à voter en faveur des libéraux, et 53% des francophones du reste du Québec déclaraient avoir la même intention (tel que cité dans V. Lemieux, « Les partis et le pouvoir politique », p. 28).
33. Maurice Pinard, « La rationalité de l'électorat: le cas de 1962 », dans Vincent Lemieux, éd., *Quatre élections provinciales au Québec: 1956-1966*, Québec, Les Presses de l'Université Laval, 1969, p. 179-196.
34. Maurice Pinard, « Working Class Politics: An Interpretation of the Quebec Case », *Canadian Review of Sociology and Anthropology*, VII:2, 1970, p. 87-109.
35. Voir Vincent Lemieux, « Les partis et leurs contradictions », dans J.-L. Migué, éd., *Le Québec d'aujourd'hui*, Montréal, Hurbutise HMH, 1971, p. 153-172.
36. Léon Dion, « La polarité des idéologies: conservatisme et progressisme », dans

Fernand Dumont et Jean-Paul Montminy, *Le pouvoir dans la société, op.cit.*, p. 25-35.

37. J.-M. Léger, « Commentaire » *op. cit.*
38. D'après un sondage mené avant l'élection de 1966 — qui avait surestimé le degré d'appui accordé aux libéraux — 75% des répondants cols blancs étaient prêts à voter pour le Parti libéral mais seulement 50% des répondants de la classe ouvrière étaient prêts à le faire (V. Lemieux, *Le quotient politique vrai, op. cit.*, p. 29). Voir également Robert Boily, « Montréal, une forteresse libérale », *Socialisme 66*, 1966, p. 138-160.
39. Luc Racine et Roch Denis, « La conjoncture politique québécoise depuis 1960 », *Socialisme québécois*, 21-22, avril 1971, p. 17-79.
40. Gilles Bourque et Anne Legaré, *Le Québec: la question nationale, op.cit.*, chap. 7. Pour d'autres explications de la thèse de la monopolisation du capital de la Révolution tranquille, voir Dorval Brunelle, *La désillusion tranquille*, Montréal, Hurtubise HMH, 1978 et Henry Milner, *Politics in the New Quebec*, Toronto, McClelland & Stewart, 1978, chap. III et IV.
41. G. Bourque et A. Legaré, *Le Québec: la question nationale, op.cit.*, p. 171.
42. *Ibid.*, p. 178.
43. Voir Rianne Mahon, « Canadian Public Policy: The Unequal Structure of Representation », dans Leo Panitch, éd., *The Canadian State: Political Economy and Political Power*, Toronto, University of Toronto Press, 1977, p. 167-198.
44. Carol Jobin, *Les enjeux économiques de la nationalisation de l'électricité (1962-1963)*, Montréal, Albert St-Martin, 1978.
45. André Blais et Philippe Faucher, « Les enjeux économiques », *Revue canadienne de science politique*, XII:4, décembre 1979.
46. Jorge Niosi, *La bourgeoisie canadienne, op.cit.*, p. 132. J. Niosi prétend, à tort selon nous, que ces deux organismes représentaient « la grande entreprise canadienne et étrangère » plutôt que la bourgeoisie canadienne-française. (*Ibid.*)
47. G. Bourque et A. Legaré, *op.cit.*, p. 172.
48. Voir les arguments « économiques » en faveur de la nationalisation de l'électricité examinés par Douglas H. Fullerton, un anglophone de Montréal, conseiller financier qui a travaillé de près avec le gouvernement Lesage. (Douglas H. Fullerton, *The Dangerous Delusion*, Toronto, McClelland & Stewart, 1978, chap. 4.)

7 Problèmes linguistiques et problèmes de classes

1. Le phénomène de la présence francophone dans l'économie contemporaine du Québec est traité par Pierre Fournier, « Les nouveaux paramètres de la bourgeoisie québécoise », dans Pierre Fournier (éd.), *Le capitalisme au Québec*, Montréal, Albert St-Martin, 1978, p. 135-183; J. Niosi, « La nouvelle bourgeoisie canadienne-française », *op. cit.*, p. 5-50; Arnaud Sales, *La bourgeoisie*

industrielle au Québec, Montréal, Les Presses de l'Université de Montréal, 1979; et dans François Vaillancourt, « La situation démographique et socio-économique des francophones du Québec: une revue », Cahier 7940, Département de science politique, Université de Montréal, mai 1979.

2. Pierre Fournier, « Vers une grande bourgeoisie canadienne-française? », Département de science politique, Université du Québec à Montréal, juin 1976, p. 4.
3. F. Vaillancourt, « La situation démographique », *op. cit.*, p. 12, tableau III.
4. J. Niosi, « La nouvelle bourgeoisie », p. 10.
5. A. Raynauld *et al.*, « La répartition des revenus selon les groupes ethniques au Canada », *op. cit.* Un résumé du rapport apparaît dans L. Racine, « Les Québécois gagnent peu ». Voir chap. 1, note 36.
6. Dans le cadre de l'analyse de la Commission, l'impact de la discrimination se limite à la variance qui demeure inexpliquée une fois que les effets de l'âge, de l'industrie, de l'éducation, de la profession et du chômage ont été mesurés. C'est ainsi qu'il ne représente au plus que 40% de la différence de revenu entre les Canadiens d'origine française et ceux d'origine britannique à Montréal. (*Rapport de la Commission royale d'enquête sur le bilinguisme et le biculturalisme*, livre III: *Le monde du travail*, p. 68-71.). Cependant, A. Raynauld *et al.* affirment que seul l'âge et l'éducation peuvent être vus comme des variables indépendantes de la discrimination: l'industrie, la profession et le chômage « sont des effets plutôt que des causes de la ségrégation ou discrimination » (tel que cité dans L. Racine, « Les Québécois », *op. cit.*).
7. Wallace Clement, *The Canadian Corporate Elite: An Analysis of Economic Power*, Carleton Library no 89, Toronto, McClelland & Stewart, 1975, p. 232, tableau 34.
8. Robert Presthus, *Elite Accomodation in Canadian Politics*, Toronto, Macmillan,1973, p. 56.
9. W. Clement, *op.cit.*, p. 233.
10. *Rapport de la Commission d'enquête sur la situation de la langue française et sur les droits linguistiques au Québec* (rapport Gendron), livre I: *Langue de travail*, Québec, Gouvernement du Québec, 1972, p. 124, tableau I.67.
11. *Ibid.*, p. 123, tableau I.66.
12. Québec, ministère de l'Industrie et du Commerce, *Une politique économique québécoise*, Québec, 1974, p. 30.
13. Rapport du Centre de recherches en développement économique de l'Université de Montréal, cité par le Conseil du patronat du Québec, *Le Devoir*, le 24 janvier 1975. L'étude exclut les diplômés de l'école de médecine, d'art dentaire et d'optométrie et de l'École polytechnique et de l'École des hautes études commerciales.
14. Voir P. Harvey, « Pourquoi le Québec et les Canadiens français occupent-ils une place inférieure sur le plan économique? », *op.cit.*, p. 113-127.
15. A. Raynauld *et al.*, *op. cit.*
16. Nathan Keyfitz, « Canadians and Canadiens », *Queen's Quarterly*, 70 (hiver 1963), p. 171. Voir l'examen détaillé de cette hypothèse, basé sur de nombreuses données recueillies dans la fonction publique fédérale, par Christopher Beattie, *Minority Men in a Majority Setting: Middle-Level Francophones in the Canadian Public Service*, Toronto, McClelland & Stewart, 1975. (Notre traduction.)

L'importance générale de la langue de travail est bien développée dans un des premiers articles de Jacques Brazeau, « Language Differences and Occupational Experience », *Canadian Journal of Economics and Political Science*, 24, novembre 1958, p. 532-540.

17. Ceci est particulièrement vrai dans Montréal. Voir le rapport Gendron, *op. cit.*, 121, tableau I.64.
18. *Ibid.*, 119, tableau I.63.
19. *Op.cit.*, p. 47, I.23.
20. Calculé à partir de *ibid.*, 77, tableau I.38.
21. Voir la discussion générale des pratiques linguistiques et de la stratification ethnique dans *ibid.*, p. 114-126.
22. *Ibid.*, partie I, chap. 2.
23. *Ibid.*, p. 164-170.
24. Tel qu'indiqué dans Jacques Henripin, *L'immigration et le déséquilibre linguistique*, Ottawa, Main-d'oeuvre et Immigration, 1974, 31, tableau 4.7
25. Présenté dans le *Rapport de la Commission royale d'enquête sur le bilinguisme et le biculturalisme*, livre I: *Les langues officielles*, 32, tableau 6.
26. Paul Cappon, *Conflit entre les Néo-Canadiens et les francophones de Montréal*, Québec, Les Presses de l'Université Laval, 1974, p. 31.
27. Hubert Charbonneau, Jacques Henripin et Jacques Légaré, « L'avenir démographique des francophones au Québec et à Montréal en l'absence de politiques adéquates », *Revue de géographie de Montréal*, 24, 1974, p. 199-202.
28. J. Henripin, *L'immigration, op. cit.*, p. 33.
29. J. Henripin a déclaré: « Le Québec doit imposer les règles du jeu en matière d'immigration et la loi 22 représenta à cet égard plus un symbole qu'un instrument efficace ». *Le Devoir*, 23 avril 1975.
30. Voir P. Cappon, *op. cit.*, p. 35-37.
31. P. Cappon, *ibid.*
32. *Ibid.*, p. 118-122.
33. *Ibid.*, p. 148.
34. *Ibid.*, p. 124.
35. Everett C. Hughes a évoqué un tel processus dans son étude sur Drummondville durant les années 1930. À propos de l'antisémitisme des Canadiens français, il écrit: « Une observation attentive au cours de toute cette époque m'amène à conclure que c'est le Juif symbolique qui reçoit les plus violentes attaques que les Canadiens français voudraient plutôt diriger contre les Anglais, peut-être même contre quelques-uns de leurs chefs et de leurs institutions. Quand les Canadiens français attaquent leurs compatriotes anglais, ils se retiennent. Le fait de vivre côte à côte, en assez bons termes, durant longtemps, a entraîné un sincère respect mutuel entre les Canadiens français et anglais du Québec. Rares sont les discours nationalistes qui n'accordent pas aux Canadiens anglais leur droit d'avoir une place au Canada. Les deux groupes partagent depuis longtemps la responsabilité du gouvernement. Même s'ils ne célèbrent pas les mêmes anniversaires, ils ont chacun un ensemble puissant de sentiments à l'égard du Canada. Il y a aussi que les Canadiens anglais sont puissants. Contre les Juifs au contraire, l'attaque peut être portée sans la crainte de représailles ou d'un remords. » (*Rencontre de deux mondes*, Montréal, Boréal Express, 1972, p. 382.)

36. Les nationalistes ont à maintes reprises attiré l'attention sur un petit nombre d'enfants canadiens-français qui ont été inscrits dans les écoles anglaises.
37. *Le Devoir*, les 18 et 20 octobre 1972. En complément à l'étude qu'il a effectuée en 1965 sur les fonctionnaires moyens à Ottawa, Christopher Beattie a trouvé qu'en 1973, les salaires des francophones étaient encore tout aussi inférieurs à ceux des anglophones. Beattie explique cette différence de salaire en grande partie à cause de la difficulté que les francophones éprouvent au moment d'accomplir leur travail en anglais avec des collègues qui sont en grande partie anglophones. Voir C. Beattie, *Minority Men in a Majority Setting*, *op. cit.*, p. 187-192.
38. Les déclarations de L. Dion apparaissent dans *Le Devoir*, le 22 septembre 1975. La deuxième citation provient du Gouvernement du Canada, *Rapport annuel 1978: Commissaire aux langues officielles*, Ottawa, ministère des Approvisionnements et Services, 1979, p. 20.
39. Les données sont analysées dans Richard Arès, *Les positions ethniques, linguistiques et religieuses des Canadiens français à la suite du recensement de 1971*, Montréal, Bellarmin, 1975, chap. XIII. Voir également Richard J. Joy, *Languages in Conflict*, Toronto, McClelland & Stewart, 1972. Joy a analysé les résultats du recensement de 1971 dans « Les groupes linguistiques et le recensement de 1971 », *Le Devoir*, 19 juillet 1973.
40. R.J. Joy, « Les groupes linguistiques ».
41. J. Henripin, *L'immigration*, *op. cit.*, p. 22.
42. V. Lemieux, « Les partis et leurs contradictions », *op. cit.*, p. 163-165.
43. D. Latouche, « La vraie nature », *op. cit.*, p. 533, tableau IV.
44. *Ibid.*
45. Gérard Dion, « Les relations patronales-ouvrières sous la Révolution tranquille », *Relations*, no 344, décembre 1969, p. 334.
46. *Ibid.*
47. *Ibid.*
48. Jean-Marc Piotte, « Le syndicalisme au Québec depuis 1960 », dans Diane Ethier, Jean-Marc Piotte et Jean Reynolds, *Les travailleurs contre l'État québécois*, Montréal, L'Aurore, 1975, p. 27.
49. Voir Louis-Marie Tremblay, *Idéologies de la CSN et de la FTQ: 1940-1970*, Montréal, Les Presses de l'Université de Montréal, 1972.
50. Les événements de la grève du Front commun sont analysés dans D. Ethier, J.-M. Piotte et J. Reynolds, *op. cit.* Voir également les descriptions dans Sheilagh Hodgins Milner et Henry Milner, *The Decolonization of Quebec*, Toronto, McClelland and Stewart, 1973, chap. 9; et Robert Chodos et Nick Auf der Maur, éd., *Quebec: A Chronicle 1968-1972*, Toronto, James Lewis and Samuel, 1972.
51. *Ne comptons que sur nos propres moyens*, document de travail présenté aux membres du Conseil confédéral de la CSN le 6 octobre 1971, p. 22.
52. Voir les exposés dans l'Introduction de C. Moreux, *Fin d'une religion?*, *op. cit.*; et Jean-Pierre Wallot, « Religion and French-Canadian Mores in the Early Nineteenth Century », *Canadian Historical Review*, 51, mars 1971, p. 51-94.
53. Pierre Vallières, *Nègres blancs d'Amérique*, Montréal, Parti pris, 1969.
54. *Ibid.*.
55. Paul Chamberland, « De la damnation à la liberté », dans *Les Québécois*, Paris,

Maspero, 1967, p. 75-113.
56. *Ibid.*, p. 104.
57. *Ibid.*, p. 109-110.
58. Parti pris, « Manifeste 1965-1966 », *op. cit.*, p. 259.
59. Léandre Bergeron, « Pour une langue québécoise », *Chroniques*, 1, mars 1975, p. 1 (tel que cité dans *Le Jour*, 19 avril 1975).
60. *Le Jour*, 19 avril 1975.
61. *Travailleurs québécois et lutte nationale*, Montréal, 1974, p. 23.
62. *Ibid.*, Appendice III.
63. *Ibid.*, Introduction.
64. Parti pris, *Les Québécois*, *op. cit.*, p. 250.
65. A.-J. Bélanger, *Ruptures et constantes*, *op. cit.*, p. 172.
66. Parti pris, *Les Québécois*, *op. cit.*, p. 264.
67. Voir la discussion dans D. Monière, *Le développement des idéologies au Québec*, *op. cit.*, p. 350-351.
68. A.-J. Bélanger, *op.cit.*, p. 192-193.
69. *Ibid.*, p. 165.
70. Voir entre autres G. Bourque, *L'État capitaliste et la question nationale*, *op. cit.*, particulièrement, p. 134, 294.
71. Par exemple, voir G. Bourque et A. Legaré, *Le Québec: la question nationale*, *op. cit.*; et Jacques Mascotto et Pierre-Yves Soucy, *Sociologie politique de la question nationale*, Montréal, Albert St-Martin, 1979.
72. *Le Devoir*, le 2 août 1979.
73. Marcel Fournier, « La question nationale », *Possibles*, 1, hiver 1977, p. 15.
74. Pour une comparaison intéressante des mouvements ouvriers au Canada anglais et au Québec, voir Robert Cox, « Employment, Labour and Future Political Structures », dans R.B. Byers et Robert W. Reford, éd., *Canada Challenged*, Toronto, Canadian Institute for International Affairs, 1979, p. 262-292.
75. Voir les données dans le rapport Gendron, *op. cit.*, p. 85-90.
76. Voir la description des débats sur cette question dans Milner et Milner, *The Decolonization of Quebec*, *op. cit.*, p. 197-198.
77. Communiqué de presse de la CSN, Montréal, le 26 janvier 1979 (tel que cité dans L.-M. Tremblay, *Idéologies de la CSN et de la FTQ*, *op. cit.*, p. 42.

8 La montée du Parti québécois

1. D. Latouche, « La vraie nature », *op. cit.*, p. 529, tableau I.
2. *Ibid.*, p. 533, tableau IV.
3. La classification des circonscriptions d'après les niveaux d'urbanisation est basée sur le recensement de 1961 et apparaît dans des documents non publiés préparés par Vincent Lemieux. Nos calculs sont tirés de ces documents ainsi que des résultats officiels de l'élection de 1966: Québec, Rapport du directeur général des élections, *Élections: 1966*.
4. Voir chap. 6.
5. Vincent Lemieux, « Quebec: Heaven is Blue and Hell is Red », dans Martin Robin, éd., *Canadian Provincial Politics: The Party Systems of the Ten Provinces*,

Scarborough, Prentice-Hall, 1972, p. 269.

6. L'hypothèse de Daniel Latouche veut qu'avant les années 1960, les besoins des Québécois et la capacité du système de satisfaire ces besoins aient été dans un état d'équilibre. Au début des années 1960, les capacités du système augmentèrent tellement vite qu'elles excédèrent les demandes exprimées par la population. Vers le milieu des années 1960, les demandes augmentèrent rapidement; les frustrations se sont intensifiées au moment où les activités gouvernementales se sont stabilisées durant l'administration de l'Union nationale. Selon D. Latouche, la frustration croissante, de concert avec l'anticipation d'autres frustrations à la suite du petit nombre de sièges gagnés par le PQ en 1970, encouragèrent l'utilisation de la violence dans la politique. Voir Daniel Latouche, « Violence, politique et crise dans la société québécoise », dans Laurier Lapierre *et al.*, éd., *Essays on the Left*, Toronto, McClelland & Stewart, 1971, p. 177-199. Ces idées sont également développées dans Marc Laurendeau, *Les Québécois violents*, Montréal, Boréal Express, 1974, p. 157-167.
7. Daniel Johnson, *Égalité ou indépendance*, Montréal, Éditions de l'Homme, 1965.
8. Voir J.-M. Piotte, « Le syndicalisme au Québec depuis 1960 », *op. cit.*, p. 32 et suiv.
9. Voir Carl J. Cuneo et James E. Curtis, « Quebec Separatism: An Analysis of Determinants within Social Class Levels », *Revue canadienne de sociologie et d'anthropologie*, 2, 1974, p. 1-29.
10. Voir les déclarations des participants de la classe ouvrière dans les discussions entre les groupes ethniques sur la question linguistique et sur la question des immigrants dans *Conflit entre les Néo-Canadiens et les francophones de Montréal*, Appendice A, p. 241-268.
11. *Le Devoir*, le 7 août 1974.
12. Québec, *Le cadre et les moyens d'une politique québécoise concernant les investissements étrangers*, Rapport du Comité interministériel sur les investissements étrangers, Québec, septembre 1973 (texte révisé de mars à juin 1974; Québec, Éditeur officiel du Québec), p. 159.
13. Canada, *Foreign Direct Investment in Canada*, Ottawa, Information Canada, 1972.
14. K. Levitt, *La capitulation tranquille*, Montréal, L'Étincelle, 1972, 220p.
15. Québec, *Le cadre et les moyens*, *op. cit.*, p. 49.
16. *Le Devoir*, le 10 janvier 1976. Voir également la discussion générale du rapport Tetley dans Pierre Lamonde, « Le contrôle étranger, ou la difficulté d'être maîtres chez nous », dans Daniel Latouche, éd., *Premier Mandat*, Montréal, L'Aurore, 1977, chap. 1.
17. Québec, ministère de l'Industrie et du Commerce, *Une politique économique québécoise*, Québec, 1974, p. 34.
18. *Le Jour*, 5 mai 1975.
19. *Le Devoir*, 15 mai 1975.
20. Hélène Pelletier-Baillargeon, « L'exode vers les collèges privés », *Maintenant*, 123, février1973, p. 11.
21. Le document sur la position du Québec a été reproduit dans *Le Devoir*, le 19 juin 1971.
22. La Charte de Victoria est reproduite dans *La Presse*, le 18 juin 1971.

23. *Le Devoir*, 15 septembre 1971.
24. *Ibid.*
25. Voir les analyses de Claude Ryan dans *Le Devoir*, les 4 et 6 septembre 1973.
26. Government of Canada, *Working Paper on Social Security in Canada*, 18 avril 1973, p. 36-39.
27. *Le Devoir*, 2 mai 1975.
28. Voir *Le Québec: maître d'oeuvre de la politique des communications sur son territoire*, Québec, Éditeur officiel, s.d.
29. *Le Devoir*, 19 juillet 1975.
30. Voir l'analyse de la réaction anglophone à la loi 22 dans Michael Stein, « Le bill 22 et la population non francophone au Québec: une étude de cas sur les attitudes du groupe minoritaire face à la législation de la langue », *Choix*, 7, 1975, p. 127-159.
31. Québec, *Lois sur la langue officielle*, loi no 22, 1974, Art. 41.
32. *Ibid.*, Art. 43.
33. *Le Devoir*, 8 avril 1975.
34. Québec, *Loi sur la langue officielle*. Les autres dispositions afférentes aux pratiques linguistiques dans le monde du travail (art. 24, 25, 30-35) couvrent: les avis au personnel, la langue des relations du travail, la raison sociale, la langue des contrats, l'étiquetage des produits et l'affichage public. L'article 29 souligne les points qui seront considérés au moment de décerner les certificats de francisation: « (a) la connaissance de la langue officielle que doivent posséder les dirigeants et le personnel; (b) la présence francophone dans l'administration; (c) la langue des manuels, des catalogues, des instructions écrites et des autres documents distribués au personnel; (d) les dispositions que doivent prendre les entreprises pour que les membres de leur personnel puissent, dans leur travail, communiquer en français entre eux et avec leurs supérieurs; (e) la terminologie employée ».
35. *Ibid.*, premier paragraphe de l'article 29.
36. *Toronto Star*, 6 octobre 1973. (Notre traduction.)
37. Pour une discussion très utile de la thèse de « l'ingouvernabilité » et du « overload » et de son application au Canada, voir Richard E.B. Simeon, « The "Overload" Thesis and Canadian Government », *Analyse de politiques*, automne 1976, p. 541-552. Voir également les articles de H.I. Macdonald, de John Meisel et de Claude Ryan dans le même numéro. L'exposé classique de la thèse de la « crise fiscale de l'État » se trouve dans James O'Connor, *The Fiscal Crisis of the State*, *op. cit.*
38. Maurice Pinard et Richard Hamilton, « The Independance Issue and the Polarization of the Electorate: the 1973 Quebec Election », *Revue canadienne de science politique*, 9, mars 1976, tableau 6.
39. Serge Carlos, Édouard Cloutier et Daniel Latouche, « Le choix des électeurs en 1973: caractéristiques sociales et orientation nationale », dans Daniel Latouche, Guy Lord et Jean-Guy Vaillancourt, éd., *Le processus électoral au Québec: les élections provinciales de 1970 et 1973*, Montréal, Hurtubise HMH, 1976, tableau IX.
40. M. Pinard et R. Hamilton, « The Independance Issue », *op. cit.*, p. 251.
41. *Ibid.*, tableau 2.
42. Pour une étude des bases socio-économiques du Parti libéral des années 1970,

voir Vincent Lemieux, « Les partis provinciaux du Québec », dans Réjean Pelletier, éd., *Partis politiques au Québec*, Montréal, Hurtubise HMH, 1976, p. 67.

43. M. Pinard et R. Hamilton, « The Independance Issue », *op. cit.*, p. 253.
44. *Ibid.*, p. 254.
45. En principe, un tel référendum ne serait nécessaire que si les négociations avec Ottawa devaient échouer. Mais les dirigeants se sont engagés auprès de la population à tenir un référendum, quoi qu'il arrive.
46. Henry Milner, « The Decline and Fall of the Quebec Liberal Regime: Contradictions in the Modern Quebec State », dans L. Panitch, éd., *The Canadian State: Political Economy and Political Power*, Toronto, University of Toronto Press, 1977, p. 116-122.
47. André Bernard prétend que la réapparition de l'Union nationale a bien pu être responsable de la victoire du PQ dans ving-huit circonscriptions. Compte tenu d'un sondage mené durant la campagne électorale de 1976, Maurice Pinard et Richard Hamilton expliquent la défaite libérale en ces termes: « Les composantes précises de l'insatisfaction manifestée à l'égard du gouvernement libéral sont l'inaction, la faiblesse et l'indécision de ce dernier dans plusieurs domaines (par exemple, dans l'économie, les conflits de travail dans le secteur public, la moralité des hommes publics), son incapacité à obtenir le consensus même parmi ses propres partisans sur la question de la langue et vient s'ajouter à ce dernier point, un leadership faible ». Maurice Pinard et Richard Hamilton, « The Parti Québécois Comes to Power: the 1976 Election », *Revue canadienne de science politique*, 11, décembre 1978, p. 751.
48. John Saywell, *The Rise of the Parti québécois, 1967-1976*, Toronto, University of Toronto Press, 1977, p. 167.
49. *Ibid.*, p. 168.
50. Ces données sont fournies dans A. Bernard, *Québec: élections 1976*, *op. cit.*, p. 51, tableau 9.
51. On retrouve une liste de la plupart des sondages menés jusqu'en 1976 dans M. Pinard et R. Hamilton, « The Independence Issue », *op. cit.*, p. 247. De plus, voir Société Radio-Canada, « Le gouvernement Lévesque, un an après », document non publié, 1977; « What Quebec Really Wants », *Toronto Star*, les 14 et 20 mai 1977; Sorecom, « Opinions et attitudes des Québécois au sujet de la situation politique au Québec », document non publié, 1977; CBC-90 Minutes Live, « Hamilton-Pinard Study », document non publié, octobre 1977; Société Radio-Canada, « Les Québécois et la dualité fédérale-provinciale », document non publié, juin 1978; et Société Radio-Canada, « Confédération/Référendum », document non publié, mars 1979.
52. Voir la discussion de ce point dans Maurice Pinard, « La dualité des loyautés et les options constitutionnelles des Québécois francophones », dans *Le nationalisme québécois à la croisée des chemins*, Québec, Centre québécois de relations internationales, 1975, p. 81-87.
53. *Le Devoir*, 25 avril 1970.
54. M. Pinard et R. Hamilton, « The Independance Issue », *op.cit.*, p. 252.
55. Daniel Latouche, « Le Québec et l'Amérique du Nord: une comparaison à partir d'un scénario », dans *Le nationalisme québécois à la croisée des chemins*, *op.cit.*, p. 101, tableau IV.

56. Les résultats du sondage Pinard-Hamilton apparaissent dans *Le Devoir*, le 10 novembre 1976.
57. Société Radio-Canada, « Le gouvernement Lévesque, un an après », *op. cit.*, p. 37-38.
58. M. Pinard et R. Hamilton, « The Parti Québécois Comes to Power », *op. cit.*, p. 745.
59. Société Radio-Canada, « Les Québécois et la dualité fédérale-provinciale », *op. cit.*, annexe D, Q. 20.
60. *Ibid.*, Q. 25 et Q. 20.
61. *Le Devoir*, le 25 avril 1970.
62. Serge Carlos et Daniel Latouche, « La composition de l'électorat péquiste », dans D. Latouche, Lord et Vaillancourt, éd., *Le processus électoral*, *op. cit.*, chap. 8.
63. Cité dans Vera Murray, *Le Parti québécois*, Montréal, Hurtubise HMH, 1977, p. 31.
64. Calculé d'après les données présentées dans A. Bernard, *Québec: élections 1976*, p. 82, tableau 15.
65. Calculé d'après Québec, Rapport du directeur général des élections, 1970 et 1973.
66. Calculé d'après le Parti québécois, *Biographie des candidats, Élection 1976*, tel que cité dans H. Milner, *Politics in the New Quebec*, *op. cit.*, p. 158.
67. Marcel Fournier, « La question nationale: enjeux et impasses », dans Jean-François Léonard, éd., *La chance au coureur*, Montréal, Nouvelle Optique, 1978, p. 177-192.
68. Sur le Ralliement pour l'indépendance nationale voir André D'Allemagne, *Le RIN de 1960 à 1963*, *op. cit.*; et Réjean Pelletier, *Les militants du RIN*, Ottawa, Presses de l'Université d'Ottawa, 1974.
69. Voir la discussion du lien entre le Parti québécois et les syndicats québécois dans Julien Bauer, « Attitude des syndicats », *Études internationales*, 8, juin 1977, p. 307-319.
70. G. Bourque et A. Legaré, *Le Québec: la question nationale*, *op. cit.*, p. 199.
71. J. Niosi, « La nouvelle bourgeoisie canadienne-française », *op. cit.*, p. 33.
72. N. Laurin-Frenette, *Production de l'État et formes de la nation*, *op. cit.*, p. 152
73. Ces documents sont analysés en détail dans V. Murray, *Le Parti québécois*. Pour une analyse plus ancienne, voir le numéro spécial de *Maintenant*, intitulé « L'avenir économique d'un Québec souverain », publié en mars 1970.
74. Parti québécois, *Quand nous serons vraiment chez nous*, Montréal, Éditions du Parti québécois, 1972, p. 24.
75. Ces diverses mesures sont décrites dans *ibid.*, chap. 3. Elles sont toutes énumérées dans le programme du parti à l'exception notable de la proposition relative à la nationalisation d'une ou de deux banques.
76. Parti québécois, *Le Programme*, p. 14.
77. *Ibid.*; *Quand nous serons vraiment chez nous*, chap. 3 et 5.
78. Parti québécois, *Le Programme*, p. 12-13; *Quand nous serons vraiment chez nous*, chap. 4.
79. Parti québécois, *Le programme*, p. 12.
80. *Ibid.*
81. *Quand nous serons vraiment chez nous*, p. 93.

82. Parti québécois, *Le Programme*, p. 12.
83. *Ibid.*, p. 19-24.
84. *Quand nous serons vraiment chez nous*, p. 52.
85. Voir V. Murray, *Le Parti québécois*, p. 191-195.
86. Parti québécois, *Le Programme*, p. 17.
87. *Quand nous serons vraiment chez nous*, p. 135.
88. *Ibid.*, p. 134.

9 Le Parti québécois au pouvoir: orientations et stratégies

1. Ces pourcentages ont été calculés à partir des données contenues dans le *Guide parlementaire canadien*, 1976, Ottawa, p. 849-881; et *ibid.*, 1977, p. 854-879.
2. Gouvernement du Québec, *Budget 1979-1980*, Discours sur le budget, appendice II, p. 5.
3. *Le Devoir*, 30 mars 1977; *Le Devoir*, 22 mars 1978; et *Le Devoir*, 28 mars 1979.
4. Gilles Bourque et Anne Legaré ont travaillé activement au développement de cette thèse. Voir Gilles Bourque et Anne Legaré, *Le Québec: la question nationale*, *op.cit.*, chap. 7; Gilles Bourque, « La nouvelle trahison des clercs », *Le Devoir*, 8 et 9 janvier 1979; et Anne Legaré, « Les classes sociales et le gouvernement PQ à Québec », *La Revue canadienne de sociologie et d'anthropologie*, 15:2, 1978, p. 218-226. Également, voir Pierre Fournier, « Projet national et affrontement des bourgeoisies québécoises et canadienne », dans Jean-François Léonard, éd., *La chance au coureur*, Montréal, Nouvelle Optique, 1978, p. 39-59 et Pierre Fournier, « Vers une grande bourgeoisie canadienne-française? », travail non publié.
5. Ces données relatives au pattern des dépenses contredisent directement les affirmations qui apparaissent dans G. Bourque et A. Legaré, *Le Québec: la question nationale*, *op. cit.*, p. 208.
6. Calculs basés sur les données du gouvernement du Québec, *Budget 1979-1980*, Crédits, p. XII-XV. Tous les pourcentages représentent l'argumentation entre 1976-1977 et 1979-1980.
7. *Ibid.*
8. Calculs basés sur les données du gouvernement du Québec, *Budget 1979-1980*, Discours sur le budget, p. 50 et Annexe II, p. 17.
9. *Le Devoir*, 3 février 1977.
10. *Le Devoir*, 13 avril 1977.
11. *Le Devoir*, 20 juin 1979.
12. Voir la discussion de ces diverses mesures dans Arnaud Sales, « Vers une techno-bureaucratie d'État », dans J.-F. Léonard, éd., *La chance au coureur*, *op. cit.*, p. 25-39 et P. Fournier, « Projet national », *op.cit.*
13. *Le Devoir*, 14 janvier 1978.
14. Cette discussion des politiques du gouvernement du PQ est basée sur l'article de Jorge Niosi, « Le gouvernement du PQ deux ans après », *Cahiers du socialisme*, 2, automne 1978, p. 49.

15. *Ibid.*
16. P. Fournier, « Projet national », *op. cit.*, p. 52-53.
17. *Québec-Presse*, 15 février 1970 (cité dans P. Fournier, « Projet national », *ibid.*, p. 49).
18. Ce point a clairement été souligné par R. Lévesque dans son discours au New York Economic Club (*Le Devoir*, 26 janvier 1977).
19. Gouvernement du Québec, *Budget 1978-1979*, Discours sur le budget, p. 30.
20. Dans son livre, *La Passion du Québec*, R. Lévesque caractérise le Parti québécois en ces termes: « un parti "indépendantiste" qui serait en même temps dans la mouvance d'une social-démocratie à la scandinave (ce qui est le maximum de "progressisme" pour une gauche sérieuse en contexte nord-américain) », *La Passion du Québec*, Montréal, Québec/Amérique, 1979, p. 48.
21. Voir la discussion de ces mesures dans J. Niosi « Le gouvernement du PQ », et Jean-Marc Piotte, « Le gouvernement Lévesque après 24 mois », *Le Devoir*, 13, 14 et 15 novembre 1978.
22. Gouvernement du Québec, *Budget 1979-1980*, Discours sur le budget, p. 34.
23. Voir l'analyse des relations entre les syndicats et le Parti québécois dans Julien Bauer, « Attitude des syndicats », dans *Études internationales*, 8:3, juin 1977, p. 307-319.
24. Pour une critique sévère des relations ouvrières sous le gouvernement Lévesque, voir Jean-Marc Piotte, « La lutte des travailleurs de l'État », *Cahiers du socialisme*, 3, printemps 1979, p. 4-39.
25. Dans son discours sur le budget de 1979, Parizeau note que « dans l'ensemble, les employés du secteur public sont mieux rémunérés que ceux du secteur privé ». Il prétend qu'en conséquence: « les quatre cinquièmes des travailleurs vont devoir se cotiser pour payer les salaires du cinquième restant dont la rémunération est plus élevée que la leur. Il est remarquable à cet égard que les syndicats dont les conventions collectives viennent à échéance le 30 juin prochain demandent un salaire minimum de 265$ par semaine. Cette demande représente l'équivalent du salaire industriel moyen au Québec en 1978. En somme, parce qu'on travaille dans le secteur public, on voudrait que le minimum de rémunération se situe au niveau de la moyenne des rémunérations des travailleurs du secteur privé. Il y a là une forme d'iniquité surprenante qui met en valeur une fois de plus la nécessité de modérer des appétits qui ne correspondent plus à la réalité ». Gouvernement du Québec, *Budget 1979-1980*, Discours sur le budget, p. 23.
26. Voir l'analyse de Bernard Descôteaux, « Devant le Front commun: en position de force, le gouvernement veut presser le pas », *Le Devoir*, 22 mai 1979.
27. R. Lévesque, *La Passion du Québec*, *op. cit.*, p. 76.
28. *Ibid.*
29. J. Niosi, « Le gouvernement du PQ », *op. cit.*, p. 62.
30. *Ibid.*, Henry Milner, *Politics in the New Quebec*, Toronto, McClelland & Stewart, 1978, particulièrement le chapitre 4 et 7; et Vera Murray, *op. cit.*, p. 30.
31. C.-R. Laliberté, « Critique du nationalisme populiste », dans J.-F. Léonard, éd., *La chance au coureur*, *op. cit.*, p. 82-92.
32. Ce point est souligné par J. Niosi, « Le gouvernement du PQ », *op. cit.*, p. 42.
33. Voir Marcel Fournier, « La question nationale: enjeux et impasses », dans J.-F. Léonard, éd., *La chance au coureur*, p. 177-192. Voir également l'analyse de la loi

101 et de ses diverses dispositions dans François Vaillancourt, « La Charte de la langue française du Québec », *Analyse de politiques*, IV:3, été 1978, p. 284-308.
34. Québec, *Charte de la langue française*, article 58.
35. *Ibid.*, article 73.
36. René Lévesque prétend qu'il s'est senti « tiraillé » par rapport à cette disposition (*Le Devoir*, 19 juillet 1977).
37. Voir le sondage administré par CROP/Sélection, août 1977. Le sondage indique que la majorité des Québécois francophones approuvent la loi 101 dans son ensemble.
38. *Charte de la langue française*, chap. IV.
39. *Ibid.*, art. 73.
40. *Ibid.*, chap. V.
41. Les règlements apparaissent dans *Le Devoir*, 21 juillet 1978.
42. *Le Devoir*, 18 décembre 1976.
43. *Charte de la langue française*, p. 98-99.
44. Yvan Allaire, « La nouvelle classe politique et les pouvoirs économiques », dans J.-F. Léonard, éd., *op. cit.* Y. Allaire et Roger E. Miller affirment: « L'objectif de la loi est strictement linguistique. Elle ne tente pas de promouvoir directement la mobilité sociale. Elle ne parle pas de présence francophone (ou québécoise) ou de participation équilibrée. L'ambiguïté qui existait quant aux efforts pour poursuivre simultanément l'usage du français et la promotion de la présence française a complètement été éliminée ». Yvan Allaire et Roger E. Miller, *Canadian Business Response to the Legislation on Francization in the Workplace*, Montreal, C.D. Howe Institute, 1980, p. 37-38. (Notre traduction.) Une analyse semblable apparaît dans William Coleman, « From Bill 22 to Bill 101: The Politics of Legitimation under the Parti Québécois », Conférence présentée au Congrès de l'Association canadienne de science politique, Montréal, 1980.
45. *Charte de la langue française*, *op. cit.*, art. 141.
46. *Le Devoir*, 1er février 1978.
47. *Ibid.*
48. *Ibid.*
49. *Ibid.*
50. *Financial Post*, 28 janvier 1978. (Notre traduction.)
51. *Le Devoir*, 23 mai 1978.
52. A. Sales, « Vers une techno-bureaucratie d'État », *op. cit.*, p. 35.
53. Rapport Gendron, livre I: *Langue de travail*, Québec, Gouvernement du Québec, 1972, p. 164-170.
54. Yvan Allaire, « La nouvelle classe politique et les pouvoirs économiques », dans J.-F. Léonard, *La chance au coureur*, *op. cit.*, p. 63.
55. *Ibid.*
56. *Le Devoir*, 30 mars 1977.
57. *Le Devoir*, 16 novembre 1974.
58. Voir l'analyse d'un sympathisant péquiste: Pierre Drouilly, *Le Devoir*, 10 mai 1979.
59. R. Lévesque, *La Passion du Québec*, *op. cit.*, p. 69.
60. Jean-Pierre Charbonneau et Gilbert Paquette, *L'Option*, Montréal, Éditions de l'Homme, 1978.

61. *D'égal à égal* a été préparé par le Conseil exécutif national du parti et portait à l'origine le sous-titre de « Manifeste et propositions concernant la souveraineté-association ». Le « manifeste » était un long préambule écrit par un indépendantiste de longue date, Pierre Vadeboncoeur. Les diverses propositions ont été présentées sous forme de résolutions au congrès national; dans quelques cas, des modifications relativement mineures ont été apportées. Toutes ces résolutions ont été adoptées par une majorité écrasante au congrès national. Plusieurs des autres résolutions approuvées au congrès national venaient élaborer des propositions qui se trouvaient dans *D'égal à égal*.
62. L'économiste québécois Bernard Bonin a été nommé sous-ministre adjoint chargé de la « planification ». Il a commandé environ 40 études qui traitaient soit de la forme actuelle des relations Québec-Canada, soit d'autres formes de relations suggérées par la théorie économique générale ou par certaines expériences dans d'autres contextes.
63. Tiré de la « Transcription du discours d'ouverture du président du Parti Monsieur René Lévesque, vendredi, le 1er juin 1979 », p. 3. Voir l'analyse de l'étapisme dans Vera Murray, *op.cit.*, troisième partie; Yves Vaillancourt, « La position constitutionnelle du MSA-PQ de 1969 à 1979 », manuscrit non publié; et Gilles Bourque, « Petite bourgeoisie envahissante et bourgeoisie ténébreuse », *Cahiers du socialisme*, printemps 1979, p. 122-161.
64. Dans l'édition de 1975 du programme du Parti québécois, le gouvernement du Parti québécois s'est engagé à tenir un référendum « dans le cas où il faudrait procéder unilatéralement » à la souveraineté (*Programme du Parti québécois*, 1975, p. 5). Lors du congrès national de 1977, les délégués ont inclus la résolution suivante au programme: « un gouvernement du Parti québécois s'engage à s'assurer, par voie de référendum et au moment qu'il le jugera opportun, à l'intérieur d'un premier mandat, de l'appui des Québécois sur la souveraineté du Québec ». (*Programme du Parti québécois*, 1978, p. 7.)
65. Le texte d'un nouvel engagement oblige le gouvernement du Parti québécois à: « demander aux citoyens du Québec, dans l'éventualité où il paraîtra impossible d'en arriver à une entente satisfaisante avec le Canada, le mandat d'exercer sans partage les pouvoirs d'un État souverain » (Septième Congrès national, Résolutions adoptées en atelier, cahier no 1, B-1). Chose intéressante à noter, la disposition ne reprend pas la phraséologie plus militante de l'édition de 1975 du programme, dans laquelle il était question de procéder « unilatéralement » à la souveraineté. Le gouvernement du Parti québécois s'engage tout simplement à demander un « mandat ».
66. D'après les notes prises par l'un des auteurs au congrès national de 1979.
67. Le document intitulé « L'accession démocratique à la souveraineté », a été reproduit dans *Le Jour*, le 26 septembre 1974. La thèse de Claude Morin a provoqué des réactions de la part d'un des pionniers du mouvement indépendantiste, André D'Allemagne. Il faut souligner que les appréhensions de D'Allemagne se sont manifestées à la suite de deux ans et demi de gouvernement péquiste: « On devine avec quelle facilité les adversaires irréductibles de notre libération pourraient exploiter cette période d'incertitude, voire de confusion, qui s'écoulerait entre l'élection et le référendum et au cours de laquelle le nouveau gouvernement ne pourrait plus fonctionner comme un pouvoir provincial sans encore être en mesure de se comporter en pouvoir national. C'est

bien alors qu'on aurait lieu de redouter la fomentation de troubles politiques et sociaux ainsi que les menaces économiques, toutes mesures qui pour les adversaires n'offrent plus guère d'intérêt du moment que le nouveau pouvoir est fermement établi et déterminé à suivre la voie qu'il s'est tracée. (André D'Allemagne, « À propos de ce référendum », *Le Jour*, 9 novembre 1974.)

68. En fait, il y a lieu de croire que l'appui à la souveraineté-association ait légèrement baissé durant les deux premières années de gouvernement péquiste. Les sondages administrés en août et novembre 1977 révèlent que 40% des Québécois sont en faveur de la souveraineté-association; les sondages administrés en septembre 1978 et en février 1979 révèlent un appui de 35% (« Confédération/référendum » [une analyse effectuée par Radio-Canada/CBC basée en grande partie sur les résultats d'un sondage national de février 1979], mars 1979, p. 59). Dans le sondage effectué en février 1979, 49% des répondants se sont déclarés « satisfaits » du gouvernement du Québec — soit 14% de plus que la proportion de ceux qui étaient en faveur de la souveraineté-association (*ibid.*, p. 14). Seulement 53% de ces répondants satisfaits ont déclaré qu'ils approuvaient la souveraineté-association (*ibid.*, p. 57). Il faut noter cependant que 51% des répondants ont déclaré qu'ils voteraient « oui » à un référendum sur un mandat pour négocier la souveraineté-association; en août 1977, la proportion était de 50% (*ibid.*, p. 107).
69. Vincent Lemieux note que les sondages révèlent que 50% des Québécois sont satisfaits du gouvernement du Parti québécois mais que seulement 35% sont prêts à le réélire. « L'explication de ce décalage réside probablement dans le peu de popularité de l'option constitutionnelle du Parti québécois ». (Vincent Lemieux, « Histoire de vingt électeurs », *Le Devoir*, 1er juin 1979, p. 5.)
70. *Le Devoir*, 20 décembre 1976.
71. Jean-Claude Picard, « Le PQ après deux ans », *Le Devoir*, 14 novembre 1978.
72. Robert Barberis, « Redevenir militants », *Le Devoir*, 15 mai 1979. Voir également Louise Thibauld, « Le PQ et le gouvernement », *Le Devoir*, 31 mai 1979.
73. D'après les notes prises par l'un des auteurs au congrès national en juin 1979.
74. La décision du tribunal est reproduite dans *Le Devoir*, 14 décembre 1979.
75. *Le Devoir*, 3 décembre 1977.
76. *Le Devoir*, 27 janvier 1978.
77. *Le Devoir*, 1er avril 1978.
78. *Ibid.*
79. *Le Devoir*, 6 avril 1978.
80. *La Presse*, 16 mai 1978.
81. *Le Devoir*, 18 mai 1978.
82. *Le Devoir*, 14 juin 1978.
83. *Le Devoir*, 9 mars 1978.
84. *Le Devoir*, 30 mai 1978 et 14 juin 1978.
85. *Le Devoir*, 21 février 1978.
86. Voir la déclaration de Jacques Parizeau, *Le Devoir*, 18 avril 1978.
87. Voici le libellé de la question référendaire: « Le gouvernement du Québec a fait connaître sa proposition d'en arriver, avec le reste du Canada, à une nouvelle entente fondée sur le principe de l'égalité des peuples; cette entente permettrait au Québec d'acquérir le pouvoir exclusif de faire ses lois, de percevoir ses impôts et d'établir ses relations extérieures, ce qui est la souveraineté — et, en

même temps, de maintenir avec le Canada une association économique comportant l'utilisation de la même monnaie; aucun changement de statut politique résultant de ces négociations ne sera réalisé sans l'accord de la population lors d'un autre référendum; en conséquence, accordez-vous au gouvernement du Québec le mandat de négocier l'entente proposée entre le Québec et le Canada?

10 La souveraineté-association: sa signification et ses chances de réussite

1. Pour les détails sur les origines du document *D'égal à égal*, voir la note 61 du chapitre précédent. Au moment de discuter de l'ouvrage *D'égal à égal*, nous nous référerons en fait à la version légèrement modifiée des propositions de ce document telles qu'elles sont ressorties du national de Congrès national de 1979. Les citations sont tirées des textes du Congrès national.
2. Citations tirées de la version officielle en langue française intitulée *La nouvelle entente Québec-Canada*, Québec, 1979. On désigne ce texte sous le nom de livre blanc.
3. Conseil exécutif national du Parti québécois, *D'égal à égal. Manifeste et propositions concernant la souveraineté-association*, p. 10.
4. Voir par exemple, Edmond Orban, *Un modèle de souveraineté-association?*, Montréal, Hurtubise HMH, 1978.
5. Livre blanc, p. 58.
6. Septième Congrès national, cahier no 1, A-2, 1/2.
7. *Ibid.*, proposition 2.
8. *Ibid.*, proposition 3.
9. *Ibid.*, proposition 4.
10. J.-P. Charbonneau et G. Paquette, *L'Option*, *op. cit.*, troisième partie, chap. 4. Le compte-rendu de la commission du Congrès national est basé sur les notes prises par l'un des deux auteurs.
11. Livre blanc, p. 60.
12. *Ibid.*, p. 62.
13. *Ibid.*, p. 61.
14. *Ibid.*, p. 60.
15. Lorsqu'ils discutent de la possibilité d'une union douanière entre le Québec et le Canada, J.-P. Charbonneau et G. Paquette reconnaissent que « le problème du poids réel du Québec dans la politique commune se pose, même s'il y avait décision paritaire et donc amélioration par rapport à la situation actuelle ». (*L'Option*, p. 418)
16. Voir Pierre Lamonde, « Le contrôle étranger, ou la difficulté d'être maîtres chez nous », dans Daniel Latouche, éd., *Premier mandat*, Montréal, L'Aurore, 1977, p. 42.
17. Vera Murray, *Le Parti québécois*, *op. cit.*, p. 65.
18. J.-P. Vézina, « Le développement économique: les enjeux en cause », dans D. Latouche, *Premier mandat*, *op. cit.*, p. 61.

19. *Le Devoir*, 15 juillet 1978.
20. Voir en particulier, Yves Vaillancourt, « La position constitutionnelle du MSA-PQ », *op. cit.*
21. René Lévesque, *Option Québec*, Montréal, Éditions de l'Homme, 1968.
22. Or, dans une interview accordée en 1978 au cours de laquelle il énumérait les désavantages d'une union monétaire, Parizeau déclarait que le PQ proposait une monnaie commune avec le Canada anglais afin d'éviter les difficultés qui pourraient surgir en établissant une monnaie québécoise.
23. Les deux parties pourraient en principe former une zone de libre-échange: elles conviendraient de ne pas imposer de tarif l'une à l'égard de l'autre mais contrairement à une union douanière, elles ne maintiendraient pas de structure tarifaire commune avec les autres pays. Mais dans le cas du Québec et du Canada, cette option est exclue en raison de l'énorme problème que causerait la réglementation de la réexportation. Voir la discussion dans J.M. Treddenick, « Quebec and Canada: the Economics of Independence », *Revue d'études canadiennes*, VII:4, novembre 1973, p. 16-30 et dans Charles Pentland, « Association after Sovereignty? » dans Richard Simeon, éd., *Must Canada Fail?*, Montréal, McGill-Queen's Press, 1977, p. 234. Voir aussi J.-P. Charbonneau et G. Paquette, *L'Option, op. cit.*, p. 418.
24. Voir Pierre Fortin, Gilles Paquet et Yves Rabeau, « Coûts et bénéfices de l'appartenance du Québec à la confédération canadienne: analyse préliminaire », conférence non publiée, p. 12.
25. Voir Clarence Barber, « The Customs Union Issue », *Options Canada*, Proceedings of the Conference on the Future of the Canadian Federation, University of Toronto, October 1977, p. 214-232.
26. Voir Carl E. Beigie et Judith Maxwell, *Quebec's Vulnerability in Energy*, Accent Québec, Montréal, C.D. Howe Research Institute, 1977.
27. Carmine Nappi, « La souveraineté, la structure d'exportation et le choix d'une politique commerciale pour le Québec », dans Luc-Normand Tellier, éd., *Économie et indépendance*, Montréal, Quinze, 1977, tableau 1, p. 154-155.
28. L'économiste Thomas Courchesne de l'Université Western Ontario a soulevé ce point à plusieurs occasions. Voir le rapport sur les discussions lors de la Conférence sur l'économie politique de la Confédération, Kingston, Ontario dans *Le Devoir*, 13 novembre 1978.
29. Voir C. Pentland, « Association after Sovereignty? », *op. cit.*, p. 214.
30. C. Barber, « The Customs Union Issue », *op. cit.*, p. 224. (Notre traduction.)
31. L. Auer et K. Mills, « Confederation and Some Regional Implications of the Tariffs on Manufactures », Conseil économique du Canada (communication présentée à l'atelier de travail sur l'économie politique de la Confédération, Kingston, Ontario, le 8-10 novembre 1978), table II, p. 21.
32. Léon Courville, Marcel Dagenais, Carmine Nappi et Alain Peetersen, *La sensibilité des industries au commerce interrégional: le cas du Québec, de l'Ontario et du reste du Canada*, document préparé pour le compte du ministère des affaires intergouvernementales du Québec, Québec, Éditeur officiel, 1979, partie I, p. 30-31.
33. Voir J.M. Tredennick, « Quebec and Canada » et C. Pentland « Sovereignty after Association ».
34. Tim Hazeldine, « The Costs and Benefits of the Canadian Customs Union »,

Conseil économique du Canada (communication présentée à l'atelier de travail sur l'économie politique de la Confédération, Kingston, Ontario, le 8-10 novembre 1978), p. 15.

35. Voir C. Pentland, « Association after Sovereignty? », p. 237.
36. Bernard Fortin, *Les avantages et les coûts des différentes options monétaires d'une petite économie ouverte: un cadre analytique*, document préparé pour le compte du ministère des Affaires intergouvernementales du Québec, Québec, Éditeur officiel, 1978, p. 15.
37. *Ibid.*, p. 23-25. »
38. *Le Devoir*, 26 janvier 1977.
39. Cela fait surgir le spectre des « conséquences dynamiques » sur lesquelles Richard G. Lipsey s'attarde longuement dans sa critique de l'analyse de Clarence Barber auquel il reproche de ne s'en tenir qu'aux facteurs « statiques ». Voir Richard G. Lipsey, « The Relation between Economic and Political Separatism: A Pessimistic View », in *Options Canada*, p. 244-251. La liste des « conséquences dynamiques » de Lipsey est longue: « Les investissements, les initiatives créatrices et donc le taux de croissance pourraient être sérieusement retardés par des changements dans la structure fiscale, par la montée de l'incertitude politique et économique, par des attitudes sociales hostiles au capitalisme privé et par des menaces — ou même des craintes non fondées — de nationalisation. Les syndicats pourraient être amenés à adopter des pratiques restrictives; la productivité et le niveau de vie en seraient affectés. Les inflations endémiques et les dévaluations monétaires répétées et/ou les contrôles des changes pourraient grandement déranger certains projets et réduire le goût de s'enrichir par des activités légitimes ». (*Ibid.*, p. 250, notre traduction.) Si le pattern des politiques du gouvernement péquiste durant les deux premières années et demie de son administration est une indication du comportement probable d'un État québécois souverain, les « conséquences dynamiques » de l'accession à la souveraineté que Lipsey énumère auraient un effet assez limité. En fait, dans un article subséquent, Lipsey reconnaît qu'il pourrait également y avoir des effets « dynamiques » qui *profiteraient* au Québec. Il conclut: « Les coûts dynamiques peuvent être grands, mais ils peuvent tout aussi bien être positifs que négatifs. L'argumentation en faveur du Canada est une argumentation d'ordre politique, social et culturel. Nous irions à l'encontre de cette argumentation si nous tentions de prétendre qu'il existe une preuve convaincante à l'effet que cette argumentation est également d'ordre économique. (Richard Lipsey, « Parting is not such an Economic Wrench », *Financial Post*, 15 décembre 1978, notre traduction.)
40. Nicole Laurin-Frenette, *Production de l'État et formes de la nation*, Montréal, Nouvelle Optique, 1978, p. 150.
41. Carol Levasseur et Jean-Guy Lacroix, « Rapports de classes et obstacles économiques à l'association », *Cahiers du Socialisme*, 2, automne 1978, p. 112-113.
42. Gilles Bourque, « La nouvelle trahison des clercs », *Le Devoir*, 9 janvier 1979.
43. Marcel Fournier, « La question nationale: enjeux et impasses », *op. cit.*, p. 191.
44. *Le Devoir*, 30 septembre 1969.
45. R. Lévesque, *La Passion du Québec*, p. 60-61.
46. Michael D. Ornstein, H. Michael Stevenson et A. Paul Williams, « Public Opinion and the Canadian Political Crisis », *Revue canadienne de sociologie et*

d'anthropologie, 15:2, 1978, table IV.

47. Donald V. Smiley, *Canada in Question: Federalism in the Seventies*, Toronto, McGraw-Hill Ryerson, 1976, p. 218.
48. Abraham Rotstein, « Is There an English-Canadian Nationalism? », *Revue d'études canadiennes*, 13:2, été 1978, p. 109-118.
49. Voir Donald Smiley, « The Sovereignty-Association Alternative: an Analysis », texte d'une conférence donnée au Ryerson Polytechnical Institute, le 22 novembre 1978, p. 6.
50. Voir Frederick J. Fletcher, « The View from Upper Canada », dans Richard Simeon, éd., *Must Canada Fail?*, *op. cit.*, p. 103-104.
51. Voir l'analyse qui démontre comment les différent aspects de la souveraineté-association affecteraient les intérêts de la bourgeoisie financière canadienne-anglaise dans Carol Levasseur et Jean-Guy Lacroix, « Rapports de classe et obstacles économiques à l'association », *op.cit.*, p. 88-121.
52. Voir Larry Pratt et John Richards, *Prairie Capitalism*, Toronto, McClelland & Stewart, 1979. Voir également la comparaison du mouvement autonomiste du Québec et de l'Alberta dans Gilles Bourque et Anne Legaré, *Le Québec: la question nationale*, *op.cit.*, chap. 8.
53. Dans une interview accordée au journal *Le Devoir* en avril 1977, le premier ministre de la Saskatchewan Allan Blakeney affirme que les Canadiens de l'Ouest ont accepté les coûts qu'imposaient sur eux la protection tarifaire des industries du centre du Canada parce que la Confédération leur donnait l'assurance de l'appui financier du gouvernement fédéral en temps de difficultés économiques. Étant donné le caractère cyclique de leurs économies basées sur les ressources naturelles et sur l'agriculture, les provinces de l'Ouest canadien comptent fortement sur l'appui du gouvernement fédéral. Dans le cadre de la souveraineté-association, le Québec ne verserait aucune contribution aux programmes fédéraux tandis qu'il s'attendrait quand même à ce que l'Ouest canadien accepte la protection tarifaire dont le Québec a besoin. « Nous aurions alors l'impression de ne rien obtenir en retour des coûts que nous encourons au titre des tarifs. Pareille supposition n'aurait pas d'intérêt pour nous ». *Le Devoir*, 9 avril 1977.
54. Voir Donald Smiley, « A New Look at Sovereignty-Association », conférence non publiée, York University, juillet 1978, p. 5-7.
55. Livre blanc.
56. *Ibid.*
57. Le livre blanc cite le statut du Luxembourg au sein de l'association du Bénélux à titre de précédent pour le Québec: « Dans le Bénélux, premier modèle contemporain d'association, c'est d'égal à égal que se traitent les questions essentielles entre le minuscule Luxembourg, avec moins d'un demi-million d'habitants, et la Belgique ou les Pays-Bas, qui sont vingt-cinq ou trente fois plus populeux ». Tout de même, la position du Luxembourg par rapport aux deux autres partenaires est tellement faible que le statut paritaire ne peut être rien de plus qu'une formalité. Les deux autres parties pouvaient se permettre de donner un statut égal au Luxembourg parce qu'elles étaient certaines que ce dernier ne tenterait pas de jouer un rôle égal. Le Canada anglais ne pourrait compter sur le Québec pour jouer un rôle passif. La leçon la plus importante à tirer de l'expérience du Bénélux est que les deux partenaires actifs, la Belgique et la

Hollande, sont à peu près égaux du point de vue de leur force démographique et économique. Le seul cas d'une association à deux dans laquelle le rapport entre les partenaires est comparable à celui du Québec et du Canada est l'association entre la Grande-Bretagne et l'Irlande. Il faut noter que dans le cadre de cette « pseudo-union monétaire » l'Irlande n'eut jamais de rôle à jouer lorsqu'il s'agissait d'établir la valeur de la livre anglaise, monnaie à laquelle la monnaie irlandaise est liée. Voir Henri-Paul Rousseau, *Unions monétaires et monnaies nationales: une étude économique de quelques cas historiques*, ministère des Affaires intergouvernementales, Québec, Éditeur officiel, 1978, p. 81-168.

58. Voir par exemple C. Levasseur et J.-G. Lacroix, « Rapports de classe », *op. cit.*, p. 117.
59. Ornstein, Stevenson et Williams, tableau IV.
60. L. Auer et K. Mills, « Confederation and some Regional Implications », p. 21 et L. Courville *et al.*, *op.cit.*, partie I, p. 27-31.
61. Rotstein, « Is There an English-Canadian Nationalism? », p. 116. (Notre traduction.)
62. Voir C. Levasseur et J.-G. Lacroix, « Rapports de classe », *op. cit.*
63. Michael D. Ornstein et H. Michael Stevenson, « Craks in the Mosaic: Elite and Public Opinion on the Future of Canada », communication non publiée présentée à la conférence annuelle de l'Association canadienne de sociologie et d'anthropologie, Saskatoon, juin 1979, tableau II.
64. « Pour la plupart des personnes interrogées, la seule attitude logique du Canada anglais serait de former un marché commun ou une union douanière avec le nouvel État. On peut même penser que Washington pourrait exercer des pressions en ce sens, ce que personne n'insinue pour le moment, bien entendu ». (Louis Balthazar, « Le Québec d'après le 15 novembre vu de Washington », *Le Devoir*, 5 mars 1977.)
65. Calculé d'après L. Courville *et al.*, partie I, tableau III.
66. J.-P. Charbonneau et G. Paquette, *L'Option*, p. 588.
67. Donald Smiley, « Quebec Independence and the Democratic Dilemma », *Canadian Forum*, 58:686, février 1979, p. 12. (Notre traduction.)
68. *Ibid.*, notre traduction.
69. En février 1979, un sondage posait la question suivante: « Donnez-vous au gouvernement du Québec le mandat de négocier la souveraineté-association? » Parmi les répondants qui avaient déjà entendu parler du référendum, 50% ont répondu « oui », 31% ont répondu « non » et 18% étaient indécis. Les analystes du sondage en ont conclu que si la question du référendum avait été posée en ces termes, elle aurait obtenue la majorité des votes en février 1979. (Voir Société Radio-Canada, « Confédération/Référendum », rapport non publié, mars 1979, p. 108.) Des résultats semblables ont été obtenus avec la même question lors d'un sondage effectué en août 1977. Deux sondages effectués en novembre 1978 indiquaient des niveaux d'approbation moins élevés, mais le nombre de ceux qui étaient d'accord était plus élevé que ceux qui étaient en désaccord (*ibid.*).
70. Vincent Lemieux, « Quebec: Heaven is Blue and Hell is Red », dans Martin Robin, éd., *Canadian Provincial Politics*, 2e édition, Scarborough, Prentice-Hall, 1978, p. 280.

71. Ontario. *Deuxième rapport du Comité consultatif de la Confédération — Le partage des pouvoirs entre les gouvernements fédéral et provinciaux*, mars 1979, p. 8.
72. British Columbia, *British Columbia's Constitutional Proposals*, document no 8, « The Distribution of Legislative Powers », septembre 1978, p. 11.
73. La Commission de l'unité canadienne, *Se retrouver — Observations et recommandations*, ministre des Approvisionnements et Services, 1979, p. 22.
74. La Commission de l'unité canadienne, *Se retrouver*, p. 91-92, et Ontario, *Premier rapport du comité consultatif de la Confédération*, p. 7-8.
75. La Commission de l'unité canadienne, p. 104-105, et Ontario, *Premier rapport du comité consultatif de la Confédération*, avril 1978, p. 8. Voir également Marc Lalonde, *La réforme constitutionnelle: la Chambre de la Fédération*, Ottawa, Centre d'information sur l'unité canadienne, 1978, p. 14-15.
76. British Columbia, *British Columbia's Constitutional Proposals*, document no 3, « Reform of the Canadian Senate », septembre 1978, p. 33.
77. La Commission de l'unité canadienne, *Se retrouver*, p. 107.
78. Marc Lalonde, *La réforme constitutionnelle*, p. 15.
79. La Commission de l'unité canadienne, *Se retrouver*, p. 75-76.
80. Alberta, *Harmony in Diversity; A New Federalism for Canada*, Alberta Government Position Paper on Constitutional Change, Octobre 1978, p. 5. (Notre traduction.)
81. *Ibid.*, p. 5-10.
82. Voir la discussion de ces institutions dans Gerry J. Gartner, « A Review of Cooperation among the Western Provices », *Administration publique du Canada*, 20, printemps 1977, p. 174-187 et A. Lomas, « The Council of Maritime Premiers: Report and Evaluation after Five Years », *ibid.*, p. 188-200.
83. Pierre Fournier, « L'association, une étape de plus », *Le Devoir*, 31 mars 1979, p. 5.
84. Rodrigue Tremblay, *Independance et marché commun*, Montréal, Éditions du Jour, 1970. Tremblay ne devint actif au sein du PQ qu'en 1976. Il démissionna du gouvernement en septembre 1979, à la demande du premier ministre Lévesque, qui lui reprochait sa mésentente avec les autres ministres.
85. René Lévesque, *La Passion du Québec*, *op. cit.*, p. 113-114.

11 Conclusions

1. Statistics Canada, *Provincial Economic Accounts*, 1961-1976, Ottawa, 1978, tel que cité dans Judith Maxwell et Gérard Bélanger, avec Penny Basset, *Taxes and Expenditures in Quebec and Ontario: A Comparison*, Accent Québec Series, Montréal, C.D. Howe Institute, 1978, p. 3.
2. Gouvernement du Québec, Développement économique, *Bâtir le Québec: énoncé de politique économique*, Québec, Éditeur officiel, 1979, p. 15. Le fait que le secteur public revêt une plus grande importance au Québec que dans les autres provinces est examiné par Jean Vézina, « Les gouvernements », annexe 11 de *Prospective socio-économique du Québec, Première étape*, « Sous-système

économique », Collection Études et recherches, Québec, Office de planification et de développement du Québec, 1977. Voir également Marc Renaud, « Réforme ou illusion? Une analyse des interventions de l'État québécois dans le domaine de la santé », *Sociologie et sociétés*, 9, avril 1977, p. 127-152; C. Levasseur et J.-G. Lacroix, « Rapports de classes », *op. cit.*, p. 88-94.

3. G. Bourque semble suivre cette approche dans *L'État capitaliste et la question nationale*. Il élabore son concept de domination intérieure essentiellement en des termes inter-régionaux. Pour démontrer ce phénomène, il nous donne une revue de l'histoire des relations économiques entre le Québec et l'Ontario. Il présente ensuite la conclusion suivante: « Le Québec, qui n'est d'ores et déjà plus, depuis la guerre, une région agricole, s'est cependant maintenu comme région économique déformée, écartelée entre l'intégration à l'économie canadienne et la dépendance face à l'impérialisme américain. Une fraction de la bourgeoisie québécoise, appuyée par un fort groupe de la technocratie de l'État provincial à la recherche de plus de pouvoir, se sent donc menacée dans ses assises économiques et tente de faire l'indépendance de la « nation québécoise ».
4. Pierre Fréchette montre que d'après la plupart des indicateurs, la position du Québec comparativement à celle de l'Ontario, s'est en fait améliorée entre 1946 et 1962. Durant cette période, l'emploi, les investissements totaux, la valeur des exportations manufacturières, le produit brut de la province et le revenu des particuliers ont augmenté à un plus grand rythme au Québec qu'en Ontario. Ce n'est qu'au milieu des années 1960 que la position relative du Québec a commencé à accuser le déclin qu'elle connaît aujourd'hui. Ce n'est qu'en 1965 que les investissements totaux du Québec, calculés en pourcentage des investissements totaux en Ontario, ont commencé à baisser. Voir P. Fréchette, « L'économie de la Confédération: un point de vue québécois », *Analyse de politiques*, 3, automne 1977, p. 431-440; et P. Fréchette, R. Jouandet-Bernadat et J.-P. Vézina, *L'économie du Québec*, Montréal, HRW, 1975, tableaux 22 et 24.
5. Pour un compte-rendu « interne » de la perception que se fait le leadership péquiste du Canada anglais, voir Daniel Latouche, « Le jeu de GO et les relations Québec-Canada », dans J.-F. Léonard, éd., *La chance au coureur*, p. 150-165; et D. Latouche, « Comments », *Analyse de politiques*, IV, hiver 1978, p. 77-87.
6. Dans un sondage administré au printemps 1977, on a posé la question: « Si les Canadiens de langue française étaient traités comme des égaux aux Canadiens de langue anglaise en dehors du Québec, est-ce que cela affecterait votre attitude à l'égard de l'indépendance du Québec? » Parmi tous les répondants du Québec, 81% ont répondu non et seulement 17% ont répondu oui. Les réponses positives étaient apparemment quelque peu plus fréquentes chez les francophones que chez les anglophones du Québec, mais elles demeuraient le fait d'une petite minorité. (*Toronto Star*, 17 mai 1977.)
7. Après avoir analysé les données des sondages sur les attitudes des Québécois à l'égard de l'ordre politique canadien, Maurice Pinard tire la conclusion suivante: « Bien qu'une plus grande autonomie est probablement vue comme une source de statut et de récompense culturels et ce, sans qu'il n'y ait de grands coûts à supporter, la souveraineté-association, et en particulier l'indépendance, sont vues comme la source de ces mêmes récompenses, cette fois sur une plus grande échelle, mais elles sont également vues comme la source de coûts

économiques importants. Pour plusieurs, ce rapport coût/récompense est très élevé et empêche l'impact de la loyauté ethnique (ou de griefs ethniques) de jouer en faveur de l'indépendance ou de la souveraineté-association. (Notre traduction.) Maurice Pinard, « Ethnic Segmentation, Loyalties, Incentives and Constitutional Options in Quebec », communication présentée à un atelier conjoint de l'Association canadienne de science politique et de l'Association israélienne de science politique à Sde Boker, Israël, les 11-16 décembre 1978.

8. On trouve un bon aperçu de cette approche dans Peter Alexis Gourevitch, « Politics, Economics and Reemergence of Peripheral Nationalisms: Some Comparative Speculations », document non publié, 1977; Gourevitch, « Quebec Separatism in Comparative Perspective », dans Elliott J. Friedman et Neil Nevitte, ed., *The Future of North America: Canada, the United States and Quebec Nationalism*, Cambridge, Mass. et Montréal: Harvard Center for International Affairs and Institute for Research on Public Policy, 1979, p. 237-251; Aristide R. Zolberg, « Culture, Territory, Class: Ethnicity Demystified », document présenté à l'Association internationale de science politique, Edinbourg, 1976; Michael Hechter et Margaret Levi, « The Comparative Analysis of Ethnoregional Movements », *Ethnic and Racial Studies*, 2 juillet 1979, p. 260-274. Parmi les applications importantes de cette approche se trouvent celle de Tom Nairn, *The Break-Up of Britain*, London, New Left Books, 1977; Hechter, *Internal Colonialism: The Celtic Fringe in British National Development, 1536-1966*; Daniel Chatelain et Pierre Tafani, *Qu'est-ce qui fait courir les autonomistes?*, Paris, Stock, 1976; Milton Da Silva, « Modernization and Ethnic Conflict: the Case of the Basques », *Comparative Politics*, janvier 1975, p. 227-251. Voir également K. McRoberts, « Internal Colonialism: the Case of Quebec », *op. cit.*, p. 293-318.
9. Ernest Gellner, *Thought and Change*, London, Wiedenfield and Nicholson, 1964, p. 160.
10. Un sondage mené au printemps 1979 montrait que les jeunes Québécois étaient plus portés que leurs aînés à se dire « Québécois » plutôt que « Canadiens » ou « Canadiens français ». Parmi les répondants (francophones et non francophones) entre 18 et 24 ans, 47,5% se disaient « Québécois ». Dans le groupe des 25 à 34 ans, 41,6% ont répondu de la même façon. Dans le groupe des gens plus âgés, 24% se disaient « Québécois ». (Édouard Cloutier et le Centre de recherches sur l'opinion publique, *Sondage sur la perception des problèmes constitutionnels Québec-Canada par la population du Québec*, septembre 1979, p. 26.)
11. Argument présenté par Pierre Fournier, « La souveraineté-association: une stratégie de transition? », *Le Devoir*, 29 mars 1979.
12. Conseil économique du Canada, *Vivre ensemble*, *op. cit.*, Ottawa, 1978, tableau 5-17.
13. Gouvernement du Québec, *Bâtir le Québec*, p. 27.
14. *Ibid.*, p. 22.
15. P. Fréchette, « L'économie de la Confédération ».
16. Gouvernement du Québec, *Bâtir le Québec.*
17. Paul Bernard, Andrée Demers, Diane Grenier et Jean Renaud, *L'évolution de la situation socio-économique des francophones et des non-francophones au Québec, 1971-1978*, Collection Langues et sociétés, Montréal, Office de la langue

française, 1979.
18. *Ibid.*, p. 132.
19. *Ibid.*, p. 134.

Épilogue

1. Voir le sondage de Pinard-Hamilton, *Le Devoir*, 16 mai 1980.
2. Voir le sommaire des sondages dans *Dimanche-Matin*, 10 mai 1980.
3. Voir Maurice Pinard, « A House Divided », *Report*, mai 1980, p. 24.
4. *Ibid.*
5. La journaliste Denise Bombardier prétend avoir entendu de telles déclarations (« Noir sur blanc », Radio-Canada, 17 mai 1980).
6. C. Ryan cité dans *Le Devoir*, 3 mai 1980.
7. Les résultats du sondage de Pinard-Hamilton ont été rapportés par Peter Regenstreif dans le *Toronto Star*, 16 mai 1980. Il s'agit du pourcentage le plus élevé jamais enregistré en faveur de l'indépendance du Québec (voir le sommaire des résultats antérieurs dans M. Pinard, « House Divided »).
8. CBC, *A Question of Country*, document non publié, 25 avril 1980, III-58.
9. La commission constitutionnelle du Parti libéral du Québec, *Une nouvelle fédération canadienne*, 1980. Appelé par la suite livre beige.
10. CBC, *A Question of Country*, III-26.
11. D'après des notes prises lors de la télédiffusion des débats de l'Assemblée nationale, 20 mars 1980.
12. *La Presse*, 3 mai 1980.
13. *La Presse*, 13 mars 1980.
14. Édouard Cloutier et le Centre de recherches sur l'opinion publique, *Sondage sur la perception des problèmes constitutionnels Québec-Canada par la population du Québec*, septembre 1979, p. B-23.
15. Livre beige du Parti libéral, chap. 20.
16. Sondage de Pinard-Hamilton, *Le Devoir*, 16 mai 1980.

Table des matières

Achevé d'imprimer en janvier 1983
par les travailleurs de l'imprimerie
Marquis, à Montmagny, pour le compte
des Éditions du Boréal Express